大正８年（1919）、築地の基督教興文協会に編集者として勤めていたころ。
提供：赤毛のアン記念館・村岡花子文庫（以下すべて）

明治から昭和を生き抜く糧となった和洋の愛読書、辞書、翻訳作品が並ぶ書斎。

仕事机に置いてあった愛用の品々。

花子と儆三が交わしたラブレター。さまざまな困難をともに乗り越えた二人は、終生熱愛カップルであり続けた。

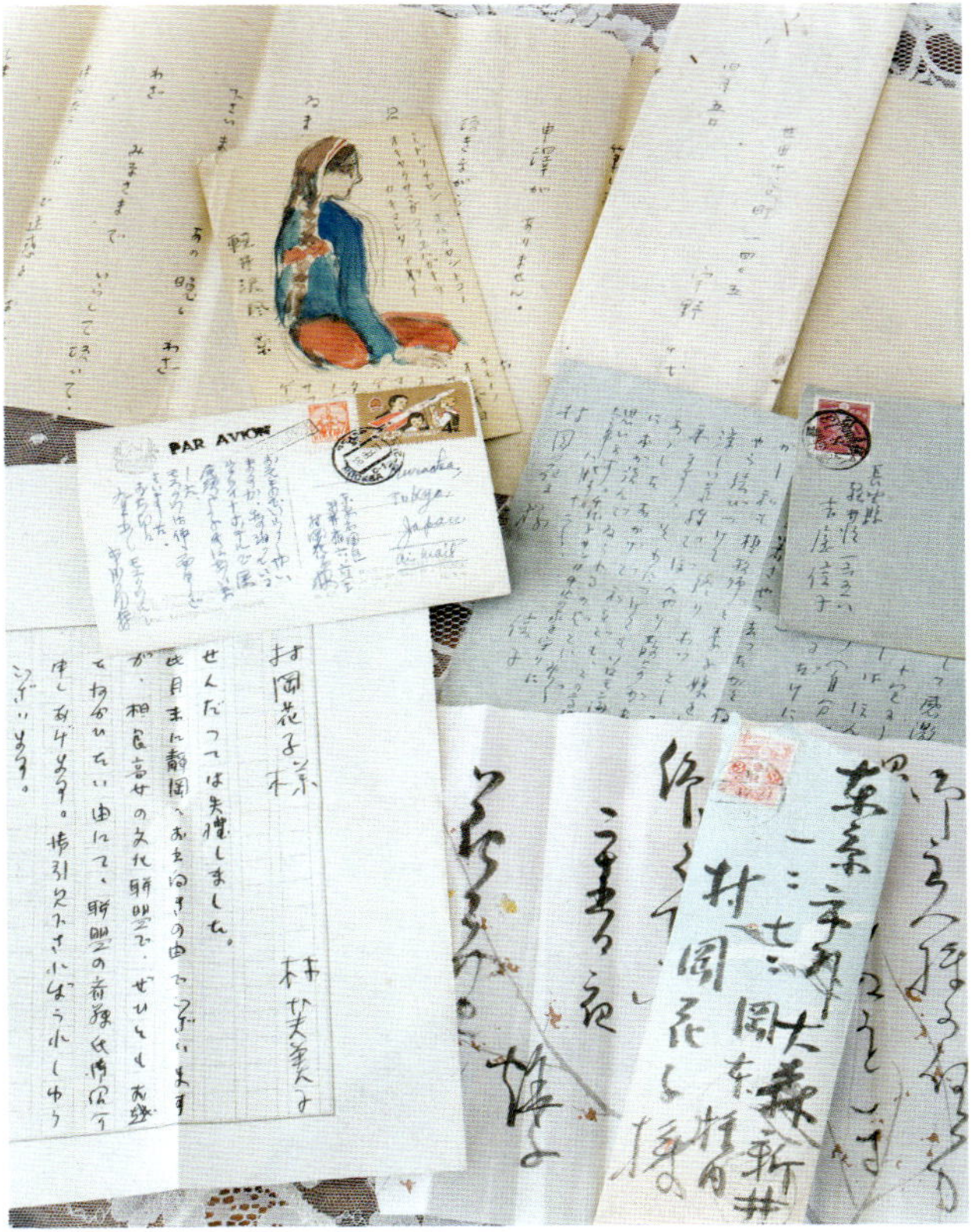

柳原白蓮（伊藤燁子）、吉屋信子、林芙美子、宇野千代、市川房枝、片山廣子ら、敬愛する友人との交流が花子を励ました。

カナダ人宣教師、ミス・ショーから贈られた『赤毛のアン』原書と自筆原稿。

娘と孫に思いを託して。昭和43年（1968）夏、大森の自宅にて。左から花子、娘みどり、孫の美枝、手前は著者。この年の10月25日に花子永眠。カナダを訪ねる夢は、ついに果たせなかった。

昭和42年（1967）、アメリカに住む娘みどり一家を訪ねて、74歳で初の海外旅行。左から花子、みどり、柴田美代、美枝。

「赤毛のアン記念館・村岡花子文庫」をともに主宰する翻訳家の姉・村岡美枝（左）と著者。手にしているのは、生涯和服ひとすじだった花子愛用の帯。
花子の書斎は記念館に保存され、オープンハウスの折に公開される（不定期・要予約）。
（詳細はホームページ参照。http://club.pep.ne.jp/~r.miki/）

新 潮 文 庫

アンのゆりかご

村岡花子の生涯

村 岡 恵 理 著

新 潮 社 版

9260

目次

＊写真や刊行物のクレジットが、東洋英和女学院史料室のものはT、赤毛のアン記念館・村岡花子文庫のものはAと略します（写真の無断使用・転載を固く禁じます）。
＊書簡などの引用文中の□は、判読不可能な文字です。

昭和33年（1958)、大森の自宅の書斎でアン・シリーズを翻訳中。
撮影・毎日新聞社　A

アンのゆりかご

村岡花子の生涯

プロローグ　戦火の中で『赤毛のアン』を訳す

昭和20年（1945）4月13日、
太平洋戦争が終結する4ヶ月前

もう四月も半ばだというのに、寒の戻りの肌寒い薄曇りの日だった。葉桜となった木からは、花びらがちらちらと舞い落ちていた。

大森の村岡家では夕食の片付けを終えた花子が、書斎の小さな電気スタンドに黒い布をかぶせた薄暗い灯の下で、カナダのプリンス・エドワード島を舞台にした小説『アン・オブ・グリン・ゲイブルス』の翻訳を仕上げていた。初めて島に着いた孤児のアンが、美しい風景に感嘆する並木道の文章を見直し、言葉を確認していく。

木々が枝をさしかわし、雪のように白い花が天蓋《てんがい》となって続く道を、馬車に乗って進む孤児のアン。気に入ったものに名前をつける彼女が、その並木道に与えた名は、the White Way of Delight。想像力に富むこの少女の内面を日本の読者に伝えるには、どんな言葉がいいのか。

White Way は白い路《みち》、Delight は喜び……。

「歓喜の白路」はどうかしら。

目を閉じて真っ白な花をつけた樹木を想像する花子の耳に、道行く男の声が聞こえてきた。

散る桜　残る桜も散る桜

転げ落ちるように悪化していく戦況のなか、日本兵が仲間を送るときに口ずさんだ、良寛の句だ。勝つ見込みのない戦いに向かった若い命が、各地で次々と散らされていた。東京でも頻繁に空襲のサイレンが鳴り、米軍の爆撃は大きな被害をもたらした。

3年半前に太平洋戦争が始まったとき、ここまでの惨状は予想もつかなかった。

花子が密《ひそ》かに訳し続けてきた小説が誕生したカナダも、敵国側であった。鬼畜米英と連合国を罵《ののし》る標語で士気を高め、軍国主義は日増しに強まる。緊迫した非常時に英語の小説を翻訳している、と世間に知られたら、どんな咎《とが》めを受けるだろう。花子の母校である東洋英和女学校で教育にあたるカナダ人宣教師は4年前、何の罪もないのに収容所に送られた。昭和17年（1942）には治安維持法違反のかどで日本基督《キリスト》教団の幹部が一斉検挙された。

親の代からのクリスチャンである自分たち夫婦も、今は教会に通えない。たとえ、翻訳が完成しても、果たして、この小説を本にする日は来るのか。

暗い気持ちを振り払うように、花子は机に置いた磁器の湯飲み茶碗《ぢやわん》を手にとって静かに番茶を飲む。

いつの日か刊行して、多くの人のもとに届けたい。モンゴメリ[1]という作家が書いた、明日への希望がわく物語を。

花子は決意もあらたに原稿に集中して、推敲《すいこう》を重ねていく。

ひと月余り前の東京大空襲では、B29の焼夷弾《しょういだん》による無差別爆撃で、下町一帯が焼き尽くされた。下町は土地に愛着のある者が多い。疎開《そかい》せず、自分たちの手で町を守ろうと決死の消火活動に努めた住民を、折からの強風に煽《あお》られた焰《ほのお》が呑み込み、街路は黒焦《くろこ》げの屍《しかばね》の山が累々《るいるい》と続く荒原と化した。

関東大震災をはるかに上回る死傷者と罹災《りさい》者を出しながら、政府がラジオと新聞で国民に伝えた被害は、宮城《きゅうじょう》の主馬寮《しゅめ》に起きた小さな火災のみ。

確かにあの日、花子の住む大森、新井宿の家からも北東の空が真っ赤に燃えているのが見えた。

数日後に訪ねてきた親しい詩人から、花子は下町の様子をありのままに聞き、動揺した。いつも、子供たちや身寄りのない老人、家を失った人々の炊《た》き出しをはじめ、あらゆる世話をしていた婦人会の人たち――あの気風《きっぷ》のいい下町婦人たちも皆、逃げ遅れたというのだ。

花子は心痛のあまり目をつぶった。

焦土となった町を歩き回ってきた詩人は少し面やつれして、自暴自棄気味に言った。

「書きたくないことを散々、書かされて、結局今、私は一文無しですよ。妻や母を疎開させてやることもできない。金持ちは皆、疎開して、この国では、貧しい者は恐ろしい災難から逃れることもできずに死んでいくしかないんですよ」

厳しい言論統制下で、今まで戦争批判は一切できなかった新聞も、ここにきて「東京戦場」という言葉を使い始めた。

国民の心は政府から離れていた。もはや戦争に勝つ、と信じる者は少ない。市井《しせい》の人々は、一刻も早く戦争が終わって静かに眠れる日がくること、ただそれだけを願っていた。

花子の娘みどりはこの春、[2]国民学校を卒業し、女学生になった。

まだ12歳なのに、なんて切ない……。

花子は、つぎの当てられたもんぺ姿の娘が哀れだった。

平和な世なら勉強に励み、夢中になって本を読み、純な心の求めるままに夢や理想を抱く年ごろ。なのに、みどりの日常にあるものは、つくろいものと我慢、そして生死をおびやかされる恐怖。

花子は明治から大正にかけての、自分の少女時代を思い起こした。厳しい規則に縛られてはいたが、寄宿舎で過ごした青春は、外国から来た宣教師と文化に囲まれた豊かな日々だった。貧しくはあったが、読書に没頭し、詩を口ずさみながら、胸の内に美しい世界を築くことができた。

花子を慰めるのは、戦時下にあってもみずみずしい少年少女の感受性だった。同じ敷地に暮らす甥姪《おいめい》、そしてみどりも苦境に負けず、まっすぐ伸びようとしていた。花子の妹・梅子の娘の晴子と息子の一穂、義理の弟・昇の娘、道子にも厳しい現実を受け止める強さがあった。不平を言わず、健気《けなげ》に暮らす彼らは、ささいな喜びを見つけては笑顔をこぼす。その健やかな精神に触れるたびに、花子は生きていく力を与えられた。

暗い雰囲気に家族が覆《おお》われそうになったときは、翻訳中の小説に想を得た「憂鬱《ゆううつ》脱出法」で花子が助け舟を出した。たとえば、みんな、おなかがすききっているのに食材が手に入らず惣菜《そうざい》が貧しい日。花子は食卓を囲む家族に「想像力ゲーム」を提案した。想像なら、どんな御馳走《ごちそう》でも思い描けるではないか。理想の飲み物や器、料理法を語り合ううち、愉快なひとときがすごせるのだ。悲しい知らせが続くなか、家族の心の傷が少しでも軽くて済むよう、気を配る毎日だった。

4月13日の昼には、アメリカのルーズベルト大統領の突然の死が伝えられ、国民は、これで戦争が終わるかもしれないという一抹の希望を抱いた。が、後任のトルーマン大統領は、前大統領の政策を踏襲した。その決意表明のような空襲のサイレンが、漆黒の闇《やみ》に包まれた深夜の東京に、高らかに鳴り渡った。

15日の夜には、けたたましい音と共に、みどりが飛び起きた。この頃は空襲に備えて夜ももんぺのまま寝ている。

書斎の花子は『アン・オブ・グリン・ゲイブルス』の原書と原稿用紙をかき集め、風呂敷《ふろしき》にくるんでしっかり抱えた。

みどりと花子、お手伝いのふみ、そして夫の儆三《けいぞう》は、庭の真ん中に掘った防空壕《ぼうくうごう》に飛び込んだ。儆三は配給手帳と、福音印刷の創業者であった父、村岡平吉が印刷した革張りで三方金が施されている美しい聖書と讃美歌集《さんびか》、そして甘いものが何よりも好きな花子のためにと、闇で仕入れた砂糖の壺《つぼ》をかかえていた。砂糖は貴重品である。壺は蠟《ろう》でしっかりと封印されていた。

4人は肩を寄せ合い、まるで穴の中の動物のように、体じゅうを耳にして外の様子をうかがっていた。儆三の額いっぱいに無数の汗の粒が浮かんでいた。花子は血圧の高い夫の体調が気がかりだった。袖口《そでぐち》を夫の額にそっと押し当て、汗を拭《ふ》いた。

しばらくして、人々が大声で叫ぶ声と、近くで火災が起きたことを知らせるバケツの音が騒々しく聞こえ、4人は外に出た。

「パパ、お姉さん、早く逃げないと危ないわ。ここは消防団の人に任せて、早く逃げましょう」

妹の梅子と夫の巖《いわお》が息せききって駆け寄ってきた。儆三は花子の妹や弟たち、甥や姪から、パパと呼ばれている。梅子の傍らには国民学校6年生の晴子、背中には、おんぶ紐《ひも》でしっかりと結わえられた6歳の一穂がおぶさっていた。

B29が大挙してやってきた場合は消火よりも逃げることが先決、これは、人々が先の東京大空襲で得た苦い教訓である。国の推奨してきた防空演習のバケツリレーは、小規模な攻撃には効果的でも、場合によっては、かえって惨事を大きくする。新井宿町内会では、まず老人と女性と子どもを避難させることになっていた。

この夜は10時に、東京大空襲に匹敵する200機ものB29が上空に現れ、3時間にわたって芝、大森、蒲田《かまた》から川崎、鶴見、横浜に至る広域をじゅうたん爆撃したのである。

「梅ちゃん、みどりを連れて先に避難してちょうだい」

花子はみどりを梅子に託した。このところ心臓が弱っている夫は長時間、外を歩くのは無理だ。体調のすぐれない夫を残しては行けない。が、みんなに心配をかけないように、儆三の具合の悪さは伏せておかなくては。

「いいかい、池上本門寺の方へ逃げるんだ。本門寺が避難民でいっぱいだったら、裏手の畑のほうに大きな防空壕があるはずだからそこに行くといい」

儆三が言った。

「お母様は？」

心配そうに問うみどりに、花子は言い聞かせた。

「お父様とお母様は、すぐ行くわけにはいかないの。あとから行くから大丈夫よ。いい？　みどりも晴子も絶対に、絶対に梅ちゃんから離れちゃだめよ」

儆三の弟・昇の妻と娘ふたりも庭に出てきた。昇は消防団に加わり防火活動に奔走している。

ヒューーン、シュルシュルシュル〜！

焼夷弾が背筋を凍らせるような音を立て、炸裂《さくれつ》しながら舞い散っていく。

「花火みたいね」

娘たちが呼吸をはずませ、興奮気味に言う。

「さあ、早く」

花子と儆三は娘たちを促した。

案の定、本門寺に続く道は表参道も裏道も避難民で溢《あふ》れ返っていて、境内までたどり着くどころか、みどりは梅子にはぐれないようにするので精一杯だった。

池上本門寺は13世紀末に建てられた日蓮《にちれん》宗の大本山で、徳川家康《いえやす》公の側室お万の方や八代将軍吉宗《よしむね》公の正室の墓があり、他にも江戸時代の画家、狩野《かのう》探幽や歴代の歌舞《かぶ》伎《き》役者などが眠っている。毎年、日蓮上人《しょうにん》の命日である10月13日には、みどりや晴子の楽しみにしているお会式《えしき》があり、前夜は夜店がずらりと並んで人出でごった返すのだが、そのお会式だってこれほどの混雑ではない。

行く道々、座り込んで手を合わせぶつぶつと念仏を唱えている者もあれば、いっそ早く墓に入りたいと嘆いている老人もいた。やがて、小高くなっている墓地の林のほうに焼夷弾が落ちた。もはや、墓の中だって安全とは言いきれない。

「だめだわ、引き返して裏の畑のほうに行きましょう」

みどりと晴子は、もみくちゃになりながら梅子の後に従った。


若い男は兵隊にとられ、東京は男ひとりに女28人という人口比率である。女性と子供たちが避難した後の町内は、消防団と警防団を除くと、ほとんど人けがなかった。線路の向こうの軍需工場からは大きな火柱が上っている。そこは軍需工場といっても、実際は家族単位でやっている小さな町工場の立ち並ぶ一帯である。村岡家からは400〜500メートル以上先にあるのだが、火の手はすぐ近くまで迫ってきているように見えた。


「恐ろしいかい？」

儆三が花子に尋ねた。

「いいえ」

花子は胸に風呂敷包みを抱いたまま、微笑《ほほえ》んだ。

「そうだね。僕も少しも恐《こわ》くないんだ」

許されぬ恋をへて結ばれてから、幾重もの苦難を越えて築いた夫婦の絆《きずな》である。いつ死ぬともしれない戦時だが、生きている限り、どんなことがあっても儆三からは離れない、と固く心に誓っていた。

やりとげたい仕事も残っている。

もはや、生活のためではない。生きた証《あかし》として、この本だけは訳しておきたい。

『アン・オブ・グリン・ゲイブルス』、緑の切妻屋根のアン——。

戦争でカナダに帰国せざるをえなくなった宣教師ミス・ショーが、別れ際《ぎわ》に花子に手渡した本である。この小説との出会いは、偶然とは思えない。

孤児のアンが、ふとした間違いからマシュウとマリラの兄妹《きょうだい》に引き取られたのは、アンが11歳の時である。誰からも愛されることなく育ったアンにとって、その間違いは運命を好転させるきっかけだった。生まれて初めて家族と呼べる人と帰る家を得て、動き始めたアンの夢と共に物語は始まる。

花子の運命が動き始めたのも、数え歳《どし》[3]の11歳であった。

あの日、父に手を引かれカナダ系ミッション・スクール、東洋英和女学校に編入学しなければ、自分の人生は全く違うものになっていただろう。翻訳の仕事にも、恐らく、儆三にも出会わなかった。カナダの婦人宣教師から受けた教育と精神的な感化が、貧しい茶商人の娘の歩む道に光を与えてくれたのだ。

この本が宣教師と共に遠いカナダから日本へと海を渡り、今、こうして自分と戦禍を共にしていることに、花子は神の意志を感じないではいられなかった。

花子は胸の風呂敷包みを、もう一度抱き直した。

三方向に火の手が上がり、残る大森駅の方角に逃げるしかない、と思い定めた花子は書斎の蔵書に別れを告げていた。家にも尽きせぬ愛着があるが、ペンで生きる者にとって蔵書は人生そのもの。少女時代、青春時代、そして仕事をするようになってから……。花子の蔵書の半分以上は洋書である。

そのとき、警報サイレンから3時間余りが経《た》って、急に攻撃は沈静した。

「村岡さん、逃げなかったんですか？」

見回りに来た消防団員が驚いて、花子に尋ねた。

「いよいよとなったら逃げるつもりだったのよ」

村岡家の前を流れる細い川の向こう側一帯にも、火はくすぶっていた。町内ではかなり多くの家が焼けたが、花子の家の一角は残った。

「町内はずいぶん、やられたね。ようやくその先で火を食い止めたよ。幸い、今日は風がなかったのがよかった。それにしてもあんたたちは……大した度胸だねえ」

それからは、ふたりとも無言で待つしかなかった。さすがに花子も、原稿を直す作業など全く手につかず、庭先に出たり、裏に回って目を凝らしたり、落ち着かない。

ようやく明けがたに、みどりたちが帰ってきた。皆、顔まで泥だらけ、梅子の背中の一穂まで泥にまみれていた。一行がようやく行きついた防空壕は、いつの間にか軍用倉庫になっていた。みどりたちは他の人々と一緒に、そこに入って難を逃れたのである。

「おば様たち、ずっとここにいらしたの？　逃げなかったの？　すごい、どうしてそんなふうにいられるの？」

姪の道子が尋ねた。

「だって、あなたたちったら、みんな家の戸を開けっ放しで出てったのよ。泥棒にでも入られたら大変じゃないの。私が鍵《かぎ》をかけておきましたからね」
花子は家族の無事を躍り上がりたいほど喜びながらも、できるだけ平静に答え、にぎりめしを作りに台所に向かった。

カナダの作家、ルーシー・モード・モンゴメリ作『アン・オブ・グリン・ゲイブルス』が『赤毛のアン』の題で刊行されるのは、翻訳が終わってから7年後の昭和27年（1952）。宣教師ミス・ショーに原書を贈られてから、13年がたっていた。

第1章　ミッション・スクールの寄宿舎へ

明治26〜36年（1893〜1903、誕生〜10歳）

給費生として

明治36年（1903）春——、10歳になる花子は父に手を引かれ、麻布、鳥居坂の桜並木を歩いていた。花子は片手を父に預けて、何度もつまずきそうになりながら、ずっと上を眺めている。七分咲きの桜のレース越しに見える空は青く澄み、枝の間にはガス燈《とう》が文明開化の名残をとどめる。

花子たちの脇《わき》を、友禅の和装姿の貴婦人を乗せた人力車が通り過ぎていく。長く連なる赤レンガの壁に囲まれるのは、[4]華族や貴族と呼ばれる特権階級の屋敷である。久《く》邇宮《にのみや》家、三条公美《きんよし》邸、実吉安純《さねよしやすずみ》邸、明治維新の立役者である[5]大鳥圭介《けいすけ》邸、韓国皇太子が暮らす李《リ》王家など、貧しい平民の花子にとっては雲の上の人々が暮らす一帯は、近寄りがたい威厳をたたえていた。

カナダ人宣教師によって創立されたミッション・スクール、東洋英和女学校は優雅な景観の中にあった。この年、創立19年を迎える。

「ここだよ」

終始無言だった父が、校門の前で立ち止まると、初めて口を開いた。

「ここでは好きなだけ本が読めるぞ。いいか、はな。華族の娘なんかに負けるな。しっかり精進して見返してやるんだ」

学校創設者とキリスト教信仰上の繋《つな》がりがあった父は、花子の編入学のために奔走。その結果、華族や富豪の娘が多く学ぶ東洋英和女学校の予科1年生に、特別に編入を許されたのだった。

ただし「給費生」として。

給費生とは、いわゆる奨学生で、まずクリスチャンであることが絶対条件、在学中は麻布十番にある孤児院の日曜学校での奉仕活動が義務付けられていた。そして、学費が免除される代わりに、学科の成績が悪ければ即、退校という境遇である。

校門は丘の上にあり、クローバーを下草に、つつじや萩《はぎ》の植えられているゆるやかな坂を降りていくと、下りきったところに木造4階建ての校舎兼寄宿舎があった。左右に開かれた出窓が並び、校舎の前の植え込みには三色すみれが咲いていた。どこからともなくピアノの音が聞こえてくる。白いカーテンの中から顔を覗《のぞ》かせている女学生たちは、髪を三つ編みに編んでいるか、あるいは大きく結い上げて、リボンを着けていた。校庭には袴《はかま》にたすきがけというういでたちで、テニスに熱中している生徒もいた。

父娘は、黒紋付の羽織姿のたっぷりとした体格の寮母と、裾《すそ》の長いふくらんだ袖《そで》のドレスを纏《まと》った3人の外国人宣教師に出迎えられた。

これから始まる寄宿舎生活のための花子の荷物は、質素な着替え一式の入った風呂《ふろ》敷《しき》と、小さな行李《こうり》ひとつである。行李には、父に買ってもらって暗誦《あんしょう》してしまうほどに繰り返し読んだ巖谷小波《6いわやさざなみ》の『世界お伽噺《とぎばなし》』が数冊、それに筆や帳面などの勉強道具が入っていた。

父は風呂敷を背中から降ろし、寮母に手渡すと、花子のほうに向き直った。

「さあ、今日からはここがお前の家だ」

「そうですよ、神の御前では人は平等、身分なんて関係ありません。寄宿生は皆、家族みたいなものですからね」

寮母は包容力あふれる笑顔で、平等の精神をはっきりした口調で述べた。

「お祭りのときは、千《ち》ちゃんに会いに行ってもいい？」

千代は花子の4つ下の妹である。南品川の家から、はるばる北品川の御殿山まで遠征し、花子たちが「北のお天王さま」と呼んで特別の遊び場としていた品川神社では、毎年6月に「天王祭」と呼ばれる大きなお祭りがある。花子は妹と連れ立って、縁日に出かけるのを楽しみにしていた。

「ああ、でも、もう家のことは心配するな。はなは自分の勉強のことだけを考えればいいんだ」

父はそう答えると、花子の頭を撫《な》で、寮母と婦人宣教師たちに深く一礼をして、今下ってきた坂を大股《おおまた》で上っていった。父は、花子のこれからの教育の一切を、ここ東洋英和女学校の婦人宣教師の手に委《ゆだ》ねたのである。

クリスチャンの父、逸平《いっぺい》

村岡花子、旧姓は安中《あんなか》、本名ははな。

明治26年（1893）6月21日、父、安中逸平と母、てつの長女として山梨県甲府市に生まれる。

父の生家は駿府《すんぷ》（現・静岡県）で茶商を営んでいたが、花子が生まれた時、既に父は熱心なクリスチャンで、実家を離れ、甲府のてつの実家で暮らしていた。

父の希望で、花子も2歳の時に[7]カナダ・メソジスト派甲府教会牧師、東洋英和女学校の創設メンバーでもある小林光泰から幼児洗礼を受けている。

この時、本人はまだ知る由《よし》もないが、花子の人生におけるカナダとの深い縁——『赤毛のアン』翻訳へと続く長い旅路は始まっていた。

幕末の安政6年（1859）に小さな茶商の家に生まれた安中逸平が、どのような経緯で激動する文明開化の時代にカナダ・メソジスト派のクリスチャンとなったのか。

幕末、慶応3年（1867）の大政奉還により江戸の領地を没収された徳川慶喜《よしのぶ》が、旧幕臣らと共に下ったのが駿府である。慶喜は混乱を招かぬよう、政治から身を引き隠遁《いんとん》生活を送るのだが、旧幕臣たちは、お家復興を目指して藩の近代化を急ぎ、海外から医学、軍事、語学などの教師を招いた。

招かれた外国人教師は、学問のみならず、彼らのバックボーンである聖書の教えをこの地にもたらした。こうして西欧文化を受け入れるべく耕された土壌に、明治7年（1874）、医学博士であり、カナダ・メソジスト派宣教師であるD・マクドナルドが来日し、布教の種を蒔《ま》いた。ちなみに、D・マクドナルドは1838年にカナダ・オンタリオ州に生まれ、20代の前半を『赤毛のアン』の舞台となるプリンス・エドワード島で過ごし、ここで牧師になる決心をしている。

「総《すべ》ての精神的革命は多くは時代の陰影より出《い》づ。基督《キリスト》教の日本に植えられたる当初の事態も亦此通則《またこれつうそく》に漏れざりしなり」（『現代日本教会史論』山路愛山著）

とあるように、キリスト教は封建制度の崩壊後、信じるものを失い、弱い立場に追いやられた旧幕臣とその子弟たちの心の拠《よ》りどころとなった。それに、静岡病院の顧問を兼任したD・マクドナルドの献身的な医療活動に心打たれた人や、外国との貿易のために語学習得を求める茶商人たちが加わって、教会にさまざまな日本人が集まりはじめる。その中から入信者が多く出て、キリスト教は次第に広まっていった。

もとより文学好きだった安中逸平は、茶の行商中にカナダ・メソジスト派教会に出入りするようになり、いつしか稼業《かぎよう》は二の次になるほど新しい思想に傾倒した。やがては布教の流れを追って甲府に移り住み、妻となるてつを知る。

甲府の生糸商人の間にも、信仰を持つ者が増えていく。明治の前半期に、お茶と生糸が日本の海外輸出品の筆頭になった背景には、商人たちとカナダ人宣教師との精神的な結びつきがあった。また、甲府も旧幕領だったため、旧幕臣が多い。新撰組《しんせんぐみ》の生き残りと言われる結城無二三《ゆうきむにぞう》も、カナダ・メソジスト派との出会いによって、キリスト教伝道師となり劇的な転身をしている。

かくして、明治の初期からカナダ・メソジスト派教会は駿府と甲府、そして首都東京の麻布に布教の拠点を置き、その3ヶ所に静岡英和女学校、山梨英和女学校、東洋英和女学校が創立されたのである。当時、日本女性の教育レベルは極めて低く、社会的地位を得られぬばかりか、自らの意志を表すことすらかなわぬまま、恵まれない一生を送る女性が多かった。外国から来た宣教師たちは、日本の女性の忍従を強いられる暮らしを知るにつけ、女子教育の必要性を強く感じた。その結果、トロントにあるカナダ・メソジスト派教会本部から、婦人宣教師団が日本に派遣されたのだ。これは、もちろんカナダ・メソジスト派に限ったことではない。欧米のキリスト教各派によるミッション・スクールの設立は、近代日本の、特に女子教育、また幼児教育の発展における多大な功績といえる。


宣教師や教会に通うインテリ層との交流によって、新しい文化の洗礼を受けた逸平は、女の子であるにもかかわらず、花子の利発さを認め、過剰なほどの期待をかけた。

「健児さんをみなさい、健児さんのように、りこうにならなければいけないよ」

ことあるごとに父が名をあげる「健児さん」とは甲府教会牧師、小林光泰の長男で神童と呼ばれる少年だった。

花子4歳の冬、教会のクリスマス会で、その「健児さん」が「富士の山は白妙《しろたえ》の衣を着て」で始まる自作の詩を暗誦し、その賢さが村の評判を呼んだ。以来、父は男の子である「健児さん」を、娘のライバルに見据えたのである。

キリスト教信仰をはじめ、商売そっちのけで理想を追い求める情熱、「女子に学問はいらない」という世間の常識にとらわれない自由な精神——。

逸平は地方のしがない商人としては先鋭的すぎて、古風な妻の実家や親戚《しんせき》たちとしばしば衝突し、家の中はもめごとが絶えなかった。そのしわ寄せは、大抵、妻のところに来る。てつは夫にならって教会に連なってはいたが、新しい思想と古い慣習の板ばさみになって、いつも苦しんでいた。家の中のぎくしゃくした空気は花子にも伝わった。花子は父から文学的な感化を与えられつつ、考え方の違う人間がひとつ屋根の下に暮らす息苦しさを幼いながら実感していた。

その居心地の悪さは、『赤毛のアン』初版を刊行した翌年、還暦を迎えた花子が綴《つづ》った随筆にも残っている。

（略）私のその時分の家庭は、中々に複雑な人間関係のもつれがあったらしいので、幼い心にもそれが感じられて、ひたすらに「静かな生活」というものを求めたのだろうと、今になって子供の心を解剖するのである。（略）私は自分の子供時代——少女時代——を思い返すと、何だかいつも周囲とはなれていた自分の姿が見えてくる。どういうわけなのか、別にけんかするのでもない、非社交的でもない、然《しか》し、何となくまわりの友だちとちがったことを考えている私だったのである。

少女の日はなつかしく、また哀《かな》しい。

（『親と子』より「小学生の頃」）

花子が5歳の時、父は親戚とのしがらみに決別し、一家で上京。南品川に住居を定め、生活のために葉茶屋を始めた。周辺には寺が多く、旧東海道第一次宿である品川宿の名残もあって、商人たちの活気と、うら淋《さび》しさの混じった下町情緒が漂っていた。花子が通う城南尋常小学校は海辺に立っていた。磯《いそ》の香りに包まれて日暮らし砂浜で遊んでいた花子は、ある日、学校の友だちにこんな宣言をするのである。

あたしは大きくなったら、ひとりで家を建てて住むのよ。その家はあたしひとりの住むところにして、きれいにお掃除して、あたしは朝から晩まで本を読んだり、文章を書いたりするの。

また、7歳の時、大病をして、その床の中で辞世の歌を詠《よ》んでいる。

まだまだとおもいてすごしおるうちに　はや死のみちへむかうものなり

これを見た両親は号泣したが、幸い病気は回復し、学校に戻るとまた一首詠んだ。

まなびやにかえりてみればさくら花　今をさかりにさきほこるなり

花子は、父の自慢の種になった辞世の歌をはじまりとして、短歌や句作を楽しむようになった。四季折々に移り変わる海や空や花の色、下町の人々が生活する様子に、あどけない心象を重ね合わせ、すらすらと七五調に乗せて詠む、そんな幼少期を過ごしていた。

娘の成長を見るにつけ、小さな芽を何とか伸ばしてやりたいという逸平の悲願が、階級の壁を越え、花子に高等教育を受けさせる道をつけたのである。

東洋英和に編入した年の翌明治37年（1904）には、日露戦争が勃発《ぼっぱつ》している。

創立当初、欧化主義の時代には、華族をはじめとする富裕層の間でブームになったミッション・スクールも、軍国化が進みナショナリズムが台頭するうちに、政府から厳しい弾圧を受け、かつての隆盛に翳《かげ》りを生じていた。キリスト教系の学校そのものが存続困難な時代の予兆に、キリスト教本来の人道的な平等精神に校風が返りつつあった、という背景も花子の編入を手伝っていた。

花子を東洋英和に編入させる少し前から社会主義者の活動に加わっていた父は、一連の活動の中でも、特に「教育の機会均等」を訴えている。

近代化にもかかわらず広がる階級間の格差、下層社会における過酷な労働条件、民主主義とはほど遠い専制政治と軍国主義——この現状に対して初期社会主義は「自由・平等・博愛」の理想的な未来社会像を掲げ、多くのキリスト教信者が賛同したのである。

以下は初期社会主義者としての安中逸平の足跡である。

明治36年　4月3日　労働者観桜《かんおう》会で検挙。
　　　　　　25日　[8]社会主義演説会で弁士をつとめる。
明治37年　1月　[8]平民社、社会主義茶話会に参加。
明治39年　6月　[9]日本社会党発足に際し直ちに加盟。30銭寄付。

明治40年　2月　同党、評議員になる。のち社会主義同志会、労働奨励会にて活動。

しかし、逸平と家族の生活はますます困窮をきわめ、8人の子ども――花子を筆頭に千代、庄三郎、健次郎、うめ（後に梅子）、磯夫、雪、邦久のうち、父の理想とする教育を受けられたのは、長女の花子ひとりだった。次女の千代と三女のうめ以外は皆、養子に出されるなどして親元からも離れている。10歳の花子が足を踏み入れた清らかな環境は、父の夢の賜物《たまもの》だった。だが、その陰で妹弟《きょうだい》たちの犠牲という、重い代償が払われていた。

洗練された上級生

「さあ、校舎をご案内致しましょう」

新学期が始まるまでにはまだ数日あったので、女学生の姿はまばらだった。花子は寮母に続いて静かな校舎に入った。

1階には毎朝の礼拝を行う講堂があった。赤いカーペットの上に木の椅子《いす》が並び、前方にはマホガニーのオルガン、舞台のように高い段のある中央には聖壇がしつらえられている。

講堂のほかには8つの教室、教員室と校長室、食堂、そして奥はカナダ人の先生たちの宿舎になっていた。

2階は主に生徒たちの宿舎となっていた。長い廊下の片側に設置されている最新式のスチーム暖房の自慢を聞きながら歩いていると、目の前の木の扉が開いた。

「あら、小林先生」

中からひとりの若い教師が出てくるところだった。

「今日からここに入る、給費生の安中はなさんです」

「初めまして。わたくしは英語科の小林です。新入生の英語の書き取りは私が見ますから、あなたには教室でもお目にかかりますね」

花子はお辞儀をするのも忘れ、その部屋の中を見て立ちすくんでいた。

書籍室！

父の蔵書の比ではない。壁には重厚な木製の書架が並び、ぎっしりと本が詰まっていた。

昨年、花子は父の本棚にあった[10]ミルトンの『失楽園』を手に取った。むろん『失楽園』は10歳の花子には、難しすぎた。しかし、わからないながらも読みごたえを感じ、不思議な満ち足りた気分に浸ることができたのだ。

そのときに味わった恍惚感《こうこつかん》が一瞬、身体《からだ》を走り抜ける。

「これ、全部読んでもいいんですか？」

「読んでもよろしいのですか、と聞くものですよ。もちろん、自由に読んでいいのです。ただ、読めれば、ですけどね。ねえ、小林先生？　ほほほ……」

大柄で朗らかな寮母の名前は、加茂令子。維新で没落した士族の生まれで、もともとは裁縫教師として東洋英和に就職したのだが、良家の生まれらしい礼儀正しさと、苦労を味わった上での賢さをカナダ人宣教師に高く評価され、寄宿舎の舎監に任命されたのである。彼女の生活指導は寄宿生たちの言葉遣いから立居振舞い、洗濯、足袋の繕いにまでおよび、食事や健康にも細心の注意を配っていた。

まさに、寄宿生の母親の役割を果たす存在だった。

促されるようにして3階に上がると、宿舎のほかに音楽室があり、ピアノを弾いている女学生がいた。校門をくぐった時から聞こえてきた音色は、この部屋から流れていたのだ。その隣には裁縫や料理、お行儀を学ぶ教室が並び、ここは加茂の領域らしく、ひとつひとつ丁寧な説明が加えられた。

4階には、うす暗い小さな部屋。

「ここは『祈りの部屋』です。チャペルと言って、生徒がひとり静かに神に祈り、罪を悔い改めるために作られた部屋です。神の愛は無限ですから……」

加茂は、おごそかに語る。

「罪……」

教会の牧師の説教やキリスト教関係の本の中——そして、『失楽園』にも、やたらと「罪」や「愛」という言葉が出てきたのだが、花子はそれらの響きの美しさに惹《ひ》かれても、意味はつかみどころもなく、自分では口にすることも憚《はばか》られるのだった。

花子は2階の宿舎の一室に入った。8畳の和室に、上級生から下級生の縦割りで4～5人が共同生活をする。しばらくすると「失礼いたします」と声がして、花子が「はい」と答えると、障子がさっと開いた。

「ごきげんよう」

清らかな鈴の音のような声だった。

「あなたのことは校長先生からうかがっておりますわ。いろいろとわからないことがおありでしょうから、お世話をして差し上げるようにと、言われて参りましたの。わたくし、奥田千代と申します。よろしくってね」

予科・本科・高等科のそれぞれの修学年数は2年、5年、3年となっている。予科と本科は一学年20名ほどで、そのうち高等科まで進むのは6〜7名である。本科4年生の奥田千代は、花子が今しがた通ってきた鳥居坂に屋敷を構えている大鳥圭介の孫娘だった。

心地よい音楽のような言葉使いである。

この人、お父さんの言ってた華族の娘だ。

華族というものを間近に見るのは、初めて。大きく髪を結い上げ、袂《たもと》の長い縮緬《ちりめん》の着物に紺紫の袴《はかま》を胸高に着けた上級生は、凛々《りり》しく垢《あか》抜けてまぶしかった。

あれこれと生徒の心得を説明していた奥田千代は、ふと花子の髪に目をとめた。

「ちょっとお待ちになって」

花子の後ろに回り、髪を丁寧に櫛《くし》で結いなおすと、自分のリボンを外して花子の髪に留めた。

「お髪《ぐし》におリボンをつけないのは、着物に帯をしめないのと同じなんですって。ミス・クレーグが言ってらしたわ。さあ、これでいいことよ」

頰を染めてうつむく花子の胸は、恥じらいと嬉《うれ》しさ、そして不安が渦巻き、身のおきどころがない心地で、今にも涙がこぼれそうだった。

ここで、暮らしていけるのだろうか……。

第2章　英米文学との出会い

明治37〜40年（1904〜07、11〜14歳）

失敗だらけの新入生

寄宿舎に来てからの花子は、宣教師の指導による規則正しい生活や洗練された少女たちの習慣になじめなかった。

話し方は即刻あらためなくてはならなかった。花子は何か言うたびに敬語の間違いを指摘された。

寄宿舎に住む全員が一堂に会してとる食事の時間のうち、火曜日の夕食は洋食で、フォークとナイフがうまく使えず落ち着かなかった。前に座っていた上級生の皿に勢いよくニンジンを飛ばしてしまうなど、失敗の連続だった。ひとつのテーブルに7～8人の生徒とひとりの婦人宣教師が座り、婦人宣教師からテーブル・マナーについてこと細かく注意を受ける。ナイフやフォークの使い方にもまして、花子が気後れするのは、何を言われているのか、まるで英語がわからないのである。食べた気などしなかった。

同級生17人のうち、その半数以上が幼稚科と呼ばれる東洋英和の付属小学校から上がって来た生徒で、彼女たちは既に3年間の英語教育を受けており、中には、外国暮らしの経験者や西洋人と日本人との混血の少女もいて、婦人宣教師と食事の間中、流暢《りゅうちょう》な英語で楽しそうに話していた。

尋常小学校では学年で常に一番を誇っていた花子だが、まるで外国に来たような女学校では、全く文化が違う。花子はＡＢＣで始まるアルファベットの読み方さえ知らなかった。とりわけ、教室で英語を発音しなければならない時は恥ずかしく、みんなに嘲笑《ちょうしょう》されているようで足がすくんだ。

寮母の加茂や日本人教師、そして同室の上級生はとても親切にしてくれたが、花子は家族や品川の海辺で一緒に走り回って遊んだ友達が恋しくてたまらなかった。

しかし、家に帰るわけにはいかなかった。

勉強は続けたい。そして、父の期待にも応《こた》えたかった。

とにかく英語だ。ここで生活していくため、絶対に英語を身につけよう。

花子は猛勉強を始める。

入学して半年ほどたったある日、同室の上級生が放課後、花子を誘った。

「ご一緒にデザートを買いに行きましょう」

寄宿舎に「デザート」つまり、おやつを持ち込むことは許されており、それは寄宿生の大きな楽しみであった。

校門を出ると通りには、先に火の付いた長い棒を持っている人がいて、ガス燈《とう》にひとつずつ点火して廻っていた。夕暮れ時、ガス燈に火がともるたびに三条邸の赤レンガの壁が、ぼおっと浮かび上がる。鳥居坂を下り、麻布十番の商店街にある松源堂という和菓子屋に入ると、そこにはすこぶる大きな金つばが売られていた。あまりの大きさに花子は思わず声をあげて笑った。上級生が特大金つばを買い、花子が包みを抱えて校門をくぐり、ゆるやかな坂を下っていると、初めて父とこの学校に来た日と同じピアノ曲が聞こえてきた。

「これはなんという曲ですか」

「『トロイメライ』よ」

心地よい風に吹かれ、花子は『トロイメライ』にうっとりした。ほんの20分ほどの外出であったが、晴れ晴れした気分になった。

金つばの包みを見て、部屋にいた生徒が歓声をあげたのを聞きつけ、隣の部屋からも集まってきた。早速包みを開けてみんなで分けたのだが、にぎやかに笑いさざめく輪の中でいただく金つばは、こんなに美味《おい》しいものがほかにあろうか、と思うほど甘露であった。

厳格なる校長ミス・ブラックモア

「礼拝中に絶対にしてはならないのは、鼻をすることよ」

2年目の夏期休暇が明けた最初の朝、同室の3人の上級生たちの話題は新しい校長の着任でもちきりだった。

「は？　鼻？」

花子は目を丸くして、小さく鼻をすってみせた。

「そうよ、それよ。B《ブウ》ちゃまは、その音が、それはそれは、お嫌いなの」

「ブゥチャマ？」

「今度の校長よ。ミス・ブラックモアのB《ブウ》」

花子はくすっと笑った。

「お花ちゃん、笑いごとじゃなくてよ。B《ブウ》ちゃまは、わたくしが下級生だった頃、4年前にも校長だったの。B《ブウ》ちゃまは、お話の最中に鼻をすった方を、鼻が真っ赤になるまで、ハンカチでかませたの。その方、お気の毒に、後でずっと泣いてらしたわ」

「そんなに恐《こわ》い人なんですか……」

「恐いなんてものじゃないわ。岩のように大きな体で、あれこそ、まさしく『厳しさの化身』とでもいうのでしょうよ。規則に手足がついたようなものだわ。わたくしなんてね、ちょっと廊下を走っただけで、『あなたは廊下の歩き方を知らないようですから、私がお教えしましょう』って、もちろん英語でおっしゃるのよ、30分もの間、廊下を何往復も歩かされたわ」

「あら、わたくしなんて1時間よ」

「わたくしは、廊下でお友達とふざけていたのを見つかって、校長室に呼ばれてこっぴどくお小言を頂いたうえに、『みだりに廊下に於《お》いて話をなし高笑疾走などなすべからず』って、英語で80回書かされたの」

「わたくしなんて100回よ。あの日は学科の課題だけでも、眠れないくらい大変だったのに、もう、朝までかかって書いたのよ」

「英会話の時間に、質問に答える声が小さくて『校庭に行って、あなたの声を探してらっしゃい』って、今にも雪が舞い降りてくるような寒空の中を、ずっと校庭に出されたこともあるわ。先生の英会話と英文法の授業は、ほとんどの生徒が落第させられるのよ。またミス・ブラックモア校長の時代が到来するなんて、卒業の年だというのに、大変なことになるわ」

女学生たちのお喋《しゃべ》りは尽きない。それでも始業の鐘を聞くと、皆、すみやかに、加茂の裁縫の指導でこしらえたメリンスの座布団《ざぶとん》と、聖書と讃美歌《さんびか》集の入った行李《こうり》とを持って、廊下に並び、別人のように静々と、聖なるオルガンが響く1階の講堂に入っていく。毎朝8時10分から30分までの礼拝には、全校生徒、約180人が一堂に会した。そのうちの半分が「寄宿生」で、もう半分が自宅から通う「通学生」である。

壇上で黙禱《もくとう》を守っている西洋婦人――花子はひと目見て、それが噂《うわさ》のミス・ブラックモアであると悟った。他に十数人はいる婦人宣教師の中でもずば抜けて威風堂々とした姿は、彼女が学び舎《や》の大黒柱として最もふさわしい人物であることを語っていた。礼拝は全《すべ》て英語で行われる。讃美歌を歌い、主の祈りを唱え、聖書の朗読の後、ミス・ブラックモアはゆっくりと一同を見渡し、威厳に満ちた声で「My girls!」と呼びかけて、話し始めた。花子が寄宿舎に入った日に書籍室で出会った小林富子が、新たに任命された秘書として校長の脇《わき》に控え、まだ、英語に慣れていない下級生のために、ミス・ブラックモアの話を日本語で伝える。いつにも増して、この日の礼拝はおごそかな静けさの中で進められた。もちろん鼻をすする者などひとりもいない。

ミス・ブラックモアはカナダ・ノヴァスコシア州トゥルローに生まれ、明治22年（1889）、26歳で初めてメソジスト派婦人宣教師として東洋英和女学校の教師になっている。

彼女が初来日した翌年、教育勅語[11]が定められ、天皇制を強化し「忠君愛国」を掲げる男子中心の教育政策が決行された。キリスト教はナショナリズムを奉じる政策に反するため、さまざまな弾圧を受けた。

加えて明治32年（1899）、「私立学校令」[12]と「文部省訓令十二号」[13]の発布によって、ミッション・スクールには、政府からさらなる圧力がかけられた。外国人教師の排斥、キリスト教主義の学校は公認資格を得られないなどの逆境の中、廃校に追いやられたり、キリスト教を捨てざるを得ない学校が続出した。殊《こと》に学歴が、卒業後の就職に物言う男子を預かる学校にとっては、深刻な問題だった。校内でキリスト教教育はしていないとしながら、校舎から離れたところに礼拝堂を建て、したたかに礼拝を守り続けた学校の例もあるが、当初カナダ・メソジスト派によって、東洋英和女学校と共に創立され、その男子部であった東洋英和学校は、この時、苦渋の選択を迫られ、キリスト教を捨て進学校の道を選んだ。現・麻布学園である。

しかし、東洋英和女学校の校長に再任されたミス・ブラックモアは、時代の流れに届せず、文部省の規定に依《よ》らない徹底した英語教育と、創立以来のキリスト教教育を貫いた。たとえ、公的に資格を認められなくても、生徒たちに社会に通用する実力をつけさせる。この信念は揺るがなかった。

授業は午前中が「日本語学」で午後は「英語学」となっていたが、カナダ人婦人宣教師によって学習プログラムが組まれるため、勢い「英語学」のほうに比重が偏《かたよ》る。「日本語学」では、国語、漢文、数学、理科、日本史、日本地理、習字、裁縫といった授業を日本人教師から受け、午後の「英語学」では聖書、リーダー、英文法、英作文、英文読解、英会話、英文学、世界史、世界地理といった授業を婦人宣教師から英語で受けた。

毎日午後の一時間目に聖書を学ぶのだが、聖句に関しても、多彩な詩人やシェイクスピアの作品を引いて面白く教えられた。

「日本語学」の教科書は公立の高等女学校とほぼ同じものが使われた。「英語学」にはこの学校の独自性が発揮され、英語のリーダーにはカナダ本国と同じ『オンタリオ・リーダー』が使われていた。英国史、世界史、世界地理の教科書もカナダ製である。

そのほかに音楽、編み物、洋裁、料理、体育も婦人宣教師から教わった。婦人宣教師のほとんどがカナダ東部で高い教育を受けたカナダ人女性で、ほかに数人ずつ、イギリス人とアメリカ人もいた。

宣教師たちは敬愛するイギリスのヴィクトリア女王が「王室の者でも何時《いつ》独り立ちせねばならぬ時代が来るかもわからぬ」と、王女たちに特技を身につけさせた話に影響を受けていた。女王の精神を受け継いだ宣教師たちは、東洋英和の女学生たちが社会を堅実に生き抜いていく技術を持つように指導するのだった。「たとえ将来結婚するとしても、万が一のために何か身につけておくように」と説き、常に勤勉を奨励した。

憧《あこが》れの文学会

「ごきげんよう、お花さん」

奥田千代が花子の肩をそっと叩《たた》いた。

「ごきげんよう、千代様」

花子は上級生の中でも、特に最初に出会ったこの人を、姉のように慕っている。名家の出でありながら家柄を鼻にかけるところがなく、気品と折り目正しさをそなえていた。貧しい身なりをした花子に家の事情を聞いたりせず、さりげなく持ち物などを気遣ってくれるのだった。

千代は自分のお下がりのひわ色の単《ひとえ》の縮緬《ちりめん》を着た花子を満足そうに眺めると、にっこりと微笑《ほほえ》んで言った。

「ミス・ブラックモアが帰ってきてくださったなんて、わたくし、嬉《うれ》しいわ」

「千代様は叱《しか》られていらっしゃらないんですか？　春子様も文子様ものぶ子様も、それは恐い先生だって……」

「ミス・ブラックモアに叱られたことのない人なんて、この世にいないわ。文部省のお役人だって叱られるのよ。でもそれは、心の深いところで私たちのことを、真実、愛してくださっている証《あかし》なの。口ではなんと言ったって、本当のところは、皆さんご承知よ。もっとも、小林富子先生くらい優等生なら叱られたこともないでしょうけれどね」

花子は生まれてこのかた、一度もはめを外したことなどなさそうな小林富子の姿を思い浮かべ、納得した。

「小林先生は、英語には殊に厳しいミス・ブラックモアから、絶大な信頼を得ているの。お聞きになったでしょう？　小林先生の素晴しい翻訳」

「ホンヤク？」

「英語を日本語に直すことよ。翻訳で先生の右に出る者はいなくてよ」

前任のミス・キラムの傍らにもそうした秘書は付いていたが、確かに小林富子のほうが、ずっと淀《よど》みなく、何の苦もなく、簡潔に「ホンヤク」したのだった。

「私もなれるかしら？」

「えっ？」

「あ、いえ」

小林先生みたいに、と言おうとして、言葉をのみ込んだ。心の奥に、小林富子に対するライバル意識めいたものが芽生えていた。

「お花さん、わたくしね、父に頼み込んで寄宿生になろうと思うの」

花子が小さな野心をあたためているとも知らずに、千代は目を輝かせて言った。

「千代様が？」

「父はわたくしに不自由はさせないって、手元におきたがるんですけれど、近くなのだから、いつでも帰れるわ。わたくし、ひどく焼きもちやいているのよ。西洋の先生たちは、通学生よりも寄宿生のほうが可愛《かわい》いんですもの。みんな同じように愛してるとはおっしゃるけれど、そりゃあ、ずっと一緒に暮らしているんですもの、情が濃くなるに決まっているわ。『文学会』にも参加したくてたまらないの。今年が本科の最終学年だし、この学校を味わい尽くすつもりよ」

豊かな家の令嬢である通学生の一部には、使用人を何人も抱えた屋敷に住み、人力車で送迎される暮らしよりも、多少の不自由はあっても、寄宿舎生活のほうが、ずっと愉快で充実していると感じられたのである。

千代の言う「文学会」とは、毎月最終の金曜日の晩に催される寄宿生の行事である。講堂の舞台を使って、合唱、独唱、ピアノやオルガン、ヴァイオリンの独奏、英詩の暗誦《あんしょう》、英語劇、活人画、対話などのプログラムが組まれる。ある月の花子たち下級生の出し物は蠟燭《ろうそく》行進だった。袂《たもと》の長い着物に袴《はかま》をはいて、手に蠟燭を持ち、

In this world of darkness
　We must shine,
　　You in your small corner,
And I in mine.

暗きこの世を
　我らは照らさん
　　君も我も
小さき片隅にて

村岡花子訳

と、歌いながら、十字になったり、列になったり、円になったり、別れたりの行進を舞台の上に展開した。行進が済むと、それぞれひとりずつ客席に向かって、詩を暗誦した。

花子に割り当てられた詩の最後の一句は「ギブ アス モーア ライト (give us more light 我らに光を増し与えよ)」だった。

「文学会」の晴れの舞台に向けて、寄宿生たちは休み時間や放課後に練習に励む。個々の得意を生かし、ソロで舞台に立つ上級生は、下級生の憧れの的だった。普段は物静かな婦人宣教師たちも、この時ばかりは、花子が「これが、あの先生!?」と仰天するほど情熱的に、表現力豊かに生徒たちを指導するのである。

「桃太郎」や「一寸法師」などの日本の昔話を寸劇に仕立て、婦人宣教師たちが着物を着て、たどたどしい日本語で演じる。これは、寄宿生にとって、抱腹絶倒の面白さだった。

その様子をさんざん聞かされる通学生からの強い要望で、月例の「文学会」とは別に年2回、5月と11月に、全校生徒による「大文学会」が催されるようになった。しかし、そこでも場数を踏んでいる寄宿生が花形となるのは致しかたなかった。

西欧の生活習慣も学ぶ

寄宿生は当番制で婦人宣教師の部屋の片付けを手伝い、ベッド・メイキング、掃除、鏡台のつや拭《ぶ》きなどを覚えた。化粧品の瓶、タルカム・パウダー、ビーズ細工の髪飾りや絵皿などの小物類が優雅に並ぶ室内は、花子には「不思議の国」のように映った。また、順番に宣教師の部屋に招かれ、イギリス式のお茶会を楽しむ機会も設けられた。紅茶とともに、パウンド・ケーキやチョコレート・プディング、果物の砂糖漬けなど、当時の日本では珍しいお菓子が供された。

生徒が病気になると、薬学や看護法の知識にも通じている婦人宣教師たちは、生徒を自室のベッドで寝かせ、薬や滋養になる飲み物を作って飲ませたり、体を拭いたりして一晩中、つききりで看病した。

夜は寄宿生全員が校長室に集まり、生徒の進行によって礼拝が守られる。全校生徒が参加する朝の礼拝よりも、ずっとアット・ホームな雰囲気だった。

起臥《きが》を共にする中で、寄宿生は西欧の考え方や生活習慣を身につけた。その過程で、教師と生徒という隔たりを超えた人間的な信頼関係が培《つちか》われた。女学生同士の友情も、家族のような親密さをたたえていった。

寄宿舎には「The Sixty Sentences（シックスティ・センテンス＝60の文）」と呼ばれ

31. I go to the wash-room.
（お手洗いに行きます）

32. I wash my hands.
（手を洗います）

33. I make my hair tidy.
（髪の毛を整えます）

34. The dinner bell rings at ten minutes past twelve.
（12時10分に昼食のベルが鳴ります）

35. We go to the dining-room again.
（また食堂に行きます）

36. We eat our dinner.
（昼食をいただきます）

37. I go back to my class-room.
（教室に戻ります）

38. School begins again at one o'clock.（1時に午後の授業が始まります）

39. We have a Bible lesson first.
（最初は聖書の授業です）

40. We divide into our English classes.（英語学のクラスに分かれます）

41. We begin our English classes.
（英語での授業が始まります）

42. We have conversation at half past one.（1時半から英会話の授業です）

43. School is out at three o'clock.
（3時に授業が終わります）

44. Some of the daily pupils go home at once.（通学生はすぐに家に帰ります）

45. Some of the girls sweep and dust the class-rooms.
（お当番の生徒たちは教室のはたきがけと掃き掃除をします）

46. We have a game of hide and seek.
（かくれんぼをして遊びます）

47. The others play in the yard for an hour.（1時間ほど校庭で遊ぶ人もいます）

48. I go to the reading room.
（読書室に行きます）

49. I read the newspapers.
（新聞を読みます）

50. I write a letter to my home.
（家族への手紙を書きます）

51. We have a supper at half past five.（5時半に夕食をいただきます）

52. We have evening prayers after supper.（食事が終わると夕拝に参列します）

53. We begin to study at quarter past six.（6時15分から勉強を始めます）

54. The little girls go to bed early.
（小さい生徒たちは一足早く就寝します）

55. The big girls go upstairs at nine o'clock.（9時になると大きい生徒たちも上の階へ戻ります）

56. We get ready for bed.
（床につく準備をします）

57. I say my prayers before getting into bed.（床につく前にお祈りをします）

58. The last bell rings at half past nine.（9時半に最後のベルが鳴ります）

59. One of the foreign teachers comes to our rooms to say "Good-night".
（西洋人の先生が「おやすみなさい」を言いに私たちの部屋にいらっしゃいます）

60. We all sleep quietly until the rising bell rings again.
（起床のベルが鳴るまで静かに眠ります）

The Sixty Sentences　　By Miss Blackmore

1. The rising bell rings at six o'clock.
（6時に起床のベルが鳴ります）

2. I get up at once.
（すみやかに起きます）

3. I take a sponge bath.
（濡らしたスポンジ（タオル）でからだを拭きます）

4. I brush my teeth.
（歯を磨きます）

5. I comb my hair.
（髪を梳かします）

6. I dress myself neatly.
（きちんと着替えをします）

7. I read my Bible.
（聖書を読みます）

8. I say my prayers.
（お祈りをします）

9. I go downstairs.
（階下に下ります）

10. I meet some of my class-mates.
（友人と顔を合わせます）

11. We greet each other.
（挨拶をします）

12. We go to the play-ground.
（運動場に出ます）

13. We play ball a little while.
（ボール遊びをします）

14. The breakfast bell rings at seven o'clock.（7時に朝食のベルが鳴ります）

15. We go to the dining-room.
（食堂に行きます）

16. We eat our breakfast.
（朝食をいただきます）

17. I go back to my room.
（自分の部屋に戻ります）

18. I put my room in order.
（部屋の整理整頓をします）

19. I get my books ready for school.
（授業に必要な教科書を用意します）

20. I go to my class-room.
（教室へ行きます）

21. I study a little while.
（少しの間勉強します）

22. The school bell rings at eight o'clock.（8時に始業のベルが鳴ります）

23. We all gather in the Assembly-Hall.（講堂に集合します）

24. We have prayers.
（礼拝に参列します）

25. The principal calls the roll.
（校長先生が点呼をとります）

26. We divide into our Japanese classes.（日本語学のクラスに分かれます）

27. We begin our Japanese lessons.
（日本語での授業が始まります）

28. We have a singing-lesson at ten o'clock.（10時に歌の授業が始まります）

29. We continue our Japanese lessons.
（日本語の授業が続きます）

30. The noon bell rings at twelve o'clock.（正午のベルは12時に鳴ります）

る日課があった。

それらはミス・ブラックモアが考案したもので、朝起きてから夜床につくまでの日常生活の行動が、細かく60の英文で綴《つづ》られていた。寄宿生は毎朝これを暗誦し規則正しい生活習慣と同時に、英文の基本を身につけていった。


ミス・ブラックモアは時折、抜き打ちで、「The Sixty Sentences」を疑問文や否定文、あるいは人称を変えて唱えさせたので、英語が得意でない生徒でも、それ相応に鍛えられたのである。


山のような課題をこなし未来に向かって力を蓄えつつも、お洒落《しやれ》に関心の高い年頃の女学生は、宣教師たちのドレスを羨望《せんぼう》の目で眺めていた。

「あなた、ご覧になった？　今日のミス・クレーグのドレス、素晴らしく優雅だったわね」

ミス・クレーグはモントリオールの裕福な家庭の生まれで、マギール大学において学位を取得している。当時、カナダでも女性の学位取得は極めて稀《まれ》である。花子は在校中、英文学の授業をミス・クレーグから受けた。

規則そのものとして恐れられているミス・ブラックモアとは対照的に、若く美しく、センス抜群の副校長ミス・クレーグは、女学生たちの敬愛を集めていた。

「ミス・クレーグはカナダでも指折りの豪商の娘なのよ」

「まあ！　どうりで。でも、それならどうして神の道に身を捧《ささ》げる宣教師なんかにおなりになったのかしら？」

「ここだけのお話よ。実はね、ミス・クレーグは大学時代に、ある実業家の青年と大恋愛をなさったんですって。だけど、家同士の複雑な問題から、その恋は実らなかったのよ」

「まるでロミオとジュリエットね」

「そうなの。失望の果てにミス・クレーグは、俗世を断ち切って、生涯を神の伝道に捧げる決心をなさったのよ」

「お可哀想《かわいそう》だわ。きっと彼を心の中で想《おも》い続けていらっしゃるのね」

「聞いた話によると、その恋の相手がどうやら日本にいるらしいわ。ミス・クレーグは日本で偶然、彼と再会なさったのだけれど、彼はなんと、幸福な家庭生活を送っていたんですって」

「まあ！」

どこから伝わってくるのか、根拠があるのか、わからぬまま、少女たちのささやきにのって、噂《うわさ》は広まっていく。

ミス・クレーグは厳格なブラックモア校長と、やんちゃな学生の間の調停役として、いつも学生たちをかばっていた。

頭角を現す

英語を重視する方針のかたわら、寄宿生たちは家事も仕込まれた。土曜日など、授業が休みの日には寮母の加茂の指導で、洗濯や掃除、足袋の繕いをした。はしたないふるまいを注意するときの加茂の口ぐせは、卒業後も皆の記憶に残った。

「そんなことは、お嬢様のなさることではございませんよ」

第1、第3金曜日の放課後には届けを出せば、外出が許され、翌日土曜日の午後5時半までに戻ってくるという条件で実家に帰ることもできた。

加茂から外泊許可を受け取って、生徒たちが嬉々《きき》とした表情で夕焼け空の中に、ひとり、またひとりと消えていくのを見送ってから、花子は本を手に静かにすごす。帰る家はあったが、今はまだ父に報告できるような成果は何もない。それに、電車の切符を買うお金も、じゅうぶんではなかった。

初秋の昼下がり、花子は書籍室の扉を開いた。書籍室の扉のノブは美しくカットされたクリスタルでできていて、握った瞬間、ひんやりと冷たい。この部屋には礼拝の講堂と同じ赤いカーペットが敷き詰められており、中央にはがっしりとした大きい木製の机とそれを囲む椅子《いす》が2組置かれている。花子は、そっと中に入って扉を閉めた。

並ぶ本は大半が洋書。

そして、ここは花子が一番落ち着く場所だった。

朝食の後、礼拝までの時間、昼休み、そして放課後。ひまを見つけては訪れていた。ピアノより、テニスより、裁縫や料理より、また友人たちとのお喋《しゃべ》りよりも、花子には読書が楽しみだった。本がある限り、退屈とは無縁だった。

入学してすぐ、花子は勇んで書籍室を訪れたが、本棚から取り出した本を開くと、言葉というよりも模様のような横文字が連なるばかりで、手も足も出なかった。ただ、日本の本よりも上等な素材の装丁や、色鮮やかで幻想的な挿絵に、横文字言葉の彼方《かなた》に広がる麗《うるわ》しい世界を予感するのみだった。しかし、今は辞書という強い味方があった。この辞書というものを、花子は全くもって偉大なる発明だと思っている。

日本で初めての英和辞典は、宣教師で医師でもあったアメリカ人のヘボン博士が、明治の初年、無償で横浜の漁師たちの眼の治療をしながら日本語を覚えて完成させた。そのヘボン博士の労作が、後の人の勉強にどれほど役立っていることか。

未知の言葉の意味が明らかになるときの、わくわく弾む気持ち。また、たくさんの言葉の中からぴったりとした語彙《ごい》を見出《みいだ》した瞬間の、胸のすくような快感。寄り道して、気の利《き》いた言葉に出会うのも面白い。花子にとって、片時も肌身から離せない宝物が辞書。これさえあれば、洋書がなんとか読める。かつては門前払いにあった言葉の世界が、徐々に開かれていった。

誰もいない書籍室で本棚を眺めながら、ゆっくりと歩む。本を選ぶときに、必ず頭の中に甦《よみがえ》ってくる一節がある。

我が暗黒を照らし、低き心を高め、支え給《たま》え

ミルトン作『失楽園』の詩句である。
そして、禁断の実を前にしたイヴは確かこう言うのだ。

人を賢くする聖なる果物がここにあり！

秋が深まり、校庭の大きなしいの木は鈴なりについた実を地面に振りまいた。女学生たちは、競ってしいの実を拾い集めた。校庭を掃除する用務員のおじさんは彼女たちの協力者であった。

本科3年生、14歳の春の朝、花子はいつものように身支度を整え、書籍室へと走ったところ、勢いあまって廊下の角で大きな柔らかいものにどすん、とぶつかった。

運悪く、ミス・ブラックモアである。

ミス・ブラックモアは厳しい表情で花子を見下ろすと「Go to bed!」と言って、花子が今来た方を指差した。上級生から伝え聞いていたミス・ブラックモアの罰則を、花子もおおかた経験済みであり、この「Go to bed!」にしても既に何度となく言い渡されてきた懲戒処分であった。「Go to bed!」は、「部屋で静かに目を閉じて反省しなさい」という意味である。もっとも寄宿生たちの部屋は和室でベッドではないのだが。

花子は部屋に戻り、まだ片づけていなかった床の中にもぐり込んで目を閉じた。が、この程度の失策では、真面目《まじめ》に反省する気など起こらない。いつもなら転寝《うたたね》に淡い夢を見るところだったが、この日は再び目を開けると、読みかけの本を開き、うつぶせに寝転んだまま、読み始めた。

花子を夢中にさせているのは『アンクル・トムズ・ケビン（アンクル・トムの小屋）』[14]である。ハリエット・B・ストウという女性作家が書いたこの物語は、奴隷《どれい》解放をめぐるアメリカの南北戦争の導火線ともなった。キリスト教社会であるはずのアメリカに、黒人に対する理不尽な人種差別があること、また、一冊の本が歴史を動かすほどの大きな力となりえることは、柔らかい花子の心を大きく揺さぶっていた。

毎月、月末には各科目の試験が行われて、その成績順に礼拝や教室の席が並ぶ。学年で誰が一番で、ビリが誰かは一目瞭然《りょうぜん》。学年末には全校生徒が講堂に集まり、ひとりひとり、成績が読み上げられた。

生徒たちは、出生の身分を問わず、「神の名の下に人は平等である」と教えられていたのだが、こと成績に関しては、点数がすべてであった。特に「英語学」の評価は厳しく、クラスの三分の一が落第させられた。

花子の勉強は好きな科目を優先するため、成績が偏《かたよ》っている。型にはまった勉強は嫌いで、特に苦手な数学や理科は、ぎりぎりで及第点を維持するものの、後は一切手をつけない。

数学教師の井出由太郎は、そんな花子を心配して、なんとか数学的な考え方を理解させたい、と心を砕いていた。

「君みたいな子はね、一度落第してみたら、きっと数学ももっと勉強するようになると思うんだ。いったん面白くなれば、多分すごく伸びると思うよ。どうだね？　落第してみないかね？」

と、井出は、書籍室で英語の本を読んでいる花子の前に現れ、協議落第の話を持ちかけた。井出由太郎は眉目秀麗《びもくしゅうれい》で「清廉《せいれん》の士」という形容がぴったりと当てはまるような日本的な紳士である。

「いやです、先生！」

花子は飛び上がって言った。

「落第なんて、絶対にいやです！」

「そうかなぁ。残念だねえ。しかし、どうしても嫌だというのなら、仕方あるまい。ぎりぎり及第はしているから、そのままにしておくか」

花子は率直なこの数学教師が人間的に好きであったが、数学的なセンスを磨く気にはなれなかった。

しかし、群を抜いた英語の力によって、花子は給費生としての面目と、学内での存在感を保っていた。特に英文学に関しては、リーダーや授業で与えられるものでは飽き足らず、書籍室にある本を読みあさる。『ピルグリムス・プログレス（天路歴程）』[15]『ロビンソン・クルーソー』[16]『ウォーター・ベビーズ（水の子）』[17]『リトル・ウィメン（若草物語）』[18]や、書籍室の上段を占めていたアメリカの児童文学シリーズ『エルシー・ブックス』[19]28巻を読破し、面白いものを翻訳して、寄宿舎の下級生に語り聞かせていた。花子にとって物語は誰かと分かち合うべきものであり、伝えたいという熱い衝動が、既に心の奥深い泉から湧《わ》き上がっていた。

明治中期、カナダ・メソジスト教会本部から東洋英和女学校に派遣された婦人宣教師団。後列左から２人目が若き日のミス・ブラックモア。T

明治後期、花子が在学した頃の東洋英和女学校の校舎兼寄宿舎。T

第3章　「腹心の友」の導き

明治41～大正2年（1908～13、15～20歳）

孤児院で奉仕活動

読書にかける花子の情熱は高まるばかりで、本科4年生（15歳）になる前後からは、18〜19世紀の英米文学を片っぱしから読み尽くしていった。やがて中世のロマンスに夢中になる。

日本語では小説らしい小説などなかった図書室だったが、その代わりに英語の小説はたくさんに揃《そろ》っていた。もっとも、当時、盛んにもてはやされたジョーだ[20]のワイルド[21]だのイプセン[22]だのメーテルリンク[23]だのの作品は一冊もなかったが、スコット[24]やディケンズ[25]やサッカレー[26]やシャーロット・ブロンテ[27]や、そのほかの群小作家のものなど、およそ少しでも「古さ」という光沢のかかって来たものは、その書架にぎっしりと並んでいた。その時分、あの学校は文部省令によらずに自由に英語の課程を作っていたし、語学を勉強する時間は他校より多く、学力は相当についていたので、読む気のある者は、ぐんぐんその方面には伸びて行けたのだった。

乙女盛りともいうべき日々を、図書室の片隅で明けても暮れても、古めかしい中世期を舞台にしたロマンスを読みふけっていた私は、表面に映った静けさに似もやらぬ奔放な、美しい夢を心に持った娘として、誰と語り合うのでもないひとりの道を歩んでいた。

（『改訂版　生きるということ』より「静かなる青春」A）

寄宿舎きっての文学少女であるため、婦人宣教師たちの花子への監視の眼は特に厳しかった。新刊の小説などは絶対禁止とされ、無論、学校にはその類《たぐい》の本は一冊もなかった。それでもなお、婦人宣教師たちは花子が流行の読み物に触れはしないか、文学雑誌に投稿でもしやしないか、警察に睨《にら》まれかねない進歩的な「近代思想」にかぶれやしないかと、かなり心配していた。

この頃から生意気にも、花子は全校生徒の賞賛を浴びる小林富子先生の通訳に、大いなる疑問を抱き始めた。

校長ミス・ブラックモアは、礼拝の席でも、注意を与える際にも、何か話すときには少しばかりのユーモアを混ぜることを得意としていた。けれども、小林先生の通訳にかかると、ユーモアの片鱗《へんりん》もうかがえない、味も素っ気もない要旨伝達に変わってしまう。小林先生の通訳は間違ってはいないのだが、その言葉の出どころである魂が、一番大切な先生の人間性が伝えられていない。これでは、花子がそうであったように、下級生たちが先生の真意を誤解してしまう。

「小林先生の方法が素晴らしいホンヤクであるはずがない」

花子は毎朝の礼拝中、心の中で反問し続けた。

しかし、当の小林富子先生は、花子が内心で彼女の通訳を批判しているとも知らず、花子に大いに期待していた。書籍室で会うと、次に読むべき本を指導したり、教員室に花子を呼んでは、何かと話したり戒めたりした。

明治41年（1908）には、アメリカのボストン・ページ社からカナダの作家、ルーシー・モード・モンゴメリによる『アン・オブ・グリン・ゲイブルス』が出版され、北米を中心に一躍、ベストセラーとなっている。しかし、東洋英和の書籍室には新しい小説は置かれない。この小説との運命的な出会いは、約30年後を待たなくてはならなかった。

ただし、奇《く》しくも花子は、この東洋英和で作者モンゴメリと同世代のカナダ婦人たちに囲まれ、アンの時代のカナダの文化や教育に包まれて青春時代を過ごしていた。

ここでの生活体験は、キリスト教文化から料理に至るまで、『赤毛のアン』を翻訳するための貴重な財産となっていくのである。

日曜日はキリスト教では聖日とされる特別な日で、寄宿生は厳粛に過ごさなければならなかった。午前中は、校舎の敷地のすぐ隣に建っている麻布教会（現・鳥居坂教会）の日曜学校と聖日礼拝に出席する。この日は服装が自由だったので、通学生の中にはここぞとばかり、洋装で派手に着飾ってくる者もいた。

通学生が帰った後も寄宿生は教室に集まり、午後1時から2時まで聖書について学び、その後「サンデー・リーディング」といって、指定されたキリスト教関係の書物を読む時間となった。それ以外は、小説はもちろん、教科書を読むことも禁止。讃美《さんび》歌《か》以外の歌を口ずさむのも、散歩やテニスなどの遊びも全《すべ》てご法度《はっと》。さらに午後4時には祈禱《きとう》会、5時半から6時までは、英語の讃美歌を婦人宣教師の指導で練習した。そして、夜7時からはやはり夕拝があった。

午前中、麻布教会の礼拝に出席する前に、花子たち数名の給費生は給費生の必修として、東洋英和が運営している孤児院「永坂孤女院」の日曜学校に教師として出向いた。

鳥居坂を下ったところが麻布十番で、学校からは目と鼻の先の距離である。しかし、この坂の下には坂の上の景観とは、うって変わって、庶民的な商店が立ち並ぶ賑《にぎ》やかな盛り場があり、裏通りの一角は貧しい長屋の連なる貧民街だった。

麻布十番には明治27年（1894）から孤児院があったが、その中でも「永坂孤女院」は、この辺りの貧家から、ふたりの女の子が売られていくのを目の当《まあ》たりにした女学生たちの要望を受け、ミス・ブラックモアが明治36年（1903）に設立した孤児院である。女学生たちは校内に王女会 King's Daughter Society（King とは神のこと）を立ち上げ、孤児や貧家の人たちのために、靴下を編んだり、バザーを行ってお金を集めたりして、奉仕活動に参加していた。

大正後期に童謡として流行した野口雨情《うじょう》作詞の『赤い靴』の詩の中で「赤い靴はいてた女の子」として歌われている少女は、花子が永坂孤女院の日曜学校の教師をしていたこの頃、そこに居た佐野きみという少女である。花子はここでも、自分の読書経験を生かし、身寄りのない孤児たちに、物語を語り聞かせていた。

佐野きみは、いったんはアメリカ・メソジスト教会の宣教師夫妻の養女となるが、その後、結核を患《わずら》い、実際は「異人さんのお国」には行かず、夫妻が帰国する際、永坂孤女院に託されて、明治44年（1911）、満9歳で薄倖な生涯を終えている。

近代化が進むにつれ貧富の格差が広がり、さらに、日露戦争後の不況によって経済的に追い詰められて転落する者が増えた。経済不況とともに、さまざまな社会の問題が深刻化していた。孤児院の子供たちはこうした環境の犠牲者であった。

不思議な編入生

明治39年（1906）には、寄宿舎の2階の一番端の部屋へ、もの腰の優しい中年婦人が入舎してきた。高等科の最上級生でも21〜22歳なのに、教師たちと同年配かとも思われる人が、行李《こうり》を持って寄宿生として入ってきたのだから、生徒たちの耳目は、この不思議な編入生に集中した。花子も特別に好奇心をそそられたひとりであった。

なぜだか、その人は一つの学級にとどまらず、あちらこちらの教室を出入りしていた。もっと不思議だったことは、花子が廊下ですれ違うたびに、その人の眼はひどく腫《は》れていた。それは本当にひどい腫れ方で、あまり大きくないその眼は、ふさがってしまうのではないかと心配になるほど。

そのうちに誰からということなく、

「あちらは『不如帰《ほととぎす》』の[28]徳冨蘆花《ろか》先生の奥様よ」

「先生のご洋行中、英語のお勉強をなさるんですって」

「蘆花先生はキリスト教の聖地、エルサレムに巡礼にいらっしゃったらしいわ」

「御洋行中にトルストイ[29]っていうロシアの作家にもお会いになるそうよ」

との噂《うわさ》が、学校中に広がっていた。

徳冨蘆花作『不如帰』は明治31年（1898）の新聞連載開始と同時に一世を風靡《ふうび》した人気小説で、芝居にもなった。寄宿舎では当世流の小説を読んだり、芝居に行くことは一切禁止されていたが、そこはいつの時代も同じ女学生のことである。教師の目を盗んで、競うように『不如帰』を読んだ。

継母から疎《うと》まれていた主人公浪子は海軍少尉《しょうい》川島武男のもとに嫁いでようやく幸せな新婚生活を送っていた。しかしそれも束《つか》の間《ま》、彼が遠洋航海で留守の間に、浪子は肺結核を患い、彼の母によって離縁されてしまう。帰京した武男は母のむごい仕打ちに怒るが、折からの日清戦争に浪子と別れを惜しみつつ軍務に赴く。その従軍中に浪子は武男を慕いながら死んでいく。

ロマンスに憧《あこが》れる女学生たちは、浪子の薄倖な人生に涙した。そして、この物語が、当時の陸軍大将大山巖《いわおげんすい》元帥の長女と三島弥太郎子爵《ししゃく》との実話をもとにしていることも、さらに大きな同情を呼んだ。

いつのまにか、花子はその蘆花先生の妻、愛子に可愛《かわい》がられるようになった。『不如帰』を花子は少しも面白いと思わなかったが、理知的な夫人には強い関心を抱いた。

花子が部屋を訪ねると、愛子はよく蘆花先生に手紙を書いていた。夫人が頭痛がするといって横になっている傍らで、頭を揉《も》んであげたりもした。その時も、やはり彼女の眼はふさがりそうに腫れていた。夫と離れて暮らす寂しさに泣きはらした眼だったのだが、男女の機微などまだ知らない花子は、その理由には気がつかなかった。

3ヶ月ほどたち、夫人の姿が見えなくなってからしばらくは、寂しかった。

愛子夫人が去って2年後、寄宿舎に新たな編入生が登場した。

[30]柳原伯爵令嬢燁子《あきこ》。

厳密には燁子は既に令嬢ではない。柳原伯爵と芸者との間の子であった燁子は、8歳で北小路家の養女となり、15歳で長男資武と結婚させられ、翌年、子供を産んでいる。その結婚生活には堪えがたいものがあり、二十歳《はたち》のときに実家に帰ってきた。

だが、体裁を重んじる華族の家では、離縁した娘は恥とされる。肩身が狭い日々の中、歌を詠《よ》んでなぐさめとしていた燁子は、結婚のため断念せざるを得なかった勉強(14歳で華族女学校、現・学習院女子中等科を退学)をもう一度したいと申し出て、東洋英和女学校の寄宿舎に入ってきたのだ。父の死後、家督を継いでいた腹違いの兄にとっても、都合のいいなりゆきであった。

東洋英和の寄宿舎で、燁子は2階の一番西側の部屋に入った。かつて、徳冨蘆花夫人、愛子がいた部屋である。

燁子の家柄と美貌《びぼう》は、校内でも際立《きわだ》っていた。

花子は、白梅の薫る中庭で、学校中の少女たちの注目を集めているその細おもての美しい人と初めて言葉を交わした。

「あなた、いくつ？」

「わたし、16よ」

問われて花子は素直に答えたが、その一瞬、燁子の顔がかすかに曇った。それは、屈託のない若さに対する羨《うらや》みと憐《あわ》れみの混ざった複雑な表情であった。

清らかな聖処女として教育されている花子たちには、燁子がこの学校にたどり着くまでに歩んできた道のりを知らされてはいない。しかし、燁子には周りの無邪気な友人たちとは違う、﨟《ろう》たけた美しさがあった。その佇《たたず》まいは、そこはかとなく文学的な香りを漂わせ、花子は悲劇のヒロインのような燁子に、一目逢《あ》った時から強く惹《ひ》かれたのである。

燁子のほうは8つ年下の花子を、自由で幸福な小鳥のようだと思った。この愛らしい小鳥は自在に英語の詩《うた》をさえずるのである。

燁子は、多くの崇拝者の中でも、英語が堪能《たんのう》で新鮮な西欧文学の世界へ誘《いざな》ってくれる花子に、傍らにいてほしかった。花子は語学の力で仕入れた西洋の歴史、地理そして、文学の知識のありったけを燁子に語り伝えることを喜びとした。

「私ね、燁さまに逢ってから、勉強するのが今までよりも一層張り合いが出来て、楽しみになったのよ。だって、私の勉強は、貴女《あなた》と二人前の勉強なんですもの。それに、燁さまみたいに私の話を熱心に聞いてくださる方はないんですもの」

「本当にそうよ。ねえ花ちゃん、貴女は私の目と耳になって頂戴《ちょうだい》。貴女のおかげで私はどんなに幸福かしれないのよ。ね、英語の本を読んで、私に聞かせて頂戴ね」

「私、あなたのために自分の勉強を怠らないつもりよ」

燁子に対する友情は、異性と言葉を交わす機会のない花子にとって、初恋にも似た感情であった。

ふたりは、春は鳥居坂の桜並木を、秋は校庭の築山《つきやま》の萩《はぎ》が白と赤の花をたくさんに咲きこぼし、優しく風に揺られるのを共に眺めた。花子は詩でも小説でも、手あたり次第に書籍室から借りてきては盛んに読みふけり、それを翻訳して燁子に聞かせた。

燁子は花子と過ごしながら、失われた青春の時間を取り戻していった。燁子にとって花子は、それまで知っていた友人とは全く異なる精神の持ち主だった。花子からほとばしる生命力は、燁子がとっくにあきらめていた希望を甦《よみがえ》らせた。

「燁さま、テニスン[31]の『王の牧歌集』を翻案してみましたの。よろしかったらお読みになって」

花子は黒い革のノートを燁子に手渡した。

「テニスン？」

「イギリスの王室に仕えた詩人ですわ。ランスロット王子とエレーン姫、そしてアーサー王妃ギニビアの恋の物語ですの。ランスロットとエレーンは婚約していたのに、ランスロットは美しい人妻のギニビアに惹かれ、それを知った清純な乙女、エレーンは悲しみのうちに死んでしまうの。ギニビアには恋を勝ち取ったかわりに……」

「『乙女の恋は栄光の冠、人妻の恋はいばらの十字架、燃えさかる恋の焔《ほのお》に二つはなかろうものを、人の世の制裁《おきて》は悲しくも冷たい』っていうところ、素敵ね。こういう表現は日本の文学にはなくてよ」

「ドラマティックでしょう？　人の世に背くくらいに激しく誰かを愛するってどういうことなのかしら？」

「……。花ちゃん、今度の週末は私の部屋にお泊りにいらして。お話をもっと聞かせてちょうだい。ふたりで夜明かししてお話ししましょうよ」

金曜日の授業が終わると、東京に家のある生徒は寮母から外泊許可証をもらって、帰っていった。寄宿舎内には地方出身の生徒と宣教師の先生が残っているだけだった。ふたりは夜になるのを待ち焦《こ》がれた。花子は枕《まくら》を持って燁子の部屋を訪れた。

「あのギニビア王妃のことも、神様はお許しになるかしら？」

燁子が切り出した。

「神様？」

「ミス・ブラックモアがおっしゃっていたわ。その……、神様はどんなに罪深い人間でも、悔い改めれば許してくださるって……」

燁子は純粋潔白な少女たちに囲まれていると、時折、自分の体がひどく汚《けが》らわしいものに思われて自責の念に苛《さいな》まれるのだった。そんな時はひとりミス・ブラックモアに苦しい胸のうちを打ち明けた。ミス・ブラックモアは神の御子《みこ》イエス・キリストがすべての人の罪を負って十字架にかかったこと、神を信じ、神の娘となって祈れば、あなたの罪は許されると励ました。洗礼を受けて清くなれるのであれば、いっそ受けてしまおうか、と迷う日もあった。

「わからないわ」

花子はきっぱりと言った。それから声を潜めて、

「私、神様が本当に存在するか、ということだって疑っているのよ」

「だって、花ちゃん、あなたはクリスチャンでしょう？」

燁子は何の罪も汚れもない花子こそ神の子と呼ぶにふさわしく、花子の向学心も神の祝福の賜物《たまもの》と信じていたのだ。

「気がついた時にはそうだったのよ。私が赤ん坊の時に、父が洗礼を受けさせたから。私の意志ではないの」

「意志？」

「そうよ。もちろん全く信じていないわけじゃないけれど、聖書の中には、いっぱいわからないことがあるわ。それに先生たちは『神を畏《おそ》れて人を畏れず』というけれど、本当は神も人をも畏れずに、誰かを犠牲にしても貫きたい愛があるということが、いちばん素敵だと思うわ」

花子はまだ本当の恋を知らない。しかし、書籍室の片隅で明けても暮れても古めかしい中世期を舞台にしたロマンスを読みふけっていた花子の頭の中は、奔放な恋の夢で溢《あふ》れていた。

「ねえ、燁さま、ミス・ブラックモアはね、『イノック・アーデン』のイノックの愛こそ本当の愛だって言うのよ。愛する人の幸福を願うためには、自分の思いは犠牲にしてしまう、そこに人間の涙があるんですって。そして涙の人は幸いなんですって。でも、私、悲しいわ。恋というものはそんなに無惨《むざん》なものかしら」

燁子は花子が可愛かった。花子なら自らの意志で幸福をつかむのかもしれない、と思った。

「花ちゃん、今は何を読んでいらっしゃるの？」

「スコットの『ケニルワース』よ。その中に、妻の背信を怒る夫が“I have made you the sharer of my bed and fortune”『私はお前を私の寝室と財産を分かち合う者としたのに』と責めるところがあるの。私、驚いてしまって、誰もいない書籍室で思わず本を伏せてしまったわ。『ベッドと財産の分かち手』というのが結婚というものなのかしら？　燁さま、どうお思いになって？」

「…………」

燁子の顔が曇ったことに、このとき花子は気づかなかった。

佐佐木信綱《のぶつな》に短歌を習う

「出戻りの娘」と呼ばれる立場で屋敷内にいた頃から、歌を詠むことと、日本の古典文学を読むことを慰めとしていた燁子は、寄宿舎生活の中でも折々に歌を詠んで花子に聞かせた。燁子の歌を詠む心に触れていくうちに、花子は自分には日本文学の素養が欠けている、と悩みはじめる。カナダ人婦人宣教師が指揮をとっている学内では、どうしても英語偏重になってしまうのだった。

「私も燁さまのようにもっと日本文学を勉強したいけれど、ここにいては難しいわ」

悶々《もんもん》として花子は言った。

「でしたら、わたくしの短歌の先生をご紹介するわ。佐佐木信綱先生[32]っておっしゃるのよ」

「でも、学校の外に勉強に行くなんて、ミス・ブラックモアが許してくださるかしら」

男性のもとに弟子入りするなどということは、あのミス・ブラックモアが許すはずがない、と花子は思った。

「信綱先生は代々、皇室とも関係の深い歌人でいらっしゃるの。由緒《ゆいしょ》正しい方だからきっと許してくださるわ。わたくしからもブラックモア先生にお願いしてみることよ」

燁子の仲介が効を奏し、ミス・ブラックモアの許しを得た花子は、燁子に伴われて本郷西片町の佐佐木信綱の門をくぐった。

佐佐木信綱は江戸時代の国学者、本居宣長《もとおりのりなが》の学問上の子孫である。信綱の主宰する短歌結社竹柏《ちくはく》会は歌壇、文壇のみならず様々な芸術方面に活躍する人材を輩出していた。

初めて花子があいさつをしたときは、

「一葉《いちよう》[33]さんが歌を始められたのも、あなたと同じくらいの年ごろでしたよ」

信綱はにこやかに応じた。

樋口《ひぐち》一葉も、もとは中島歌子が主宰していた萩《はぎ》の舎《や》塾の歌人である。一葉は既に夭《よう》折《せっ》していたが、年齢が同じだった信綱は、折々の歌会で同席する機会をもった。

樋口一葉は近代日本の女性作家としても高い評価を得たが、明治時代の女性の教育事情、男性主体の文壇状況から考えると、一葉の小説が世に出たこと自体が奇跡的だった。女性が作家に弟子入りしても、先生のお手つきにされる危険もあり、なかなか作品を認められるまでに至らない。唯一《ゆいいつ》、女性に開かれていたのは、歌人という道である。

信綱は、花子から月謝を受け取らず、

「そうだ、あなたには、代わりにうちの娘に英語を教えて頂きましょう。ちょうどよかった」

と言って弟子入りを許した。

佐佐木信綱門下は女流の登竜門としても知られていた。そして、花子もその末席に名を連ねたのである。

そこには、[34]長谷川時雨《はせがわしぐれ》、[35]五島美代子、燁子が親しくしていた[36]九条武子《たけこ》など、優れた才能の持主がキラ星のように連なっていた。文学を志す同性の仲間を得たことは、花子にとって大きな刺激となった。

花子が、古風で庶民的な本名「はな」から「花子」を名乗るようになったのも、この頃から。女子の名前には「子」がついているほうが、山の手風でモダンであった。

毎週火曜日の放課後に、花子は燁子と共に詠草《えいそう》を持って通い、歌の指導を受け、師の『源氏物語』や『万葉集』の講義を聴いた。

特に『万葉集』のおおらかな恋の歌に花子は惹きつけられた。

「歌人になろう！」

花子は夢中になって歌を詠み、信綱のもとに通った。

しかし、信綱は花子の歩むべき道が歌ではないことを見抜いていた。

ある時、信綱は「これを読んでごらんなさい。翻訳文学の真髄です」と、花子に森鷗外《おうがい》が翻訳したアンデルセン作『即興詩人』[37]を手渡した。

それまで洋書ばかりを読んできた花子は、翻訳文学にあまり触れてこなかった。寄宿舎で黒岩涙香《るいこう》訳の『噫《ああ》無情』や『岩窟《がんくつ》王』が流行《はや》ったことがあったが、その時は物語の面白さだけに気をとられて、翻訳者の日本語の表現は気にとめなかった。鷗外の『即興詩人』は文語体で書かれており、小説でありながら、全篇を通して流れるような抒情《じょじょう》詩である。

10年ほど前から文壇では、文語体から言文一致体に移行していたが、歌人である信綱先生は、あえて若い花子に文語体で書かれたこの本を薦めたのだ。

　文して戀しく懐《なつ》かしきアントニオの君に申し上げ参らせ候　今宵はゆくりなくも　おん目に掛り候ひぬ　再びおん目にかかり候ひぬ

魅惑的な語彙《ごい》とリズムに陶酔しながら日本語の美しさに浸った花子は、目からうろこが落ちたような気がした。

片山廣子《ひろこ》によって別世界へ

まもなく信綱は、英米文学にも通じている歌人を紹介してくれた。

「あなたの学校の先輩に[38]片山廣子という人がいます。あなたは本当によく本を読んでいるが、新しいものはあまり知らないみたいだから、そちらの方面を彼女に指導してもらいなさい」

片山廣子は竹柏会を代表する歌人であり、松村みね子というペンネームで、日本にアイルランド文学を紹介した翻訳者でもある。

「ずいぶん立派な校舎になったこと！」

花子に会いに寄宿舎まで出向いた廣子は、久しぶりに訪れた母校をまぶしそうに見上げた。花子より15歳年上だったが、丸顔と凛《りん》とした清潔感、そして鋭い文学的な感受性が彼女を若く見せていた。

廣子の英語力も、東洋英和女学校の寄宿舎生活でカナダ人婦人宣教師に仕込まれた。外交官の娘として生まれ、明治18年（１８８５）に7歳で東洋英和の幼稚科に入学。

同28年（1895）に卒業して、同32年（1899）に21歳で後に日銀の理事となる片山貞次郎と結婚している。

「よろしかったら、本を見にいらっしゃい」という言葉に甘えて、花子は片山邸に足を運んだ。廣子は数年前に、夏目漱石《そうせき》から譲られた日本橋の家を引き払い、病気がちな夫の療養のために気候が穏やかで自然に恵まれた大森、馬込《まごめ》に越してきていた。

夫は廣子の才能に理解を示し、彼女の文学活動を陰で支えていた。廣子も「妻を働かせては男の沽券《こけん》にかかわる」という点にも気を配り、社会的地位のある夫の顔を立てて、いっさい原稿料は受け取らず、表向きはあくまでも上流家庭婦人としての立場を貫いていた。一男一女の優しい母でもある。

何の苦もなく、高度に洗練された片山家の家庭のあり方は、花子を驚かせた。さらに花子が目を見張ったのは廣子の書斎。慎《つつ》ましくはあったが、妻が家庭の中に自分の城として書斎を築いているということに感嘆した。本棚には、花子が見たことも聞いたこともない作家の名前がずらりと並んでいた。ショー、ワイルド、メーテルリンク、シング[39]、ダンセニイ[40]、グレゴリー夫人[41]……。

すでに学校の書籍室にある本は、ほとんど読み尽くしていた。しかし書籍室の本は全《すべ》て、厳しい宣教師らのおめがねにかなった、いわば、安全な本だった。

花子は新しい扉の前に立っていた。廣子の導きで開いた近代文学の世界。そこに連なる書物は花子の視界を大きく拡《ひろ》げ、寄宿舎一の文学少女から、自立を目指すひとりの女性へと誘《いざな》っていく。毎週のように、花子は一冊ずつ、廣子の本棚から近代文学の原書を借り、寄宿舎に持ち帰って読んだ。


片山廣子さんが私を近代文学の世界へ導き入れて下さった。そうして、その世界は私の青春時代を前よりももっと深い静寂へ導き入れるものであった。けれどもこの静かさは、以前のような、逃避的な、何物をも直視しない、正面からぶつかって行かない「精神的無為」の静かさではなくして、心に深い疑いと、反逆と、寂寥《せきりよう》をたたえた静かさであり、内面的には非常に烈《はげ》しい焔を燃やしながら、周囲にその烈しさを語り合う相手を持たないことから来る沈黙であった。

（『改訂版　生きるということ』より「静かなる青春」A）


廣子の蔵書からは、善悪の境界を越えて、人間性の真実に迫る思考が伝わってきた。

「あなたの読んでいる本、なあに？」

書籍室のいつもの場所で本を読んでいると、小林富子が覗《のぞ》き込んできた。

メーテルリンク『モンナ・ヴァンナ』の英訳で、花子が廣子から借りたものである。

「私に読ませてちょうだい」と、小林富子はいやおうなしに、その本を奪っていった。

花子は困惑した。

戦で大敗北を喫したモンナ・ヴァンナの夫は、敵将から妻を講和の使いとして送ることを要求される。モンナ・ヴァンナは愛する夫のために、その要求に応じる。しかし、敵将に逢《あ》った彼女は、自分の夫よりも彼のほうが、人間的に数段優《まさ》っていることを直感する――。

花子は、それが廣子の本であることも忘れて、思わず、感じたまま、

「人間は最上のものを知らなければ、第二のもので満足できる。然《しか》し、長い間第二のもので満足していた後に、最上のものにめぐり逢うとしたら、それは不幸にもなり得る」

などと、余白に走り書きしていた。その文字を消すこともできず、破るわけにもいかず、堅物の小林富子に渡してしまったわけである。

数日後、小林富子先生は神妙な顔つきで『モンナ・ヴァンナ』を返しに来た。

「こんな本を読むなんていけないわ。お花さん、あなたのような人は幸福になれるか

しら？　私は怖いような気がする」

家庭教師の怒り

ミッション・スクールの寄宿舎で、クリスマスは年間を通じての大きな行事だった。朝、暗いうちから寄宿生たちが手に蠟燭《ろうそく》を持ち、クリスマスの歌を歌いながら、廊下を練り歩く。婦人宣教師の部屋の前まで行って、扉の外からカロルの旋律を送ると、白い寝巻き姿の婦人宣教師たちが、素足にスリッパをひっかけて、扉を細めに開ける。

そこで、寄宿生たちと、

「メリー・クリスマス」

「メリー、メリー・クリスマス」

と祝福の言葉を交わす。

寄宿生の間では、プレゼント交換があった。翌日の休暇から実家に帰る交通費のほかに自由に使える小遣いがほとんどない花子は、手作りのブックカバーに英詩を翻訳したクリスマスカードを添えて、友人たちへのささやかな贈り物とした。

友人たちから渡される洒落《しゃれ》たプレゼントを受け取る気持ちには、嬉《うれ》しさにわびしさがまじっていた。

年が明けて、花子はミス・ブラックモアから校長室に呼ばれた。

「家庭教師ですか？」

てっきり、いつものお小言を頂くつもりでいた花子は思わず聞き返した。

「そうです。政治家の杉田定一[42]という人から、娘の英語の家庭教師を紹介してほしいとの依頼がありました。娘の八重子さんは、虎《とら》ノ門《もん》の女学館に通っているそうですが、英語が苦手で困っているそうです。お花さん、私はあなたなら自信を持ってご紹介できるのですが、いかがですか？　教えるということは、あなた自身の勉強にもなりますよ。やってみますか？」

「はい、是非やらせていただきます」

花子にはこの収入が必要だった。

実家の家計は苦しくなる一方。父はますます社会主義運動に没頭し、『労働新聞』の発行に自宅の名義を貸しているせいもあって、正月なのに時折、不穏な人物が訪ねてきた。小さな弟や妹たちをまともに養育することもできない父の行動に、母は苦労している。花子は自分ひとり、勉強を続けていいのだろうか、と悩んでいた。

土曜日の休み、他の寄宿生が遊んでいるのをよそ目に、花子は渋谷羽沢《はねざわ》町の杉田邸に通った。

一軒教えだすと、次々に新しい口がかかった。花子は、学校の隣に大邸宅を構えている山尾子爵《ししやく》の末娘の英語もみるようになった。

子爵は時折、勉強中に部屋に入ってきて、機嫌よく花子に「よろしくお頼みいたしますよ」などと言う。子爵の末娘は正妻の子ではなく、生みの母は律儀《りちぎ》な使用人としてこの屋敷に仕えている。彼女は自分の生んだ子が子爵令嬢の地位を与えられたことに満足している様子で、ひたすら実の娘の言うなりにかしずいていた。その母娘《おやこ》の関係を見るたびに花子は、胸に何かつかえるような違和感を覚えるのだった。

勉強が終わると令嬢は花子を玄関まで送り、扉の前まで来ると「だれか」と涼しい声で呼ぶ。「はっ」と言って飛んでくるのは、腰の曲がった老家令である。老家令が扉を開けると、令嬢は「ごきげんよう！」と、にこやかに花子を送り出す。扉の前にいながら、当たり前のように「だれか」と呼びつける態度も、奇異に映った。

「華族さまなるものは、なんて馬鹿馬鹿《ばかばか》しい怠け者だろう！」

呆《あき》れ返り、早足で門に向かうのだった。

もう一軒は中国人の豪商、黄氏の娘である。東洋英和女学校に英語だけを習いに通っていたが、学力が足りないので花子が家庭教師になった。

黄夫人は日本女性で、娘とは義理の間柄だった。彼女には自分の産んだ男の子がいて、その子を守るために、いばらの道を歩んでいるらしい。夫と娘の間には絶対的な血の繋《つな》がりがあり、ときどきふたりは、夫人にはわからない中国語で深刻に話し込んでいる。夫人は家庭教師である花子を相手に、安らぐ暇のない苦しい心のうちを、切々と訴えた。

3軒の家庭教師を続けたので経済的なゆとりができ、花子は実家の母に幾ばくかを渡すようになった。花子が通った政治家、華族、外国人商人らの家は、それぞれ表看板こそ立派に掲げてはいたが、垣間見《かいまみ》ただけでも内情はほころび、複雑な人間関係が渦巻いていた。一方では生活苦の末に、孤児となる貧しい子供がいて、また一方では豪奢《ごうしゃ》な暮らしを享受《きょうじゅ》する者がある。しかし、華やかな暮らしの中でも、やはり女性や子供たちは決して幸福には見えなかった。

明治4年（1871）に発布された戸籍法は、結婚を自由化すると共に、明治31年（1898）の改正民法の公布まで、妾《めかけ》を妻と等しく二等親として入籍すること、いわゆる一夫多妻制を認めていた時期があった。そのために、特に上流階級の家では、妻や子の精神的忍従、親族間の憎悪《ぞうお》や骨肉の争いなどが、長く尾を引いているのだった。社会が孕《はら》む矛盾や不公平に対して、花子は激しい怒りを感じずにはいられなかった。

作家志望

明治43年（1910）に高等部に進んだ花子の寄宿舎生活は、7年目を迎える。すっかり我が家のようになじんだ空間で、厳しい規則にとまどう下級生たちを、いたわりながら指導する態度も板についてきた。

11月の文学会ではテニスンの詩『リベンジ』を英語で朗々と暗誦《あんしょう》した。その少し前には懐《なつ》かしい卒業生との集いも開かれた。同窓会の記憶を綴《つづ》った花子の雑記帳から。

十月十二日、黄菊白菊咲き亂《みだ》る丶、小春日和《びより》の心地よさ、静けき鳥居坂の空はなつかしき姉君達の御笑に一《ひと》しほ晴れ渡りたらん様にもおもほえつ。

樂《たの》しき讃美歌《さんびか》の合唱はバーラを滿《みた》して午前十時同窓のまどゐは開かれぬ、例により雪野會長より種々の報告あり、やがてそれも終りてはまたも有りし日の樂しかりし嬉しかりし物語に返りて、胸に湧《わ》き来るおもひでの泉は何時《いつ》盡きんとも見えざりき、午後新築雨天體操場にて在校少女等の體操あり、紅に白に思ひ〳〵のたすき装ひての美しさのさらぬだに喜に見張れる我等の眼をいよ〳〵開かしめしも嬉し。

二時より貞水の講談ありき、孝心厚き息子の雨そぼ降る夜を母の墓守りせし話には袂《たもと》しぼりて聞き入りぬ。

夕風さすがに寒き四時頃御健在を祈りつ、姉君達を送《おく》り参して再我等の小天地に入りし時言ひ知れぬ情の胸にゆらぎてまさきく在せとまたも祈《いの》りぬ。


高等科になると「英語学」の授業は、さらに高度になり、修辞学、比較宗教学という科目が加わった。英文学の授業でミス・クレーグが、原文の冒頭の一節を読み上げた瞬間、花子ははっとした。ミルトンの『パラダイス・ロスト』。10歳のとき、実家の父の書棚からみつけて、わからないながら読んだ『失楽園』である。

我が暗黒を照らし、低き心を高め、支え給《たま》え

「これだったんだ」

幼なじみに再会したような感慨が、こみ上げてきた。

この年、大逆事件[43]が起こる。5月、明治天皇暗殺計画の容疑をかけられ百名を超える社会主義者が検挙された。政府は本気で社会主義の弾圧にかかっていた。父は足跡を絶つために、静岡の親類のところに身を潜めていた。花子の6歳下の弟、庄三郎は長男であるにもかかわらず、父に顧みられず、養子に出されたまま、行方知れずとなっている。末の妹や弟は養子に出され、家族はばらばらだった。家族のことを思うと、花子は気が滅入《めい》る。特に父に対しての思いは複雑である。

「ここでは好きなだけ本が読めるぞ。いいか、はな。華族の娘なんかに負けるな。しっかり精進して見返してやるんだ」

初めて寄宿舎に入った日、父が校門の前で言った言葉が甦《よみがえ》ってきた。

東洋英和はいわば楽園である。この楽園で、花子は好きなだけ本を読み、生まれや身分に関係なく、友人たちと歌い、笑って過ごしてきた。しかし、時期が来れば、共に学んだ友人たちは結局、皆、家に帰って、親の決めた結婚をするのだ。花子には帰る家などなかった。自活していくしかないのだが、学校に残って教師になるのは嫌だった。小林富子のように謹厳実直には、とてもなれそうもない。給費生は、たいていの場合、キリスト教に身を捧《ささ》げる道を選んでいくのだったが、神の存在にさえ時に疑問を抱かずにはいられない花子にとって、それはもっと考えられない道だった。花子はペンで身を立てていきたいと思った。それには、少しでも、在学中に足がかりをみつけなくてはならない。しかし、歌を詠《よ》み、詩を書き、本を読む以外に、何をすればいいかわからず、悶々《もんもん》とした日が過ぎていった。

やがて、勉強と並行して続ける奉仕活動を通して、花子は「婦人矯風会《きょうふうかい》」という団体の会報誌『婦人新報』の編集に携わり、童話や短歌、随筆や翻訳小説を掲載するようになった。

婦人矯風会とは、正式には[44]日本基督《キリスト》教《きょう》婦人矯風会という名称で、明治19年（1886）に組織された日本で最初の婦人団体である。起源はアメリカで起こった少年禁酒・禁煙運動（当時、欧米でも日本でも、特に貧困層において飲酒、喫煙で健康を害する子供が多かった）が、アメリカ人婦人宣教師によって日本にもたらされたもの。日本では女子学院の初代院長、[45]矢島楫子《やじまかじこ》を会頭に、[46]久布《くぶ》白落実《しろおちみ》、[47]ガントレット恒子《つねこ》、[48]守屋《もりや》東《あずま》といったクリスチャンの女性活動家らが幹部に名を連ね、一夫一婦制の適用、[49]公娼制度廃止、少年の[50]禁酒運動、キリスト教女子大学の設立の要請を行った。さらに後には、[51]婦人参政権取得に向けた活動を進めたが、常に女性や子供を危機から救う視点が大切にされた。

これらの婦人矯風会の活動には多くの在日婦人宣教師が参加し、女子ミッション・スクールの各学校内に支部が設置され、女学生たちも課外の奉仕活動として、募金や署名運動に参加した。東洋英和女学校では、まさに矯風の象徴のような小林富子が支部長を務めていた。

『婦人新報』には大会報告や海外の禁酒運動の記事、幹部の活動家たちの原稿を掲載すれば、あとのページは花子の自由に組んでよかった。花子は「何か書きたい」という欲求を、ひとまずこれらの誌面にぶつけていた。

文学界では明治44年（1911）、[52]平塚らいてうが青鞜《せいとう》社を結成し「元始、女性は太陽であった」の宣言で知られる雑誌『青鞜』が創刊された。またイプセンの『人形の家』が島村抱月演出、[53]松井須磨子《すまこ》主演で上演されて、[54]「新しい女」たちによる婦人解放運動も盛んになっていた。もし、文学や芸術の刷新と一体になって政治も変えようと試みる女性の息吹《いぶき》に触れたなら、花子は無関心ではいられなかったであろう。しかし、キリスト教のモラルで守られた「楽園」の中では、身の危険をともなう社会改革の潮流とは無縁だった。花子は、ただひとり、自立の道を模索していたのである。

裏切り

その年の早春。

花子は4階の小さな「祈りの部屋」で燁子と向かい合って震えていた。これほどの裏切りがあるだろうか。花子はこの数日前に、燁子が既に10年の結婚生活を過去に持っていたと知った。燁子の過去が新聞に書き立てられた後のショックは、言い表しようがなかった。

なぜ、燁子の過去が話題になったか。その理由こそが、花子を怒りで燃えたぎらせていた。九州の炭鉱王、伊藤伝右衛門《いとうでんえもん》――25歳も年が離れ、学問もない成り上がりの男の後妻として、燁子は25歳の若さを投げ出そうというのである。伯爵家と炭鉱王の政略結婚は、世間を騒がせたニュースであった。大正天皇の従妹《いとこ》にあたる身分ゆえ、ことさら燁子は世間の同情と好奇の目にさらされていた。

「そんな結婚をなさるの、恥ずかしくないの？」

花子は責めた。

「だって、仕方がないわ。私は兄夫婦の世話になっているんだし、この結婚を承知しなきゃ四方八方に迷惑をかけるのよ」

「燁様、あの男を愛していないんでしょう？」

花子は容赦なく追及する。

「でも花ちゃん、彼には有り余るほどのお金があるから、私は恵まれない子供たちに奉仕活動ができるの。福岡に女学校も建てているから、この寄宿舎で学んだことを生かして少女たちの教育をしていこうと思うのよ」

「そんなの言い訳よ。情けないわ」

燁子は苦悩に打ちひしがれていた。しかし、花子には親友の痛みを思いやる余裕はなかった。燁子を失うことは身を切られるほど、つらく耐え難い。行き場のない怒りに包まれた花子は、

「心を与えないで、身を与えるのは罪悪よ」

と言い捨て、燁子に絶交を宣告した。「ハートなしにハンドを与えるのは罪だ」という言葉は、誰かの詩だった……。

生涯の友情を誓ったのに、燁さまは私にずっと嘘《うそ》をついていたのだ。恋や文学について語り合った日々はなんだったのだろう。

「あなた、いくつ？」

「わたし、16よ」

と、初めて言葉を交わした中庭で、花子はひとり泣いた。あの日咲いていた白梅は

この日も咲いていたが、ふたりの友情は無残にしおれてしまった。「腹心の友」を失った花子は、寄宿舎で本当に孤独になった。

燁子の結婚式は豪華を極めた。この席に学校関係者は招かれなかったが、後に教師や同級生を芝公園の料亭に招待して、派手な結婚披露宴が催された。しかし、花子は頑として出席しなかった。

燁子からは記念の銀の小箱が届けられた。紅《あか》い打紐《うちひも》をかけたその優美な箱を、花子は机の引き出しに仕舞い込んで、見ようとはしなかった。

卒業

大正2年（1913）、花子は二十歳で東洋英和の高等科を卒業する。卒業式、花子は学年を代表して「日本女性の過去、現在、将来」と題した英文の卒業論文を発表した。その最後には「いつの日にか、[55]私たちが夢見ているキリスト教女子大学も現実となるだろう」とあり、テニスンの『イン・メモリアム』から引用した「古き制度は変わりゆく、新しきものに場所をゆずりつつ」という詩句で結ばれていた。

日本女性を主題とした英語の論文は珍しい、と花子は絶賛された。その時のミス・

ブラックモア、ミス・クレーグ、ミス・アレンの喜びようはなかった。特に論文指導をしたミス・アレンは「全部自分で書いたものです。まったくの自力で書き上げたのです」と来賓にふれまわっていた。

花子はその言葉を聞きながら、ミス・アレンの深い心を感じていた。難航していた論文に対して、無慈悲とも思える態度で間違いを指摘するほかは、一切手を貸してくれなかった。ミス・アレンとて、間違いを直してしまえば早く仕事が済んだろうに、忍耐強く、つき返し、書き直させたのは、花子にひとつの仕事を完成させる喜びを与えるためだったのだ。

式のあと、本科5年生と花子たち高等科3年生の卒業生はミス・ブラックモアを囲んだ。

「この先何十年たっても、女学生時代ほど楽しい時代は二度と来ないと思います。私たちの生涯のうちで一番幸せな時代は、この学校で過ごした日々です」

ひとりの生徒が泣きながら言うと、卒業生たちは皆、涙を誘われた。

そんな感傷的な場面でも、ミス・ブラックモアはミス・ブラックモアである。いつも通り威厳に満ちた態度で「My girls!」と呼びかけ、卒業生ひとりひとりの顔を厳しい表情で見回し、[56]ブラウニングの詩から「我と共に老いよ　最上のものはなお後に来たる」（『ラビ・ベン・エズラ』　村岡花子訳）の一節を引いて続けた。

「今から何十年後かに、あなたがたが学校生活を思い出して、あの時代が一番幸せだった、一番楽しかった、と心底から感じるなら、私はこの学校の教育が失敗だったと言わなければなりません。人生は進歩です。若い時代は準備のときであり、最上のものは過去にあるのではなく、将来にあります。旅路の最後まで希望と理想を持ち続けて、進んでいく者でありますように」

最後に花子は、ミス・ブラックモアにお礼を述べるために歩み寄ったが、瞳《ひとみ》の奥で笑っている温かい表情を前に、胸がつまり声も出ない。

「お花さん、私は心からあなたを誇りに思っています。あなたは私たちの誇りです。この学校の誇りです」

ミス・ブラックモアはそう言って何度も花子にキスをし、抱きしめた。花子は、その大きく柔らかい胸に顔を埋《うず》めたまま、しばらくの間、動くことができなかった。

大正７年（1918）、柳原燁子（白蓮）。
この肖像写真はポストカードにな
っていて、裏面に「安中花子様
大正七年九月写　燁子」とある。
A

明治後期、花子に最も大きな影
響を与えた恩師、ミス・ブラッ
クモア Miss Isabera Blackmore。
東洋英和の校長時代。T

撮影年不明。片山廣子。写真嫌いだった廣子の貴重なポートレート。T

昭和11年（1936）９月８日。寄宿舎で３ヶ月を過ごして以来、徳冨蘆花の10周忌に30年ぶりの再会を果たした徳冨愛子と花子。A

第4章　大人も子供も楽しめる本を

大正3〜6年（1914〜17、21〜24歳）

友情復活

窓の外は、一面の菜の花やれんげ畑が続くのどかな春の田園風景。汽車は輝く日差しの中を軽快に走っていた。

大正3年（1914）、春。

二十歳の花子は山梨県甲府行きの汽車に揺られていた。

甲府は花子の生まれ故郷である。5歳になる前に上京しているので、幼いときの記憶は数えるほどしかない。しかし、こうして英語教師として再び赴くことになるとは、やはり因果めいたものを感じるのだった。花子は読みかけの本を膝《ひざ》に置いたまま、ぼんやりと景色を眺めていた。

東洋英和女学校高等科を卒業してから1年間、ミス・ブラックモアの配慮で、寄宿舎に残り、婦人宣教師に日本語を教えながら、婦人矯風会《きょうふうかい》の書記としての仕事と、英文学の勉強を続けていた。

しかし、自分ひとりを養うだけではなく、実家の生計をも背負わなければならなくなった身の上には、もっと確かな収入が必要だった。ちょうど、東洋英和の姉妹校である山梨英和女学校が、カナダ人の校長の秘書を兼ねた英語教師を必要としていたので、花子は赴任を決心したのだった。

ずっと教師を続けていくのだろうか。

図らずも小林富子と同じ立場となる自分。花子は窓に映る自分の顔をじっとみつめた。大きく結い上げていた髪はバッサリ切って、小さく束ねられている。

艶《つや》のいい、ふくよかな頬は、花子の内面の苦労をあまり人には伝えなかった。

書くことを諦《あきら》めたわけではない。ようやくつかんだ小さな足がかり──『婦人新報』と『福音新報』[57]の仕事は続けるつもりだった。そして片山廣子《ひろこ》に紹介された雑誌『少女画報』に少女小説を書く仕事にも挑戦したかった。

妹の千代は17歳で北海道へと嫁いでいった。ろくに顔も知らない相手と、未開の地で生活を共にするなど、花子には耐え難い。

しかし、妹はその道を受け入れていた。同じ家に生まれながら、全く別の人生を歩んで行くのである。家は重荷ではあったが、子としての務め、長女の責任を放棄できるほど、花子は奔放ではなかった。

すぐにものを書いて暮らしていけるわけはないもの。教師という仕事は、勉強を続けながら収入を得られるのだから、ちょうどいいのだわ。

花子は自分に課された現実を受け止めながら、心の中では押し流されまいと、精一杯の力で抗《あらが》っていた。

3月に花子は、友人たちと共同出資して、バアジン社という出版社から『さくら貝』というささやかな歌集を出した。「ひな菊」というペンネームで、いくつかの短歌を発表している。

をみななればひいなの如《ごと》くもつつましう　わが世果てんを則《のり》と思ひぬ

唯《ただ》しばし我を忘るゝ喜びの　其《そ》の束《つか》の間《ま》に死なましものを

この心吹きはらはなむ風もがな　あまり静けき逝《い》く春の宵

古い私の歌日記にこんなのが残っている。女であるならば雛《ひな》のようにつつましく、一生を暮らすのがいいと思っていた——と言っているところを見ると、もうそのときすでに「思わなくなった」らしい。おとなしく、つつましく、じっとがまんして、という生活態度は女に与えられた道だと、かつては思ったのだが——と、雛まつりの宵の述懐である。つまり雛人形の代表する封建制への反逆である。（略）いわゆるティーン・エイジという年ごろから今に至るまで相当に気の強い私としては、この歌は自分の身の上というよりも、むしろ同性の生活態度への批判を、自分もその中に含めてわがものとして詠《よ》んでいた。

（『をみななれば』より「雛とデモクラシー」A）

3年前に福岡県飯塚《いいづか》の伊藤伝右衛門《いとうでんえもん》に嫁いだ燁子《あきこ》の豪奢《ごうしゃ》な生活ぶりは花子の耳にも届いていた。筑豊の炭鉱経営で巨万の富を築いた伝右衛門は7千5百平方メートルの敷地内の大屋敷を燁子の住みやすいように改築し、燁子は「筑紫《つくし》の女王」と呼ばれて、好きに歌を詠んで遊ばせてもらっているという。

しかし、実際の燁子は、慈善事業を始めることもかなわず、床の間に飾られた人形のような暮らしに倦《う》んでいた。どんなに財産があっても、生きがいのない毎日は虚《むな》しい。自分が甘い理想主義者に過ぎなかったことに気づいた燁子は、苦しみを筆に託し、ひたすら歌を詠んでいたのである。

花子のもとに燁子から真情を吐露する手紙が届く。

（略）現在、未来、過去いづれに生きるかといふこと、あれは面白い哲理ですね。私は一番大切なものを現在と思います。未来は天国に生きると申したとて、より以上の近い処《ところ》の現在、そこに今「我」が居るじゃありませんか。

私はいつもこの眼「まなこ」を以《もっ》てたとへます、目がなければ色も形もない、即ち我なければ親もない、友もない、国家もない、云《い》いかへれば、我があるが故の国家でもある、然《しか》りこれなければ。

唯我《ゆいが》独尊、自力の信仰です。然しも一つ考へると目があるがための色なり光なり、形なりですが、色と光と形とは無ではない、一方から言へば色があるから色があるのです。

だから目があるから色があるとも言へるし、色があるから目があるのだとも云える。

我あるがための親なら親あるがための我ですね……

虚にあらず、実にあらず。
この言葉がわかって？

別府にて　四月十六日　旅館の机にて

側に主人と支那《しな》人とゴウチ、
電気燈《とう》が四つ、明るい部屋、外に池の川の流れる音、桜の散る晩

手紙をきっかけに、花子のわだかまりは氷解し、親交が再開する。花子は雑記帳に揺れる思いを打ち明ける。

（略）たまらなく燁さまがなつかしく　あてもなく手箱の中から有りし日の御文の数々引出しては読み入る。若《も》しやあちらでも今時分その寂しい部屋の中でひとり静かに私の思いの跡を繰り返してなどと考へる。
こちらが耐へ得ずなつかしい時、確かにそちらでも言ひ知れず恋しいものに違ひない。心の共鳴り、結び合った二つの心の間にはたしかにこの事は起こるものと私はかたくかたく信じて居る、そしてこの信あったがためにどんな時にもほほ笑んで居た、今より後もほほえんで行くつもりだ。

人の作った則《のり》と云ふ、けれどをとめの心は自由なもの。情を注ぐはをとめの特権、その情を注いだものが　既に人の則を以ていましめられてあったにしても、それは其の情とは何のかかはりも無い則であって　やはり思は何処《どこ》まで行っても何に逢《あ》っても思である。

愛すべき者がなぜ憎いのか。

既に則に依《よ》って制裁さるべきものが其則を越えたなら世はこれをゆるすべからざる罪と云ふ。

思そのものに罪があるのではないが則が罪を作るのだ。王者が掛けた「わな」の外に美しい花が咲いていて、其かをりに引かれ、知らず知らずに逃れ出《い》で、そのために王の怒りをひとしほ深めた其とらはれ人を　花は憎いとも思ふだろう。

しかし、花はそれがとらはれ人にしても、己をいとほしく思うて呉《く》れたその人を　なつかしいと思うのだ。

花がとらはれ人をなつかしく思うたからとて王はそれをとがめる権利はない。

私の心は花の心。

どこまでも自由の心だった。

人の作った則と云ふものは知って居る。けれど何処までも若い胸は自由のものとして守って行きたい。

今日は何を書いたのか、無意識で書いた。燁さまは何遊ばしてかしら？

花咲かば君や来まさん鳥なれば吾《ア》も歌はんと春を待ちしが

花子には、心にかかる男性がいた。

麻布教会（現・鳥居坂教会）の講演会で出会った澤田廉三[58]である。澤田は、7月に東京帝国大学（現・東京大学）法学部を卒業予定、その後は、実兄の節蔵を追って外交官領事館試験を受けて、外務省入りを考えている。生まれ故郷の鳥取県で、12歳の時にアメリカ人宣教師から英語を学んだ。

教会でたびたび顔を合わすうちに、花子と澤田は、英文学や短歌についてお互いに話をするようになった。彼は、詠んだ歌や俳句を達筆で短冊《たんざく》にしたためて、花子に贈ってくれる。

彼は「ちょっと、ついでがあったので」とか「近くに用事があったから」と言っては、花子に会いに来た。花子は、自分の中に、彼に対する特別な感情が芽ばえているのを意識していた。いつのまにか「ちょっと、ついでが……」と言って、彼が突然現れるのを、心のどこかで期待するようになっていた。

ただ、もう今までのような学生気分では会えなくなる。家族の生計を担《にな》う花子は、甲府に赴任し、澤田は外交官として世界にはばたく夢を抱いていた。

仕事も友情も恋も、求めているものは全《すべ》て、かげろうのように、あてどなく花子の周りを漂っていた。文筆で身を立てる夢も、初恋も、この先どうなるか心もとない。しかし、春の躍動感が、心の重荷を軽くし、気分を快活にさせた。ともかくも新しい生活が始まるのである。そして花子の心は何に遭っても自由なのだ。きっと新天地での生活にも、素晴しい出会いや、夢に繋《つな》がる何かが待っているだろう。うつむいて過ごすのは、性に合わなかった。

笹子《ささご》のトンネルを抜けると、すすで顔が——鼻の中まで、真っ黒になった。花子は、乗り合わせていた乗客たちと思わず顔を見合わせ、声をたてて笑った。

山梨英和の英語教師

山梨英和女学校は甲府の愛宕《あたご》山のふもとに建っていた。豊かな自然に抱かれた校舎には、市内はもちろんのこと、周辺の村々から裕福な商家や豪農、名士の家に生まれた娘たちが集まり、村の娘たちはたいてい寄宿舎に入っていた。校内の雰囲気は、女学生たちが東京よりも少し素朴であること以外は、ほとんど花子の母校と変わらなかった。

神子《みこ》田《だ》という寮母がいた。加茂よりも贅肉《ぜいにく》がなく、むしろ都会的なすっきりとした面立ちである。みなぎる情熱と使命感で学園の核となっている校長ミス・ロバートソン。十数人の婦人宣教師。寄宿生たちの規則や、罰則もほぼ似たようなものである。

もっとも大きな違いといえば、花子は、ここではもはや女学生ではなく、「先生」と呼ばれる立場であった。

朝の礼拝で、花子は聖壇のミス・ロバートソンの脇《わき》に立ち、校長の話をすらすらと日本語に直した。ミス・ブラックモアに勝るとも劣らない大柄なミス・ロバートソンの横に並ぶと、小柄な花子はまるで子供のようだったが、全女学生たちの関心は、この東京から来た、若い先生のもとに集まっていた。

花子はいきなり、自分と背格好のさほどかわらない本科5年生の受け持ちと、教会の日曜学校の教師も任された。

この私がほんとうに文字どおり「先生」として対し得る人々がこの世の中に幾人かは住んでいるのだと思うと、わたしはぼうっと、体中が熱くなってくる。甲府は私の生まれ故郷であり、また青春時代を過ごした土地でもあるので、今でも度々出かけて行くのだが、あそこだけには、たとえ僅《わず》かの間とはいえ私が教えた人々――「教え子」――がいるのだから、空恐ろしい気がする。

学校を卒業してほやほや「girl teacher」の私が受持たされた本科5年生には、実のところ「先生」の方が威圧された形であった。その当時はまるで友だち同士のようで、押しの利《き》かないことおびただしかった。

（『改訂版　生きるということ』より「静かなる青春」A）

同僚の教師の中では、カナダ人婦人宣教師のミス・ストロザードと親しくなった。

折しもこの年の6月、第一次世界大戦[59]が勃発《ぼっぱつ》する。

19世紀に入るとイギリスを追って、徐々にヨーロッパ諸国やアメリカでも産業革命が進んだ。やがて、先進国がさらなる発展のための資源供給地や貿易市場として、アジア・アフリカ地域に植民地の造営を競うようになった。その権益をめぐる列強の対立が、20世紀に入ってますます深まっていた。

8月の夏期休暇、軽井沢のミス・ブラックモアの別荘、ブルックサイド・コテージ（小川荘）を訪ね、ミス・ストロザードをはじめ、数人の婦人宣教師たちと共に過ごしていた花子は、イギリスのドイツに対する宣戦布告、そして、日英同盟に基づいて日本も参戦のニュースを聞いた。

軽井沢は、明治21年（１８８８）夏、英国聖公会に属するカナダ人宣教師、アレキサンダー・クロフト・ショーが、たまたま訪れたこの地の気候と自然を愛し、伝道活動を始めたのをきっかけに、外国人宣教師たちの夏の交流の場として開発された土地である。ミス・ブラックモアは軽井沢の別荘を、婦人宣教師や、家に帰らない女学生たちの夏季寄宿舎として開放し、花子は在学中から毎年、夏をここで過ごしていた。異国情緒漂う避暑地の生活は、祈りの日々となった。

この夏の外国人たちの話題は、どこに行っても戦況ばかりだったが、イギリスやカナダの協商国側の人々は、ほとんどが楽観的だった。カナダはイギリスの自治領である。海を制する国が優勢な当時の戦争で、イギリスは圧倒的な制海権を誇っており、この時、誰もが迅速な戦争終結を確信していた。

花子は軽井沢を早めに切り上げて、東京に向かった。澤田に会いたかったからである。

彼は、秋の外交官領事館試験のための猛勉強中だった。勉強の合間に、ふたりは散歩をしたり、お茶を飲んだりした。澤田の心の大半を、緊迫した世界情勢への関心が占めていた。

列強国入りをめざして、中国進出を政策としていた日本は、中国におけるドイツ権益の中心である青島《チンタオ》を占領していた。日本の外交は、欧米に日本の力を認めさせる絶好の機会を迎えていたのである。外交官がまさに国の将来を担う時であった。澤田は熱い思いを語り、花子は黙って聞いていた。

夏が終わり、花子が甲府へと帰る日、

「ちょっとついでがあったので廻ってきた」

と言って、いつのまにか汽車の時間を調べていた澤田が、東京駅に姿を現した。花子は嬉《うれ》しかった。きっと、来てくれると信じていた。しかし、笑顔で手を振って別れた後、汽車に揺られながら、花子は無性に寂しくなった。

澤田が花子に会いに来るときはいつも「ついで」がついた。一度でもまっすぐに「君に会いに来た」と言ったためしはない。なんと思われてもかまわない、人の批評や時間すらも忘れ、駆けつけて来てくれるような情熱が、花子は欲しかった。

山梨英和の寄宿舎に戻った花子のところには、時折、片山廣子からの新刊の原書が入った小包、そして燁子と澤田からの手紙が通った。

その年の10月、澤田から外交官領事館試験合格、外務省入省の喜びの知らせが届いた。花子はお祝いの言葉をしたためた。

先生は小説家

「先生が！　安中先生が書いてらっしゃる！」

「なあに？　まあ、ほんと。ほんとうにこれ、安中先生？」

「そうよ。間違いないわ。先生、お部屋でいつも何か書いていらっしゃるもの」

「先生は小説家なの？」

「そうよ。先生は小説家なのよ。だからあんなにお話がお上手なんだわ。これからもっと有名になられるかもしれないわ」

寄宿舎の女学生にとっては一大事であった。

彼女たちの真ん中には少女向けの文芸雑誌『少女画報』がある。花子がこの雑誌に寄稿している童話とも少女小説ともつかないような物語を、教え子のひとりが発見したのである。

皆、競うようにして読み、花子の周りを取り囲んだ。

『少女画報』はかなり売れ行きのいい雑誌だった。その売れ行きに貢献していた小説家は、花子ではなく、少女たちに絶大な支持を得ていた吉屋信子《よしやのぶこ》[60]。花子より3歳下、二十歳の吉屋信子は、この雑誌に『花物語』を投稿したのをきっかけに、少女小説家としての華麗なデビューを果たし、以後、連載を寄稿していた。雑誌社のほうでは、第二、第三の吉屋信子の発掘に余念がなく、花子のところにも、執筆依頼が頻繁に来るようになっていた。

執筆者の花子自身が、読者層の憧《あこが》れるミッション・スクールの教師であることは格好の宣伝材料だったらしく、わざわざ学校まで写真を撮りにきたりしたので、教え子たちはますます大喜びして、おかげで花子の机の上にはいつも彼女たちの持ってくる花束が絶えなかった。

花子は、寄宿舎でも、授業中でも、日曜学校でも、教え子たちにせがまれて、物語を語り聞かせた。その時間を楽しみにしていた生徒たちの思い出が文章に綴《つづ》られている。

日曜日には教会問答を暗記させられる。担当は安中先生だった。これは皆の苦手だったが、後で面白い話を聞くのがたのしみだ。先生は自作らしい少女向きの話をその度にしてくださった。『それでは今日はここまで』と先生が話を終ろうとすると『もっとして、もっとして』とみな大声でせがむのだった。

磯部貞子（大正10年卒）英和同窓通信より

安中先生！　安中先生は私が日曜学校で教わった先生である。私にとっては最も懐《なつ》かしい先生である。安中先生ほど真面目《まじめ》なそして愉快な先生は外に餘《あま》りなかろうと思う。お風邪を召そうが頭痛がなさろうが、たとえ嵐《あらし》の日でも決してお休みにならない。遅刻もなさらない。薬びんを下げて校門をお入りになった事を今でも私は覚えて居る。私たちのクラスが同学年中で一番成績の良かったのも全く先生のお陰だったろう。私は何時《いつ》も先生を思い出しては感謝する。先生は又真面目な顔をしてよく滑稽《こっけい》を仰《おっしゃ》るのだから尚《なお》一層面白い。

金澤香子（昭和5年卒）山梨英和　『礎《いしずえ》のときを生きて』より

休日の土曜日には、よく教え子の家に招待された。時には金曜日の晩から泊りがけで行くこともあった。

県下でも有名なブドウの産地、勝沼の、広大なブドウ園を営んでいる家に呼ばれて、秋空の下、品定めをしながら、全体に粉がふいている薄紫のブドウの房を、一房ずつ切っては大粒のブドウをその場でつまんで食べた。

また、冬の農村、大家族と共に炉ばたを囲み、湯気の立つ大きな鍋《なべ》から、甲州名物の「ほうとう」をふうふう冷ましながら食べた。娘は、母親の甲州弁や父親の大声、祖父母の素朴さを、少なからず恥ずかしがって、なんとか家族を落ち着かせようと苦心していたが、一家団欒《だんらん》を経験せずに育った花子には、いっこうに気にならないどころか、温かい炉ばたの円居《まどい》が、たまらなく心地よかったのである。

教え子たちと寝食を共にし、物語を語り聞かせ、また、その家族との親交が深まるにつれ、花子はつくづく、少女たちが物語を欲しているにもかかわらず、雑誌の他には、彼女たちの年ごろに、ちょうどいい読み物が少ないことを思った。自分が東洋英和の書籍室で読んでいたような、子供から大人へと成長の過程で、心の指針となってくれるような本が、英米にくらべ、日本ではあまり重要視されていないのだ。

このことを、かつて東洋英和の婦人宣教師たちが口々に嘆いていたのを耳にしていたが、花子もまた、教師という立場に立って、改めてその意味を実感していた。


花子は寄宿舎の応接室で教え子の母親と、真面目な顔で向き合っていた。

「先生、そんなに難しく考えることじゃあ、ありませんよ」

「でも……」

「悪い話じゃないでしょう？」

「あの、私は……」

「先生も、もういい年なんだし、あちらは乗り気なんですよ。とにかく会うだけでもね？」

「……」

「それともどなたか意中のお方がいらっしゃいますの？」

「せっかくですが、お断りします。申し訳ございません」

なんとかその母親を帰してしまうと、花子はため息をついた。「村で一番のお金持ち」だの「早稲田《わせだ》大学を出て、お百姓は嫌いだから好きな文学を楽しみたいって言っている人」だの「アメリカで一財産作って帰国した人が、英語の出来るお嫁さんを連れてまたあっちへ行きたいと言っているがどうだろう」という話を、何度聞かされたかわからない。もう飽きるほど聞いていた。若い娘がいつまでもひとりでいるということが、世話好きの婦人たちには放っておけないらしい。まるで縁結びが使命でもあるかのように、次から次へと縁談を持ちかけてくるのである。たとえ、どんなに相手が裕福だろうが、心を置き去りにした結婚などというものは花子には考えられない。花子はこうした婦人たちの、結婚に対する安易な見方に極度の反感をいだいて、お嫁になんかいくものかという気持ちになっていた。

小林富子先生にも陰にこうした苦労があったのかしら。

花子は母校で潔癖を貫いていた小林に、この場に及んで自分が忘恩の徒であったことを心の中で詫《わ》びていた。

初恋の終わり

そんな折である。澤田から、仕事で数年間フランスに行くとの知らせが来た。発《た》つ前にどうしても会いたいという。花子はいてもたってもいられない気持ちを抑えて、年度末までの仕事を終え、やっとの思いで帰京した。
大正5年（1916）4月1日午後4時、東京に着いた花子は澤田と会った。その夕方の切なさを、後に綴った随筆が残っている。

東京に着いた彼女は、彼と連れ立って、そのころはまだ野原だった千駄ヶ谷を歩いた。午後六時に彼のための歓送会があるというので、彼は羽織袴《はかま》のいでたちだった。このときはほんとうに何年かの別れであり、その数年のあいだにどんな風に境遇が変わるかもしれないので、互いに真剣に話したが、どちらも決して将来についてのはっきりとした見通しは話さなかった。実にふたりとも行儀のいい人たちで、この期《ご》に臨んでも、彼はなんのためにぎりぎりまで出発を延ばして、関係者一同からは不思議の眼をもって眺められたかについては一言も触れなかった。彼女も必死の努力をしてこの日東京に帰り、僅か一時間半の野原の散歩をしたのか、そんなことはなんにも言わなかった。

（『改訂版　生きるということ』より「彼と彼女」A）

結局、ふたりはお互いの仕事の話以外は何も話さずにいつものように会って、いつものように別れた。

彼を見送った後、ひとりでいられなくなった花子は矯風会の年上の友人、守屋東《もりやあずま》を呼び出して、今度は夜の銀座を歩き通しに歩いた。

「あなた、ずいぶん、興奮しているのね」

「そうかしら？　私どうしたらいいのか、自分でもわからないのよ」

守屋は何のために歩いているのかわからないまま、花子に付き合ってくれた。


数日後、花子の元に澤田から手紙が届いた。その手紙には墨色も濃く達筆で、男としての志が述べてあった。第一次世界大戦は長期戦となっていた。ヨーロッパを中心として一進一退の戦況が続き、中でも澤田が向かったフランスは激戦地である。彼は外交官としての重い任務を背負っていた。

手紙の最後には英文で、It is not always Mayと記されていた。

It is not always May……一年中5月ではない？　どういう意味だろう？

花子はIt is not always Mayをいくたびか口の中で繰り返した。

そして、はっと気づいた。

「May」は「5月」の他に「青春」を意味する。

もう青春時代は終わった、と澤田は花子に告げたのだった。

それから何日かして、旅の途中、ロンドンに立ち寄った澤田から美しい絵葉書が届いた。

青春の余韻。

胸が小さく痛んだ。

花子は彼が任地に着く前に届くよう、手紙を送った。

「もうこれでおしまいにしましょう。これでお別れにします。さようなら」

私が結婚する相手は私をひたむきに、しゃにむに愛してくれる人でなければいや。私も夢中で愛することのできる相手。後の条件はまた後で決めるとして、二人が互いに愛し合い、それも恐れなく愛し合うことを第一条件とする。

そう、心に誓った。そして、It is not always May を何度もひとり、口ずさんだ。

女丈夫、広岡浅子

その夏、矯風会で出会ったジャーナリスト、小橋三四子[61]や、婦人運動家の千本木道子を通じて、花子は実業家、広岡浅子に紹介された。

丸まる太った全身に貫禄《かんろく》をたたえた浅子は、初対面の花子に親しみをこめて話しかけた。

「あんたもよかったら、うちの二の岡の家でやる勉強会に参加せえへんか？　見込みのある若い人ら集めて一緒に勉強してんねん。あんたも来るといいわ」

両替商、呉服商を営む三井一族の出である浅子は、[62]日本女子大学校（現・日本女子大学）創立にも力を発揮。花子が会ったときは60代半ばだったが、女性の人材育成のために旺盛《おうせい》な活動を続けていた。

第一次世界大戦による未曾有《みぞう》の好景気で、華美になり過ぎた軽井沢を避けた外国人たちが、ぽつりぽつりとコテージやホテルを建て始めたのが御殿場、二の岡である。

広岡の別荘は敷地が3千坪あり、広大な庭には青々とした柔らかい芝生が敷き詰められていた。亡《な》き夫、信五郎が植樹した形のいい柘植《つげ》の木が、庭の中央に茂っていた。山荘風の建物の壁は上質の檜《ひのき》で張られ、どの部屋からも胸のすくような富士山が一望できた。

広岡浅子は、嘉永《かえい》2年（1849）、三井高益の娘として京都に生まれ、17歳で大阪の豪商加島屋の御曹司《おんぞうし》、広岡信五郎に嫁いでいる。明治維新の転換に遅れをとった加島屋を、趣味人である御曹司の夫に代わって、28歳の浅子自ら鉱山事業に乗り出し復興させた。護身用ピストルを懐《ふところ》に忍ばせ、真っ暗な坑道に分け入って、荒くれた鉱夫たちに檄《げき》を飛ばす度胸で姐御《あねご》と慕われた。

さらに、加島銀行、尼崎紡績の運営、大同生命の設立と、実業家として手腕をふるう。経営を娘婿《むすめむこ》に継がせた後は、自身が女であるために親の理解が得られず、教育を受けられなかった無念から、次なる情熱は女子教育に向けられた。学者の成瀬仁蔵を助け、華麗な人脈で政財界の重鎮から寄付を引き出し、日本女子大学校の創立を実現したのである。

しかし、成功した事業も女子大創立も、全《すべ》て名義上は夫の名前を立て、自身は陰に控えた。それが明治生まれの女傑、広岡浅子の流儀だった。

60歳を過ぎてからクリスチャンとなった浅子は、矯風会の矢島楫子《やじまかじこ》らと親交を深め、将来、社会を変えていく実力ある女性の育成に取り組んでいた。

10日余りの夏期講習には、日本女子大卒業生を中心に、矯風会や浅子の近親や知人など、20名ほどが集まった。参加者の中で23歳の花子は最年少。

講師として後の同志社大学総長、牧野虎次、同志社大学神学部の日野真澄教授らが招かれ、花子たちは聖書や比較宗教学、インド哲学などの講義を聴いた。また、のちに日本女子大学校の学長になる家政学者の井上秀からは、アメリカの婦人問題の講義を受けた。

高等教育を受ける女性がほんの少数だった時代。日本女子大卒業生の中でも社会的な意識の高い、選りすぐりのメンバーが揃《そろ》っていた。日本の婦人問題をテーマにした討論会では、先進的な意見が次々と飛び交っていた。

「貧しい農村の暮らしの改善」「家族制度に縛られてきた女性の忍従の実態」「社会における母性の重要性」……。花子も折々に身につまされて考える問題ではあった。

しかし、もともと文学者肌のうえ、ミッション系の東洋英和で教育を受けた花子は多分に情緒的で、論理を展開するのは得意ではなかった。思いはあふれても、なかなか討議に割って入ってまでは発言できなかった。ひたすら聞き役に徹して、いきいき弾む討論に集中していた。

ここに集う女性たち誰もが、母親や近親、または友人が、女であるがために忍従を強いられる悔しさを見て成長し、自身も少なからず家の呪縛《じゅばく》と闘っていた。彼女たちの向学心も使命感も、不平等な制度や理不尽な風習にぶつかり、身をもって知った痛みを源泉としていた。

花子の他に、もうひとり、熱心な聞き役がいた。同い年の市川房枝《ふさえ》[63]である。花子はここで、将来、婦人参政権獲得運動の旗手となる市川房枝に出会ったのである。お互い、まだ無名の教師として。

市川房枝は明治26年（1893）、愛知県の農家に生まれ、高等小学校を卒業後、上京し、いったんは女子学院に入学するが、東京の空気にも、キリスト教にも馴染《なじ》めず3ヶ月で退学。郷里に帰り女子師範学校を出て小学校教師をしていた。

房枝の母は字が読めなかった。父は子供たちの教育には熱心だったが、たびたび妻に暴力をふるった。房枝は幼い頃から、母が父に薪《まき》でなぐられることに怒りを燃やしていた。

小橋三四子が発行する雑誌『婦人週報』を購読中、「女子高等教育の必要」「公娼《こうしょう》は野蛮思想の代表なり」「日本婦人の将来」と題された広岡浅子の論説を読み、感銘を受けた房枝は直接、小橋に頼み込んで、広岡の主宰するこの夏期講習に参加した。浅子は、まっすぐな熱意でここまで来た飾り気のない房枝に、とりわけあたたかい目を向けていた。

食事の支度や掃除も、すべて共同で行う合宿である。講義や討論会の合間には、富士登山に出かけたり、近くに滞在している外国人たちと庭で食事をしたり、和気藹々《あいあい》とした時間も過ごした。

自由時間になると、花子は、ひとり二の岡神社の森に出かけた。森は想像していたよりも奥深く、露に濡《ぬ》れてひんやりした空気が、討論会で熱した頭に心地よかった。この辺りの天気はうつろいやすく、自然がその時々で表情を変えた。

雑記帳によると、雨の日も花子は森を訪れている。

8月28日　森で手紙を書く。
30日　ごはんを食べに帰った他、終日森で暮した。ギーッと聞き入った水の音。深く胸に染み込んだ。
31日　午後は雨が降って森へ行かれなかった。夕方晴れた。食後皆そろって森へ散歩に出かけた。

9月1日　雨。10時ごろ傘をさして買い物に行く。箱や切手入れを沢山買って帰ってくる。家へ直《じか》に行かずに雨の森へと入った。鳥居わきの大きな杉の木の陰で暫《しばら》く雨をながめた。それからズーッと奥深く水の処《ところ》まで行って暫くそこに居た。「強き人の強き感情」といふ様なことを考えた。我とわが烈《はげ》しい感情の急迫におののく強い人、それは実に偉大なものだと思うた。

2日　未《いま》だ降り止《や》まぬ小雨の中を買い物に出かける。帰りにはすっかり晴れた。露でシットリ濡れた森を歩む。Brightがおこった。世の中は苦しい。刹那《せつな》の幸福にほほえみたい。

3日　昼食後ひとりで森へ行く。大好きな「水のほとり」に立つ。

晴れの日の森では、西洋人たちが折りたたみ式の椅子《いす》を持ち出して、思い思いの時を過ごしていた。花子も自分の気に入った木かげを所定の場所とし、本を開いた。静かに読書に耽《ふけ》る時間――それが、花子には何よりもまさる至福の時なのである。

愛読していた『[64]ア・ガール・オブ・ザ・リンバロスト』の作者は、アメリカの作家ジーン・S・ポーターである。

　この物語は森を舞台にしていた。もっともリンバロストの森は、二の岡の森よりもずっと大きな北米インディアナ州の原始林である。主人公の女学生エルノラは、母親とふたりでこの森の近くで暮らしていた。母親から愛されず、学費も出してもらえないエルノラは、森の中の珍しい虫や植物の標本を作り、それを町の博物学者「鳥のおばさん」に売って学費を稼いでいた。エルノラにとっては森の自然こそ慰めであり、母親の愛情に代わる心のよりどころであった。

　ジーン・S・ポーターは作家であると同時に著名な博物学者でもあり、ことに森林を愛していた。彼女の作品には、常に森林に住む動物や植物、小さな虫たちの生活が、人間の生活や感情と深く関わりあいながら描かれている。

　花子の足元にも森の住人、小さな虫が這《は》っていた。木々のざわめきや鳥のさえずりが聞こえている。花子は、森を友として生きる少女の物語を、森の自然に浸りながら読み、働きながら学ぶエルノラの悲しみや喜びを我がことのように感じていた。

　明日は帰るという晩、賑《にぎ》やかな打ち上げパーティの後、参加者はいつのまにか広岡浅子の周りを取り囲んでいた。

文学で生きていこうと願う花子にとって、根っからの実業家である浅子は師として信奉するには、生き方が違いすぎた。しかし、独立独行、波瀾万丈《はらんばんじよう》の人生を歩んできた体験談は、どの講義よりも面白く、その言葉には疾風怒濤《どとう》に耐えて鍛えあげられた叡智《えいち》があった。

「うちは教育は受けられへんかったけれど、その代わり事業を通して生きた学問させてもらいました」

加島屋再興、門司《もじ》の炭鉱での争議、背中を刃物で刺され九死に一生を得た事件、日本女子大設立のための金策、そして浅子を支えた亡き夫、信五郎——。

さらに浅子は日本女性の将来を後進たちに託して熱く語った。

「あんたがたには、自分の身につけた学問で、自分ひとりが偉くなるのではなく、日本女性全体の地位をあげることを考えてほしい。小我にこだわらず、もっと大きな世界の中で自分が成すべきことは何か。真我というものをみつけてほしいと思います。そして、これからは、やっぱり政治や。女性の政治家が誕生して政治にかかわらな、本当の意味での婦人解放はありません。まずは外国と同じように政治家を選ぶ権利、選挙権を得ることからです。同じ志を持つものとして、力を合わせていってください」

場内からは拍手が起こった。

小学校教師の市川房枝を、後に女性解放運動、婦人参政権獲得運動へと向かわせた根本には、広岡浅子との出会いがある。

花子にとっても、二の岡で過ごした夏は文学者としての基点となった。

小我より真我。社会の中で自分がなすべき仕事とは何か。花子は自分の探求する文学を、自分ひとりの世界にとどめずに社会に還元していく、という意識を浅子から得たのである。

二の岡で過ごした二夏は私の後年の生活をある程度決定したともいえる。（略）私は日本のティーン・エイジャーの読むものについて非常な不満を持っていた。それは若い人たちが悪いのではなくて、適当なものがないのだ。英米の青春読み物の長い年月に読み継がれてきているものを夏の休みの間に読めば読むほど、日本の出版界の盲点ともいうべきものを深く感じた。自分はどうかしてこれらの書物を日本の若い人たちに与えたいと、そもそもそういう決心をしたのはあの二の岡の森の中であった。

（雑誌『父母教室』より「随筆　夏のおもいで」）

人には誰でも大人になる前に、子供時代と青春時代がある。平等な社会を目指すにも、政治に参加する前段階の若者たちの心に夢や情緒、健全な精神を育《はぐく》まなくては、世の中は良くならない。ひとりひとりの内側からの意識の改革、他者に対する思いやりがなければ、たとえ平等を保障する制度が実現しても、宝の持ち腐れになってしまう。

貧しい者と裕福な者との隔たりなく、すべての子どもや若い女性たちの心に豊かな土壌を耕すものとして、花子は自分の経験から、本の力を信じた。

健全で清新な家庭文学を広めよう！

（全日本教育父母会議発行　昭和39年7月号）

初めての本を出版

甲府の冬は凍《い》てつくような冷たさである。しかし、山梨英和で働く教師たちの部屋ではストーブは焚《た》かれなかった。

第一次世界大戦は当初の想像よりもはるかに長引き、ヨーロッパを舞台に死闘が続いていた。カナダからも40万人もの若者が従軍し、特に西部戦線と呼ばれるフランス北東部の国境付近では、ドイツ軍とイギリスに加勢する連合軍の烈しい塹壕《ざんごう》戦となっていた。婦人宣教師たちはこの戦いを「our war（私たちの戦争）」と呼び、祖国で銃後を守る女性たちと心をひとつにして、生活を切り詰め、祖国の兵士のために祈っていたのである。

花子も婦人宣教師らと祈りを共にし、教師生活の傍ら、寄宿舎の一室でこつこつと翻訳と執筆を続けた。浅子の言葉によって社会的な意義をめざす花子のペンの向こうには、物語を欲している少女たちの顔があった。

そして大正6年（1917）12月、日本基督《キリスト》教興文協会から初めての本『爐邉《ろへん》』を出版する。

『爐邉』の前書きの言葉には、この時期に花子が感じ、培《つちか》ったものが集約されている。

> 今から四年ばかり前、私が東京の母校で修学いたして居りました頃在るアメリカ人が、折柄私の読んで居りました[65]『母様キャレーの雛鳥《ひなどり》』(Mother Carey's Chickens) といふ小説を見て、
> 「日本にはかういふやうに父母も子供も一緒になって楽しむのに適当した読物が

少ないやうに思はれる。今後の日本にはかういふ種類の書物が盛に表はれるやうにならなければならない」

と話されました。

其《そ》の時分、私の此《こ》の小さな胸に湧《わ》き出《い》でた祈は今もなほ消えずに私を励まして居ります。それは自分も愛する母國《ぼこく》の家庭にさういふ性質の讀物《よみもの》を献《ささ》げる一人になりたい、どうぞ弱い器をも其の為《た》めに用いて頂きたいといふ祈りで御座いました。姉も妹も父も母も一緒に集まって聲出して読んでも、困る所のないやうな家庭向きの読物がたくさんに此の日本にも出版されるやうにとの祈で御座いました。

此処《ここ》に収めた十三篇も、さうした考えであちらこちらから選び出したものを訳したので（一つは私自身の作）御座いますが、或《ある》いは平凡に過ぎるとの誹《そしり》を受けるかもしれませぬ。

然《しか》し、私は『平凡』と言ふ事は強《あなが》ち恥ではないと思ひます。寧《むし》ろ貴いものだとも考へます。

唯《ただ》自分の『平凡』が頗《すこぶ》る垢抜《あかぬ》けのしていない『平凡』である事を悲しみます。洗練された『平凡』。それは直ちに非凡に通ずるものであると思って居りますから。

甲斐《かい》の山國の一隅に今年で三度目の冬を迎へようとして居る私が、此の二年の間の折々に綴《つづ》った筆の跡、かうして一つにまとめて見れば、今更のやうに自分の未熟さが感じられて情けなく思はれます。けれども此の未熟な筆の跡も、やがて之《これ》よりも、圓熟《えんじゆく》した境地に達する道程だと思ふ時、それを一つの形に盛って残して置きたく願うたので御座います。

初めて廣《ひろ》い世間に出て行く私の小さな書《ほん》！　其処《そこ》には様々な心を懐《いだ》いた様々な人が居て、各々《おのおの》異った思で、此の書を手にして下さる事でせう。

別々な要求と、別々な考えとを持った、其の様々な人々の心に、此の弱い私の聲が何を囁《ささや》けるので御座いましょう？

然し、私は大胆に申します。

『行け！　私の小さな書よ、行け！』と。

そしてかよわい翼を精一杯に張って、限りなく廣い大空へ兎《と》も角《かく》も出て見ようとして居る私の愛する雄々しい小さき者の行く所には、いづこまでも熱い祈となって随《したが》って参るので御座います。

一千九百十七年十月　愛宕山麓《さんろく》の校舎にて

安中　花子

『爐邊』というタイトルには、花子が農村の教え子の家で味わった、暖かい炉を囲む、家族の幸福な姿が投影されていた。

第5章　魂の住家《すみか》

大正7～10年（1918～21、25～28歳）

福音印刷の御曹司《おんぞうし》

横浜旧外国人居留地、山下町は春の日差しにつつまれていた。広々とした石畳の通りに洋風建築が立ち並ぶ一角。その中でもひときわ目をひく赤レンガ3階建ての社屋がある。

福音印刷合資会社。両脇《りょうわき》に印刷工場と倉庫3棟を有している。13馬力ガス発動機、15馬力電動機、5キロワット発電機を備える横浜一の印刷会社である。明治31年（1898）の創業以来、日本語訳の聖書、讃美歌《さんびか》、キリスト教関係の書物の印刷、製本を一手に引き受けている。大正期に入ってからは、英語、中国語の各種、朝鮮、シンガポール、バンコク、マレー、フィリピン、インドの聖書、讃美歌がここで印刷され、横浜港から出荷されている。

創業者の村岡平吉は「バイブルの村岡」と呼ばれ、キリスト教関係者では知らない者はいない。会社を興《おこ》して22年がたち大正8年（1919）になった今、成長した息子たちも経営に参加し、会社の前途は洋々と広がっていた。

儆三《けいぞう》が会社に到着すると、玄関前には役員たちが並んでいた。

「若社長、おはようございます」

「おはよう。父は？」

「社長はまだです。じきにお見えになるでしょう」

創業時から工場長を務める若宮が答えると、儆三はうなずいて上手にまわり、自分も列に加わった。黒々と正装した役員たちの中に、儆三は淡いベージュの背広姿である。

毎週月曜日は横浜指路《しろ》教会から牧師が来て朝8時から30分、役員から印刷職工まで100名余りの社員全員で礼拝を守ることになっていた。役員の正装はこの礼拝のためである。


まもなく人力車に乗った平吉が現れた。横には儆三の弟、斎《ひとし》が付き添っている。

平吉は、牧師が来たら伝えるよう言い渡し、ふたりの息子を従え、社長室に向かう。

平吉はクリカラ紋々の勇み肌の男である。もっとも、それは幕末の若かりし頃の話で、儆三が生まれたときには、既に任侠《にんきょう》道から足を洗い、敬虔《けいけん》なクリスチャンに転身していた。父の背中一面に施された鮮やかな彫り物を、儆三は、幼い頃にちらっと見ただけで、絵柄が何であったかまでは覚えていない。

平吉は嘉永5年（１８５２）横浜の小机《こづくえ》に生まれる。姉の影響で『天道遡源《そげん》』[66]を読み、当時、小机で布教活動をしていたアメリカ長老派宣教師、ヘボン博士一派との出会いを契機に、宣教師ノックスより洗礼を受ける。

明治の開国まもなく、欧字新聞（仏蘭西《フランス》新報）の印刷職工としての修業を積み、明治10年（１８７７）、上海《シャンハイ》に渡り、美華書館で欧文植字と産業革命後の欧州最先端の印刷技術を習得。明治17年（１８８４）帰国、王子抄紙横浜分社に入社し、工場長として聖書印刷を手がけた。眼光鋭く、男気に富んだ気性は、外国人宣教師たちからの信頼篤《あつ》く、明治31年（１８９８）独立して福音印刷合資会社を興した。

平吉にとっては「事業すなわち信仰、信仰すなわち事業」であった。アメリカ長老派宣教師らが指路教会（当時・住吉町教会）を設立する際には、保証人として立ち、会社の利益を寄付するなど、設立当初から教会に貢献し、指路教会の最重要ポスト、長老の座におさまっている。外国人宣教師らと共にホラード、スクリプト活字、盲人用活字を発明、また、ハングル活字を備えていたこともあり、大正3年（1914）から、在日朝鮮人の機関紙『学之光』、『大衆時報』、『青年朝鮮』の印刷も請け負い、原内閣の監視下、危険を冒しながらも朝鮮人の独立運動、社会主義運動に印刷者として間接的に助力（ただし印刷代は通常より高額）するなど、クリスチャン事業主として画期的な事業を展開していた。


「兄さん、また新しく仕立てたんだ。いい色ですね」

斎が兄の背広を見て言った。

「ああ、春は葬式以外では、黒を着る気分にはならないもんでね」

父の事業の後継者は六男二女のうち、三男の儆三と五男の斎である。

儆三は明治40年（1907）、横浜商業高校を卒業後、二十歳で福音印刷に入社し、父の事業を助けている。一方、事業が軌道に乗ってからの子である斎は、アメリカ長老派宣教師設立の明治学院に通い、卒業後、さらに3年間ロンドンに留学し、最新の印刷術を学んで帰国した。

学者肌の儆三と、父親譲りの実業家肌の斎、ふたりが両輪となってこれからの福音印刷を支えていくのである。

儆三と斎の母、つまり平吉の妻はなは、腎臓《じんぞう》を患《わずら》い、斎がロンドンへと発《た》った8日後に亡《な》くなっていた。父にまさる信仰心で、家族を守り、事業を陰ながら支え続けた母の死に目に会えなかったことが、より斎を父に寄り添わせ、事業欲に駆り立てていた。

事業に関わらない兄妹たちも皆、クリスチャンである。

長男十太は学識高いが体が弱く、次男俊次は元町でテイラーを営む松野家に養子に入った。平吉と斎の正装も、儆三が新しく仕立てた背広も、俊次の仕立てである。四男昇は、豪腕の父に対する反発心が強く家に縛られることを嫌い、六男潔はまだ学生である。

儆三の姉、長女の淑子は、士族佐野精一のもとに嫁ぎ、妹の雪子は水上政五郎という牧師の家に養女に入った。

そして、村岡家にはもうひとり、母方、芝家の従妹《いとこ》、ハル[67]がいた。ハルの父は横須賀で質屋を営んでいたが、店が立ち行かなくなったため、義兄にあたる平吉を頼って福音印刷に勤めた。平吉は女中奉公に出されていたハルを引き取って、指路教会関係者が設立した住吉女学校に通わせ、娘同様に育てたのである。ハルは特に雪子と仲が良かった。

明治37年（1904）、福音印刷の神戸支店設置に伴い、ハルの父は神戸に転勤となり、一家で神戸に移り住んだ。そこで自らも製本の女工として働いたハルは、会社の月曜礼拝の説教をしている賀川豊彦《かがわとよひこ》[68]と出会い、大正2年（1913）に結婚。

3年間の夫のアメリカ留学中、ハルは横浜の村岡家から共立女子神学校に通って勉強をし直した。そして再び神戸で夫と共に貧民街に暮らしながら、貧しい人々の救済と伝道活動を続けている。

「銀座はどうだ？　うまくいっているか？」

平吉が儆三に聞いた。福音印刷は大正3年（1914）銀座に進出した。銀座4丁目1番地にあるアメリカ・メソジスト派宣教師が設立した出版社、教文館[69]の裏のビルを買い受けた。儆三はその銀座店を任されている。

「はい、まずまずうまくいっています。教文館の他にも救世軍[70]や、築地《つきじ》の基督《キリスト》教興文協会からもずいぶん仕事を廻してもらっています。ただ、最近は組合がすぐ騒ぎ出しますからね。この間は、僕が築地まで大八車を押して、聖書やキリスト教関係の本を売りに行きました」

ロシア革命の影響や、第一次世界大戦後の好景気で物価が高騰《こうとう》し、庶民の生活が苦しくなったことから、近頃、各地で労働者たちの労働時間や賃金をめぐるストライキや暴動が頻発していた。大正デモクラシーによって、労働者が生活を向上させる権利を求め、資本家に抗議する勢いが高まった時期でもある。平吉はこうした時勢にもいち早く対処して、8時間労働制を取り入れている。

礼拝の後、始業の鐘が鳴り響くとともに、工員らはそれぞれの持ち場についた。一斉に印刷機械がうなり始める。斎は、窮屈な背広を脱ぎ捨て、作業服に着替え、工場に飛んでいった。

儆三は父に呼ばれて、再び社長室に戻った。

平吉は大きな椅子《いす》に腰掛け、渋い表情で腕を組んでいた。

「昨日、教会であちらの父親に会った」

「……」

儆三は立ったまま無言で目を伏せた。

「江川氏も恐縮しておられる。娘があんな体になるとは、大事なご子息に大変ご迷惑をおかけしたと」

「誰が悪いわけでもありません。病ですから仕方ないでしょう」

「嘉男《よしお》にはいつ会った」

「10日ほど前に、十太兄さんの家で一緒に食事をしました」

儆三は大正4年（1915）、指路教会の信徒であり、親同士が仕事上の繋《つな》がりもある江川幸と結婚した。式は、教会関係者や会社関係者たちから多くの祝福を受けた。

村岡家では平吉の方針で、息子たちは結婚したら、それぞれ独立したホーム（家庭）を築く決まりになっている。

だが、翌年、長男嘉男を授かってまもなく、幸は結核を発病し、療養のため実家に帰った。その時期、新しく立ち上げた銀座店の運営に忙しかった儆三は家を引き払い、幼い嘉男を兄の十太夫婦に預け、神田で一人暮らしを始めた。

「どうする。十太は嘉男を養子に入れてもいいと言っている。お前に新しい縁談も次々ときているが……」

籍は入れたままの別居暮らしになって、もう3年近くがたつ。世間一般では、夫婦の主導権は男性にあり、結婚しても、夫の意にそぐわず、三行半《みくだりはん》を言い渡された場合、妻は涙を飲んで受け入れるしかない。不妊や、重病にかかったとなれば、「妻として失格」の烙印《らくいん》を押された。

　しかし、幼い頃からキリスト教に親しんできた儆三には、病を理由に幸を見捨てるような、無慈悲な真似《まね》はできなかった。

「今は、まだそういう気分にはなれませんね」

「うむ」

　平吉は天井を仰いだ。

「確かに子まで生《な》した仲だ」


　後継者である息子の身辺は気がかりだったが、やはり、クリスチャンとしての良心やモラルを捨てるわけにもいかないのである。

　儆三は、幸の両親と顔を合わせるのが気が重く、毎週日曜日の礼拝も、ついつい指路教会から足が遠のき、飯田橋の富士見町教会に出席するようになっていた。

「嘉男には教育を受けさせてやらねばならん。お前がこんな状態でいるのにすまんが、斎のほうはまとまりそうだ」

「さっき、斎からも聞きました。僕に気兼ねなんてやめてください。斎の人生は斎の人生です。西村さんは、もともと親戚《しんせき》のようなものだ。両家にとってこんないい話はありませんよ」

「このままうまく事が進めば、遅くとも来年には式が挙げられるだろう。その時はお前も教会に来てくれるか」

「もちろんですよ。僕の立場がどうであろうと、喜んで駆けつけます」

平吉は、ほっと安堵《あんど》の息をついた。

「車を呼ぼう」

「いえ、横浜駅まで歩きます」

「しかし、人はわからんものだな」

「は？」

「幸さんだよ。あんなに元気だったのに」

「……」

「ハルは神戸の貧民街で悪い眼病に感染して右目を失明したそうだ。それでも、賀川と伝道活動を続けている。あいつは根性がある。たいしたもんだ。巴《ともえ》さんは西村の大切な娘だ。気をつけてやらねばいかんな」

「彼女は幸せになるために生まれてきたような女性ですよ。斎はぞっこんです」

銀座店に出勤するために、横浜から有楽町までの区間、儆三は省線電車に揺られていた。

斎の縁談の相手は、父の朋友《ほうゆう》、共に指路教会設立に尽力した三共製薬の創業者のひとり、西村庄太郎の次女、巴である。

気立てが良く、美しく、ピアノの上手な巴は、教会でも若者たちの視線を集めている女性だった。

似合いの夫婦だ。

儆三は頬を赤らめながら、嬉《うれ》しそうに巴のことを話していた弟の顔を思い出していた。

斎の身が固まれば、父の心配も半減するだろう。自分の荷も軽くなる。

噂《うわさ》好きな教会関係者たちの興味が、晴れ晴れしい弟の縁談に集中すると思うと、儆三は、ようやく救われる思いだった。

編集者として東京へ

花子は大正8年（1919）3月、山梨英和女学校教師をやめて東京に戻った。

一昨年出版した『爐邉《ろへん》』が、[71]植村正久牧師の目を引き、築地の基督教興文協会の編集者に、花子を推薦してくれたのだ。

「あなたはキリスト教文学に集中しなさい」

植村牧師はそう言って、大正7年（1918）には花子が教師生活の傍ら、こつこつと翻訳していた『モーセが修学せし國《くに》』を、救世軍の山室軍平[72]に頼んで、出版できるように取り計らってくれた。キリスト教界の大物である植村牧師の励ましは、花子を奮い立たせた。

花子はこの年26歳。22歳を過ぎた独身の女性は、世間では「行き遅れ」呼ばわりされる。しかし、夢は動き始めた。山国の静かな暮らしを終えて帰ってきた東京、それは外界の現実から守ってくれた楽園のような母校ではない、めまぐるしく活《い》きた街だった。花子はこの都会で生きることを決めたのである。

下宿は、赤坂新町の婦人矯風《きようふう》会館の2階宿舎。住み込みのお手伝いが二人、食事などの世話をしてくれる。1階には食堂と事務室、集会室があり、事務所には共同の自動電話（公衆電話の旧称）が置かれていた。

集会室では、矢島楫子《やじまかじこ》や守屋東《もりやあずま》、久布白落実《くぶしろおちみ》、ガントレット恒子《つねこ》をはじめ、千本木道子、小橋三四子などの矯風会のメンバーや、望月百合子《もちづきゆりこ》[73]、山高しげり[74]など、婦人記者クラブの会員らの会議や集会が盛んに行われている。

公娼《こうしょう》制度廃止を訴え続けていた婦人矯風会は、明治44年（1911）4月、吉原[75]の遊郭が全焼したのを機に、再建を阻止する運動を展開したが、力及ばず、悲願達成はかなわなかった。

貧しい家では、少女たちが遊郭に売られ、一夜に立て続けに客をとらされ、過酷な労働を強いられている。僅《わず》かな収入も前借金で消え、苦界《くがい》を抜け出せないばかりか、病気になれば生きたまま捨てられることさえある。

吉原再建は、それまで公娼制度廃止運動に関わってきた人々――婦人矯風会、救世軍、婦人記者たち――のさらなる結束を促した。

男性だけで法律を制定し、女性が全く関与できない社会では、公娼制度はなくならない。日本中の真摯《しんし》な女性たちの訴えも、簡単に握りつぶされてしまう。

法律の改正を目指して、婦人参政権の実現が切実に叫ばれるようになった。

「これからは、やっぱり政治や」

集会に参加した花子の胸に、広岡浅子の言葉が甦《よみがえ》る。

「女性の政治家が誕生して政治にかかわらな、本当の意味での婦人解放はありません。まずは外国と同じように政治家を選ぶ権利、選挙権を得ることからです。同じ志を持つものとして、力を合わせていってください」

花子が東京に移った年の1月14日、広岡浅子は69年の生涯を閉じている。共に二の岡の夏を過ごした市川房枝は、浅子のメッセージを遺志として受け継ぎ、平塚らいてうと手を結んで、婦人解放運動をリードすべく立ち上がった。

運命の出会い

矯風会館から花子の勤め先である築地明石町の出版社までは路面電車が通っている。基督教興文協会は、プロテスタントの各派宣教師の共同出資によって、大正2年（1913）に建てられた出版社である。「東京の西洋」と呼ばれる旧外国人居留地の中でも最も眺めのいい場所で、目の前に、ゆったりと隅田川が横たわっている。

レンガ造りの2階建て、小人の帽子のような塔を持つ、こぢんまりとした社屋。門には一重の白ばらがアーチ形に仕立てられ、壁には蔦《つた》がからんで赤レンガの壁によく映えた。時折、都鳥が羽を休めに訪れた。

元来、築地は学問発祥の町。慶應《けいおう》義塾大学も起源は、幕末に福沢諭吉《ふくざわゆきち》がここで始めた蘭学塾である。[76]開国後、築地が外国人居留地に指定されてからは、女子学院、明治学院、青山学院、雙葉《ふたば》学園、暁星《ぎょうせい》学園、関東学院、女子聖学院、工学院などのミッシヨン・スクールが各派宣教師によって創始されている。

明治32年（1899）の居留地解除以降、これらの学校はそれぞれ移転したが、英国国教会設立の立教と立教女学院はここに留まり、花子の勤める興文協会のすぐ近くにあった。

「安中さん、次はこれをお願いね」

花子の英語力は出版社の即戦力だった。机に、各ミッション・スクールの教材、日曜学校の子供たちの読物など、次々と翻訳依頼の書類が積み上がっていく。『福音新報』の編集をしている[77]野辺地《のべち》天馬《てんま》からは、新しく始める小冊子『小光子』に、翻訳ものの短篇物語を寄稿するように頼まれた。

キリスト教関係者の世界は、狭い社会でもある。

「あなたのことは、よく聞いているわ。すごく優秀な給費生だったんですってね」

出社1日目にして、花子は社会人の洗礼とでも言うべき、厳しい一撃に遭っている。人前で高らかに「給費生」と口にしたのは、母校、東洋英和とも関わりの深い有名な牧師の親族で、「松木女史」と呼ばれる女性。士族出身の家柄を誇る彼女の言の端々には、花子の生い立ちに対する軽蔑《けいべつ》がこもっているのを、その後も何かにつけて感じるのだった。

春風の強い午後、花子は編集部で急ぎの翻訳に取り組んでいた。

「ねえ、安中さん、私ね、澤田廉三さんのお兄様、やはり外交官の節蔵様と親しいのよ」

松木女史の声に、ペンを持ったまま花子は一瞬凍りついた。

「妹様はね、加島家との縁談がまとまったんですって。廉三さんも、三菱《みつびし》家のご令嬢との縁談があるそうよ。以前、あなたとの噂があった時、お兄様はそれはそれは心配なさっていたのよ。だって、あちらはもともと三菱家とは遠縁にあたるのよ」

松木女史は、花子のところに仕事を持ってきたついでに、何食わぬ笑顔で言った。

慈善事業に献身する一方で、毒をもった言葉で人の心を刺す。クリスチャンにも、こういった酷《ひど》い仕打ちをする人がいる。神の御前に全《すべ》ての人は平等、という聖書の教えを実生活の中ではまったく生かさず、つまらない虚栄心や差別感で他人を見下そうとする。

所詮《しょせん》、花子と廉三は家柄が釣り合わない。いっしょになるなんて無理、と言いたいのだ。

だから何よ？

花子は顔を上げることができなかった。唇が震え、目の前の本が滲《にじ》んだ。「楽園」にいたときにはさらされなかった、世間の荒波を嘆く歌が残る。

咲けば散り　散れば踏まるる花の身は　つぼみの日こそ恋しかりけれ
安中花子

何とか気持ちを立て直そう、とテキストに目を落とす。

「ごきげんよう！」

興文協会の扉が勢いよく開いて、誰かが入ってきた。花子はぼんやりと顔を上げた。淡いベージュのお洒落《しやれ》な背広に身を包んだ、目の大きいエキゾチックな顔だちの男性。

道ならぬ恋

大正8年（1919）4月8日、花子が村岡儆三と出会った最初の日であった。

花子は久しぶりに母校で先輩の千代に会っていた。恩賜《おんし》休暇でカナダに一時帰国することになったミス・ブラックモアが体調を崩し、入院したので、千代に誘われて部屋の片付けなどを手伝いに来たのだった。千代は結婚して奥田千代から塩原千代になっていた。

「まあ、花ちゃんが翻訳した本、福音で印刷されたのね」

花子が手渡した新しい『モーセが修学せし國』の奥付を開いて、千代は感心した。

「そうなの。福音印刷の村岡さんは、私と会う前に翻訳原稿を読んでいて、私の名前を覚えていたんですって。すごく面白かったから、仕事を忘れて読み耽《ふけ》ってしまったって。翻訳をしきりに褒めてくださったんだけれど、私は原作が素晴らしいからですって申し上げたのよ」

「この村岡儆三さんというのは、村岡さんの、どちらの息子さんかしら？　うちの夫がバイブルの村岡さんのこと、よく存知あげていてよ」

千代の夫、塩原又策は三共製薬の創業者のひとり。三共製薬は明治32年（1899）に横浜弁天通に創業している。三共製薬の社名は「三人の共同出資」という意味であり、その三人というのが千代の夫の塩原又策、福井源次郎、そして村岡平吉の朋友、西村庄太郎である。同じ横浜の起業家同士、千代の夫は平吉とも親しかった。

花子は小声になった。

「銀座を任されている、お兄様のほうだわ」

「そうそう、そうよね。お兄様のほうはお気の毒なんですってね。跡継ぎの坊やがお生まれになってお喜びのところに、奥様がご病気になられたらしいわ」

花子は口をつぐんだ。世間は狭すぎた。本当は苦しい胸のうちを千代に打ち明けたかったのだ。花子と儆三は『モーセが修学せし國』をきっかけに出会ってから、激しい恋に落ちていたのだった。

「花ちゃん？」

「あ、いいえ、なんでもないわ」

「何か辛《つら》いことでもあるの？　今、哀《かな》しい顔をしたわ」

「いいえ、たいしたことではないの。ただ会社にね、ちょっと意地悪な人がいてやりきれないの」

「意地悪な人？」

「松木女史よ。私のことを色々言うの。貧しい生まれだとか、父親が社会主義の活動家で警察に捕まったとか。仕事の人たちにも言いふらすから、なんだか……」

「ああ、松木女史はそういう人よ。松木牧師もそういうところがあるもの。あそこの家風なんでしょう。私はあなたのこと、応援していてよ。本当に偉いと思っているわ。自分の力で道を切り開いて、ご実家のことまでも背負って。松木女史の意地悪なんて気にしちゃだめ。花ちゃんは誇りを持って進めばいいのよ」

丸髷《まるまげ》の似合う家庭婦人となった千代が、もし花子が道ならぬ恋をしていると聞いたら、どんなにか驚くだろう。ましてや儆三は、千代の夫と親しい村岡家の息子である。優しい千代に心配をかけたくなかった。花子が唯一《ゆいいつ》この恋を打ち明けているのは矯風会の守屋東だけである。

燁《あき》さまがいたら！

燁子ならわかってくれるような気がした。

花子と儆三を引き合わせた『モーセが修学せし國』は救世軍出版部よりこの年の5月25日に刊行されている。奥付には発行人の山室軍平を挟んで、ふたりの名前が並んでいる。

訳者　　安中花子
発行人　山室軍平
印刷人　村岡儆三

花子はそのページの横に次のように記した。

大正八年五月二十五日

魂の住家みいでし記念すべき日に

花子

儆三の胸に抱かれて、初めてくちづけを交わした日である。

この年、4月から半年にわたって花子と儆三が交わした約70通のラブレターには「運命の恋」を実らせたい激情と、そのために他の人たちを傷つけていいのか、という葛藤《かっとう》が渦巻く。儆三は病める妻と別れて花子といっしょになりたい、と切望。彼を愛しつつも、道ならぬ恋に落ちてしまった花子は、悩ましさに身を焦《こ》がす。

花子と儆三の往復書簡から、2通ずつを紹介する。

6月20日（花子から儆三宛《あ》て）

今日はどうしてお暮らしになりましたかしら。昨夜はいろいろとお話伺って、ほんとに嬉《うれ》しうございました。あなたの考えていらっしゃること、なさろうと思《おぼ》し召してらっしゃること、そういう事をいろいろと伺いますと、どれもどれもそれに足並みをそろえて進んでいけぬ自分の愚かを思います。

もう決して物事に心配しないむすめになります。あなたが私を愛して下さること、私があなたをこんなに好きなこと、それを思うと、その愛で何もかもを解決していけると信じることができますので、やっぱり私は嬉しくほほえんでいられます。

親のそばがどこまでもいいと、夕べ申しましたでしょう。あれは本当ではありません。誰よりも、どこよりも、あなたとご一緒がよろしうございます。

守屋さんが「本当に花ちゃんはしあわせね、愛されて、村岡さんのような方に愛されて」と仰《おつしや》いました。私もそう思います。

私はあなたからこんなにやさしさを受けられるのが不思議でなりません。私のようなつまらない娘が、どうしてでしょう。私は努力してあなたにふさわしい者になります。どうぞ私の足りない所をゆるして教えて下さいまし。私はあなたのもの。

お隣の部屋の方の所へ、北海道から谷間の娘百合《ゆり》が届きました。私にも分けて下さったのが、今机の上に香っております。美しい花を見るとき、差し上げたく思います。

でも、あなたがお花を持ってお帰りになったら、周りの方々が妙にお思いになりはしないかと考えて、御遠慮して仕舞ひます。

お目にかかりとうございます。あなたとご一緒に銀座の柳が陰影をつくる傍らを歩きながら、賑《にぎ》やかな夜の町の美しさを語り合いたいと思います。

ごきげんよう。おやすみくださいませ

8月12日（花子から儆三宛て）

寂しい夜、こんな時にお電話でもかけて下さひましたら、どんなにか元気がつく事でせうに。寂しうござひます。考へまひと思つても、色々の事が考へられます。御一緒にお話して居る時には何もいやな事は考へません。何もかも、よいようになると信じられますけれども、一人になれば、やつぱり過ぎさつた時の苦労や現在の心配やこれから先の事などがとめどもなく思はれて、やつぱり——やつぱり——おめに懸らなかつた方がいゝのかしらとさへ今夜は思はれます。

苦しんで、苦しみぬいて来た私。世の中の人□凡事苦しみを味つたのではありません。私の苦しみなどはほんとに唯《ただ》一方の苦しみ丈《だ》けです。

（略）

私には家族はいつでも「おもり」でした。その重荷があるためには続け度《た》い丈けの勉強も続けられませんでした。自分が続け度い丈けに勉強を続ける事はそんなにむづかしい事だつたとは思ひません。けれども勉強もし、家族の責任も持つといふ事ははたちの娘には少し重過ぎた荷でした。私は自分の望や計畫《けいかく》は捨て〳〵、子としてのつとめの道を取つたのです。今も矢張、子としてのつとめを果たす為《た》め、幸福を捨る筈《はず》ではないかと思はれます。

誰にも知れぬ時、寂しい〳〵夜半暗の中で止取もなく涙を流しては人の前ではいつでも笑つて居た私は、あなたに御めに懸つてから、あなたの前で泣くことをおぼえて仕舞ひました。そんなにまでもあなたは私の心を支配してお仕舞ひになりました。

私は所詮、自分は人を愛せる娘ではなひと思ひました。心の強いのを誇つて居りました。弱さを知つた此《こ》の頃はしみ〴〵と「愛される幸」を恐ろしい迄《まで》に感じて居ります。どんなに悲しい運命に出會つても此のおもひでが消えぬかぎりは自分はすさまずに行かれると思ひます。

必ず一緒になれるからと思つて、愛したのではありません。なれても成れないでも、凡事事情から離れて、愛して仕舞つたのですから、運命を□ふ事もございません。喜んで居ります。どうぞ私の事について冷静に御考へ下さい。そして御批判遊ばして下さいまし。

私の一番大事なあなた□、私は荷物になり度く御座いません。自由な、明るひ世界にお置きいたし度《と》う御座ひます。今度又お話しいたしませう。此の日曜日には出ない方がいゝと思ひます。あんまり留守いたしますので、外の方々の前が心配で御座いますから。朝教会へいらつしやればお顔丈けは見られますが、却《かえつ》て私には苦しいかも知れません。

其《そ》の内又御逢《あ》ひ致しませう。どういふやうに成りましても、私は何時□はまでもあなたの花子ですね、然うで御座いませう？

つかれました。頭が痛くなりました。　おやすみ遊ばせ。

徹三様

花子

8月17日（徹三から花子への手紙）

手紙はないものと承知し□かくも、かえって手紙のないのはなんとなく物足りません。この二十日余りの間ほとんど毎日逢って居った人も今日は甲府の旅の空です。

私の心の中にはさびしさがわきました。黄昏《たそがれ》のぼんやりしたよひやみの中に甲府の方を視《み》ながら私のいちばんかわいい人に幸せあれかしと念じております。

軽はずみして風邪ひかぬよう　それに東京よりもズーっと涼しい甲府の山中袷《あ》わせの羽織などとの注意をして行かれたか気がかりな事です。

水など飲まぬこと胃腸を痛めれば秋になって下痢などを起こします。万事に注意すること忘れてはいけません。今日一日はたよりない寂しい一日でした。

（略）

丸善に行きました。欲しい本が二、三冊ありました。買ひませんでした。若き婦人が呉服屋や小間物屋に往《い》って、いろいろの呉服類や小間物を視て嬉しく思うように、書籍の陳列してある戸棚や本の行列を視ることは愉快なことです。

あなたと一緒にあの本を読み、読みつかれたら両人で談をする。話倦《あ》きたらとふと考えると、新家庭の有様が夢のよう幻のように胸に浮かんで居ります。美しい空想の瞬間よ。

往来を歩いている丸髷の若き人妻を見れば、我が愛する者にもこの扮装をさせる日も近き日にあるのだと思ふと足も踊らずには居りません。何日までも花チャンは若く、美しく居る事、艶々《つやつや》して居る事は□の生命……心も体もね。あしたは福永さんに逢ふて籍の問題も（あの届けさえ○すれば宜《よ》ひのですから）話して置きます。

甲府から帰ってくるまでにすべて解決してしまいます。

あなたはそうなれば日陰の花ではないのです。

あなたも安心なれば僕も嬉しい。

汽車でつかれたでしょ。今日はなるたけ早く床についてゆっくり休む事です。私もなんだか今日は疲れましたから、早く休むつもりです。又、明日書くことにします。

さようなら

Keizo

花子様

××××××

9月25日（儆三から花子への手紙）

今丁度会社から帰って夕食を終えた処《ところ》です。手紙がありましたので、嬉しく食事をすませました。それで嬉しさも素振りに出さぬ様にして居ります。今朝会社の出掛けに千駄ヶ谷へ往き、守屋さんに逢って籍の事が片付いたと云《い》って置きました。守屋さんも大変に喜んで居りました。後の事に就いては、あなたと相談して下さいと申して置きましたから、何かあなたの方に通知があると思います。

近い中に二人が安心して一緒に居る事が出来る時が近づいて来るのです。どうか喜んでください。苦しいつらい事も今しばらくの辛抱です。それは宜い結果を出す前の悩みです。

自然は或《あ》る苦しみなしには善い事を與《あた》えませぬ。其の苦しみの裡《うち》にも希望を持って病まぬ様、身体《からだ》を大切にしてください。

今の苦しみなどは私の傍に来れば直《す》ぐ忘れる位に私はあなたを可愛がります。さあ元気を出して、心配してはいけません。少しく神経を休ませる必要がありましふ。二人が一緒になればどんなに喜ばしい事でしふ。

今日も一寸《ちよつと》興文協会を訪ねようかとも思いましたが、御天気は悪いし、少しく涼し過ぎる様な日でしたので、罷《や》めました。それでも顔はみたいと思ふて居りました。

一昨夜はあなたを吃驚《びっくり》させた様ですね。あなたがあんなに吃驚したり、又今日の手紙にある様に困るのであったなら私は往くのではなかったのです。それでもあなたに籍が片付いたと云う事をしかりと知らせたかったのです。ああして逢っている時は私も何となく不安の様にも感ぜられました。然《しか》し逢って見ると直ぐ帰るのも残りをしいと云う様な気持になりました。

あなたを見ると可愛くなって Kiss をせずには居られない。帰り際の Kiss……まあなんて困る人だとあなたは思ふたでしよ。

然し逢えないと思うと逢いたくなるのが人情です。指と指がかすかに触れ合う時にでも身体中の血潮が躍る程の心の動を感じます。

所詮《しょせん》二人は別々に居ってはならぬ人に創造されたのですね。天地創造の初めより二人が結び附《つ》く縁は極《きま》って居ったのです。

取り越し苦労に疲れて二人が一緒になれぬなどと云う事は勿論《もちろん》　思ふさへいけないと思います。人生は希望の世界です。しかも□□□のは直に実現する事の出来る希望を持って居るのです。弱い心を出さぬ様に。あなたがそうした思を出すと聴くに附けてもはやく私の傍に呼び寄せて、泣きたい時には胸に抱いて泣かせたい。私の胸に抱かれて泣くのであるなればつらい涙も嬉し涙に変らせて見せると云ふ自信が私にはあります。
底冷のする夜、火鉢でも欲しいと思ふ日、秋の夜は何となく寂しい。こんな時あなたと二人であったらと恋しく……kissします。
今日は少し疲れて居りますからこれで失礼。

To my dearest wife　Sept 25th 1919　　徹三

××××××××××

初めて出会ってから満6ヶ月と16日、そして初めて言葉を交わした日からは、ちょうど5ヶ月目の10月24日、ふたりは久布白直勝牧師の司式の下、築地教会で結婚式を挙げた。

直勝牧師が徹三氏に「あなたはこの女子をめとり、終生変わらず愛するか？」という意味の質問をした。大方の男性も女性もこの時に声を出して答える人は先《ま》ず無いのだが、わが徹三氏は、大きな声で「はい」と答えたので、並んで立っていた私はもちろんのこと、牧師も虚をつかれてびっくりしたとのこと。

（『改訂版 生きるということ』より「結婚をめぐって」A）

式の後、列席者一同は築地精養軒でなごやかな午餐《ごさん》を囲み、ふたりは皆に見送られてそのまま新橋駅から新婚旅行先の箱根へと向かった。

白蓮《びやくれん》(当時は伊藤《いとう》燁子)から結婚を祝福する手紙が届く。

折角出した手紙が戻って来てがっかりしました。貴女《あなた》はお忙しそう。でもお楽しそうで何より嬉しく存じます。

いつだって私の貴女への心持ちは変りはしません。変だと思うのは貴女のほうが変だからです。ずい分久しく便りをしなかったり、ひどい時は手紙を出しても返事も下さらなかったこともありましたっけ。それでも　私は同じ心で貴女を見ていました。

今は誰よりもよい方が御出来になって、それでも女同士の友情に変わりはないとあらたな心でいます。

貴女にお祝いの心ばかり。姉さんのような気で　黒ちりめん羽織ひとつ。他にせいぜい丸帯一本進上いたします。

御主人様　何と思召しはせぬかと一寸案じられますが　そこの處《ところ》よろしく仰って下さいまし
二十五日　夜
燁子
花ちゃま

花子と儆三は、数ヶ月の借家住まいの後、大森の新井宿に居を構えた。ここを選んだ理由のひとつは、花子の尊敬する片山廣子《ひろこ》の家に近かったからである。

70通に及ぶ往復書簡は、まとめられてひとつの文箱《ふばこ》に大切に収められた。

花子が儆三の使いで、時折、横浜の福音印刷に行くと、平吉は花子を「おお！　マイ・ディア！」と迎え、抱きしめた。用事が済むと横浜太田町の家で待っているようにと人力車を呼び「うちの大切な嫁だから気をつけて引いてゆくように」と注意するのだった。

花子と儆三は幸福に酔っていた。あまりの幸福に、その陰にひとりの女性と小さな男の子の悲哀があることを、忘れ去ってしまうほど、結婚生活はふたりにとって素晴らしい日々だった。

結婚式の翌年、忙しく働き続ける小柄な体に変化がおとずれた。母になるための準備が、内側から始まっていた。

母になる。こんなに不完全な自分が！

出産を間近に控えた不安と、初めての体験に感動した記録が詠草に綴《つづ》られている。

大正九年九月七日　出産の予定日近づくにしたがひ、頼りなさ、恐ろしさの覚えられて、心そぞろなり

試される日は迫りきぬ　我にひそむ母性《はは》雄々しく忍べ

嘉き稚児を　君とふたりのいとし子を　世に迎ふべく　衣《きぬ》ぬふまひる

九月十三日、午前五時四十五分男児出生　勢いよく挙げし産声《うぶごえ》を聞きて、嬉《うれ》しさいとほしさに涙とどめあえず

愚かなる　我を選びてあめつちに　ひとりの母と　あふぐや汝は
たらちねの　母と呼ばれてこの家に　わが幸は　満ちあふれけり

早朝、元気な泣き声を響かせて誕生した長男に、花子も徹三も涙を流して感謝の祈りを捧《ささ》げた。道雄。この子に付けられた名前である。

道雄は健やかに育った。泣き疲れて、ようやくすやすや寝息を立てて眠る傍らで原稿を書く花子は時折、有難さに道雄の前にひざまずきたいような心持ちになった。

2歳を迎える頃から道雄は、だだのありったけをこねて、しばしばお手伝いの秀を困らせる。秀は田舎から上京したばかりで、まだ16歳の少女である。

「天の神さま、道雄は今日、いじわるのわからずやを言って、秀ちゃんを困らせました。どうぞ、おゆるしください。この頃、道雄はすこうし、naughty boy になったようです。どうぞあしたは good boy にしてください。今晩もおまもりください。アーメン」

「ひでちゃん、ごめんなちゃい、アーメン」

いっしょにお祈りをした後、花子は道雄に添い寝して物語を聞かせる。字を読めない幼児に、母親が読んで聞かせられるような絵本は少ない。花子は道雄の顔を眺めながら、童話を創《つく》った。

白蓮事件

大正10年（１９２１）10月23日、新聞を見た花子は仰天した。

燁子が、社会主義者の[78]宮崎龍介《りゅうすけ》と駆け落ちしたというのだ。しかも10年の結婚生活を送った伊《い》藤伝《とうでん》右《え》衛門《もん》に対し、燁子は大阪朝日新聞紙上で絶縁状を発表したのだった。さらに25日、大阪毎日新聞紙上に、絶縁状に対する伝右衛門の抗議文が掲載された。世に言う白蓮事件である。燁子は批判と好奇の的となった。燁子が姦通《かんつう》罪に処せられるか、体面を傷つけられた伊藤伝右衛門がどう出てくるか、世間は事件の成り行きに注目した。

花子は、伊藤家との縁談を前に、身も世もなく苦しんでいた燁子を知っている。あの頃、潔癖な少女だった花子は、それでも嫁いでいく燁子を許すことができなかった。しかし、儆三との恋を経て、今は燁子の血筋ゆえの悲しい運命を察することはできる。世間の無責任な騒動が腹立たしかった。燁様は人形ではない。喜びも悲しみも感じうる生身の女性なのだ。

花子は、はっと思い当たって、先月の初めに受け取った燁子からの手紙を思い出し、もう一度読み返した。

大正10年（1921）9月2日　京都にて　伊藤燁子

久々のおなつかしい昔の花ちゃんの御手紙嬉《うれ》しく拝見致しました。常に消息があってもなくても、会えば同じ心持ち、しみじみとした御文が幾年ぶりかの珍しさでも、私にはつい昨日の思い出のような親しい昔をまだはっきりと覚えていますから、いつでも花ちゃんの気のむくままにして、私は喜んで居ます。

誰でも年をとると段々色々な事を考へるもの、つまりこれが你《なんじ》幸風を知るというふのでせう。こんど秋にお目にかかったら花ちゃんの今の御心持ちも聞かねばなりますまい。

私も学校での花ちゃんに別れてから後は全く生死の際《きわ》までも行きました。諦《あきら》めてみたり歎《なげ》いてみたり、今は然し　諦めといふ事がけして道徳的のものではないと悟りました。最後までも希望を持つのが本当の勇気ある者のする事だと思って信じていますの。

（略）

貴方《あなた》が白蓮女史としてでなく　と書いてあったけど、白蓮女史とは自分でも少しなじみのうすい名、もう世も人も忘れてよい頃と随分迷惑してますの。

学校の庭で萩《はぎ》の花の辺りをさすらいながらの西洋の物語をよく聞かせて下さいましたわね。

なつかしい思い出です。

あき子

花ちゃん

花子は手紙を持つ手が震えた。この時、既に燁様は決めていたのだ。

友の身の上が心配だった。しかしそれ以上に、燁子の勇気は雷鳴のように花子の心を打った。

燁子の恋人、宮崎龍介の父は、中国の辛亥《しんがい》革命を援助し、日本に亡命中の孫文《そんぶん》をかくまった思想家の宮崎滔天《とうてん》である。

滔天の兄、自由民権運動家の八郎は、明治10年（1877）の西南戦争で西郷隆盛《たかもり》率いる薩摩《さつま》軍を支援し、政府軍の銃弾に倒れている。滔天を含む3人の弟たちは、この兄、八郎の生き方に影響を受けて、政治運動に身を投じた。宮崎家の気骨を、龍介もまた受け継いでいた。

彼を信じて行動した燁子だが、そのために兄は議員を辞職するなど、波紋は広がった。

しかし、自分の足で歩み始めた燁子は、逆風に負けず、凜《りん》とした姿勢をつらぬいた。出奔中の燁子から花子に送られた手紙にも、強い意志と、生まれて初めて味わったすがすがしい喜びがあふれている。

出奔3日後10月25日、燁子から花子宛《あて》

貴女のお手紙はどんなに私を悦《よろこ》ばせて下さいましたやら
斯《か》くいふ際には兄姉《きょうだい》や身内など何もなりはしませぬ
本当の心を知って下さる友ほど有難いものはない
私は今至極丈夫に気楽に　安全に暮らして居ります
少し落着きましたら　お目にかかり度存じます

11月6日、燁子から花子宛

御親切なお手帋《てがみ》嬉敷くりかへし拝見致しました　ほんに貴女と私とは行末は共

に暮さうとまで云《い》い合った仲でしたね　私がこの一月号に出すべき新小説にH様へとして出した文にその事を書いてあります

（略）

山本氏も了解してます　併《しか》しまだうるさい故発表はしてません　それでもしお文下さるならは　宮崎龍介様として村岡と遊ばせバ私のものとしてけして他の人の手には入らぬ事になってますから表書きにあき子となさらぬ様に願います

近所に家を借りてその方への移轉《いてん》はたぶん　明日か明後日と存じます

引こしもすみ少し落ちつきましたら大森のあなたの處へも　きと向ふと楽しんで居ります

いよいよ参るときは　前以《も》って申しあげます　又そのうち　くわしい手帋かきます

12月17日、燁子から花子宛

先日は本当に嬉しう御座いました　御遠方のところをわざわざ来て下さって

斯くいふ時こそ友情の有難さをしみじみ感じます

いつ如何《いか》なる日も　変わらぬものは　友ぞと思ふ時　感謝の外ハありませぬ

鐵氏も上京した様子だし山本さんも明日は帰京するし　何とか具体的に話が進行する事と存じます
私は元気に光明を目あてに心よく暮らして居ますから御安心下さいませ
先づは御礼まで
片山夫人へもよろしく

花子が燁子にいたわりをこめて送った手紙には、大切な女友だちとの打ち明け話は、最愛の夫にさえ秘密にする、と記される。

12月?日、花子から燁子宛
何しろお目にかかりたいのね　でもほんとに安心しましたよ　離籍のほうだけでも片がついて、そして宮崎さんの方の御家庭もほんとに良かったわね　私はね、燁さま、あなたの今日のことについては人がよく言はふが悪く言はうが何とも思いませんよ　たとえ悪かったとしてもすでに為《な》されたことは為されたのです。只《ただ》あなたと私とが永久に離れない友だということさえ定まっていたらそれで私には□□です　そしてこれからの幸福を私の命にかけて祈っております　どうぞ幸福

に　そして家庭の楽しみを味わって下さい　そして芸術を棄《す》てないで下さいね
普通の家庭って家事のことを注意しながら、そして経済までも心配しながら、家事以外の道を棄てぬと言ふ事はかなり骨の折れることです　それでも燁さまはそれを捨てないで頂戴《ちょうだい》ね
（略）
どうぞお身体《からだ》を丈夫にしてくださいね
宮崎さんにどうぞよろしく　いずれお目にかかりますでせう　何もかも会って話すのでなけりゃ　思うことは通りませんわ

12月14日、花子から燁子宛

御手紙只今拝見　十二日と十三日は随分お待ちしたのよ　でも馴《な》れない外出できっと疲れ過ぎなすったのだろうとも思いました。或《あるい》は暫《しばら》く新聞屋にでもつきまとはれているとも様々な取り越し苦労もありました
近々ぜひおたづね下さい　大森まで電車でいらしってそこから「山王、池上方面出る」といふ方へ出て歩けば二十分位　出土橋といふ橋の所までいらしってください　その橋を右へ曲がると突き当たりが加藤といふ家です　加藤といふ家を

前に見て左に折れて三軒目位の家、村岡……と表札が打ってあります
あなたの動静については私は今は申しませんが　大丈夫新聞記者に洩《も》れる心配はありません　自分の夫にさへも立ち入った話は致しません
私は親友といふ者は又特殊な関係で、神聖な秘密といふものを分かち合う筈《はず》だと考へています

12月31日、花子から燁子宛

御たよりを伺いませんので心配して居ります
どう御暮らしでせう？　どうぞ御近況を御知らせ下さいませ。何が起っても、どんな場合にもあなたと私は「燁さま」と「花ちゃん」ですから、どうぞどこまでも一緒に行き度《た》いと思ひます
新年にあなたの名も見えなくなりましたね
然し　きのふあたり一寸《ちよつと》気になる事もありました。けさ大みそかのせはしない中ですからこれ丈《だ》け。どうぞどうぞ新しい一年はあなたのためにほんたうの幸福のつかめるとしであるやうにと心のかぎり念じております
お正月になったらぜひ御目に係りませう

後年賀状はどうしていいやらわかりませんでしたから　宮崎さん宛に出して置きました
その由《よし》よろしくおっしゃって下さい
こちらは　何を御書きになっても私一人の胸に収めて置きますから　ほんとうに後様子を知らせて下さい

その年の12月、ふたりの親友は再会。母校、東洋英和で別れたのが明治44年（1911）、花子が17、燁子が25の春だった。あれから10年の月日が流れていた。

燁子はみごもっていた。花子が再会した燁子は、自らの運命を諦めた、翳《かげ》りを含んだ燁子ではない。強い意志を持ち、生命《いのち》に溢《あふ》れていた。花子はこれほど幸福そうな、輝くばかりに美しい燁子をかつて見たことがなかった。

第6章　悲しみを越えて

大正11〜昭和2年（1922〜27、29〜34歳）

関東大震災

大正11年（1922）、福音印刷は創業25周年を迎えた。五月晴れの午後、横浜グランドホテルで催された華やかな祝賀会には、山高帽にタキシード姿の横浜の実業家や、出版関係者、牧師、外国人宣教師らが集った。これを機に福音印刷は合資会社から株式会社となり、平吉は取締役兼支配人を、三男儆三《けいぞう》に譲った。

それからまもない5月20日、平吉は、まるで肩の荷をおろしたかのように、静かに永眠する。享年《きようねん》70。翌朝『横浜貿易新報』は「印刷界の先覚者、村岡平吉逝《い》く」を大きく伝えた。

神戸から賀川豊彦《かがわとよひこ》、ハル夫妻が駆けつけ、横浜指路《しろ》教会での葬儀は、賀川の司式で執り行われた。祝賀会と同じ華やかな顔ぶれが列席、故人の業績が偲《しの》ばれた。

平吉を送る聖歌隊の合唱の中、花子は自分を「マイ・ディア！」と呼んで抱きしめてくれた義父を思い出していた。平吉は、息子の妻が、キリスト教関係の出版に携わっていることを喜び、花子を文学にかける夢ごと、村岡家の一員として受け入れてくれたのである。

花子の隣では斎《ひとし》の妻、巴《ともえ》も顔にハンカチを押し当てていた。平吉が亡《な》くなる10日ほど前に、巴は長男創《はじめ》を生んだ。斎は、生まれたばかりの創を抱いて、臨終の父に引き合わせたのである。平吉は息子や孫たちに囲まれ、穏やかな顔で息を引き取ったのだ。

「お義父《とう》様の最期《さいご》に創が間に合って、それだけが私の慰めでございますわ」

涙声で巴が言った。

「お義父様、お喜びでしたわ。きっと安心なさったのよ。創さんのことも道雄のことも、天から守ってくださいますよ」

花子はまだ完全には回復していない巴の体を気遣っていた。もうすぐ2歳になる道雄は長い告別式の間、お手伝いの秀に抱かれてぐっすりと眠り込んでいる。

専務取締役に儆三、常務取締役に斎。

大きな柱を失ったとは言え、ふたりの息子はこれからも父の遺志を継いで互いに協力し合い、さらに福音印刷を発展させていくことを列席者の前で誓った。

喪服の黒は哀《かな》しみの色ではあったが、儆三のはっきりとした顔立ちを際立《きわだ》たせ、重役を担《にな》っていくにふさわしい風格を醸《かも》していた。

なんて立派な……。

花子は、参列者と挨拶《あいさつ》を交わす儆三から、少し離れたところに立っていた。目を涙でうるませながら、愛する夫が誇らしく、彼にふさわしい妻になりたいと心から願っていた。

斎は兄を慕い、兄の選んだ花子を慕って、よく家に遊びに来た。斎は、情と活気に満ちた愛すべき性格だった。

「イギリスではね、本そのものが芸術なんですよ。僕は日本でもイギリスに負けないくらい美しい本を作りたい。お姉さんの本は、全部僕らが印刷しますからね」

3人は、英米の本の、クロスや革張りの美しい装丁や印刷技術についていつまでも語り合い、福音印刷の将来を共に夢見た。

大正12年（1923）9月1日。

この日は朝から熱い突風が吹きすさぶ、荒れた空模様だった。

儆三は、経済界一般の不振や、解雇した職工との間に手当金請求の訴訟問題が起こったことで、工場は斎とベテランの若宮に任せ、さまざまな実務処理や会合に追われていた。儆三を会社へ送り出すと、花子は手早く家事にとりかかった。

日が昇るにつれ、暗い雲が払いのけられ、厳しい残暑が戻ってきた。

午後には『小光子』や『婦人新報』の原稿を書かねばならない。教文館からも翻訳を頼まれていた。ひとしきり、家の用事を片づけてしまうと、まもなく3歳になる道雄が、花子の膝《ひざ》に這《は》い寄ってきた。

「お母ちゃま、なにかおはなししてちょうだい」

道雄はこの頃、しきりに母にお話をせがむ。花子は道雄の汗ばんだおでこを手でぬぐってやりながら、にっこりと微笑《ほほえ》んだ。

「道雄ちゃん、もうお昼にしなくちゃいけないから、ひとつだけよ」

そう言って、花子は風の通る縁側に道雄と向かい合って座った。

「そうねえ……。そうだわ。あのね、さっきね、お母ちゃまがお洗濯をしていたら、そうそう、あなたのお洋服を洗っていた時よ。シャボンの泡がぶくぶくって、大きなかたまりになって落っこちたの。そこに蛙《かえる》さんがいてね」

「かえるさん？」

「そうよ、緑色の大きなおめめの蛙さん。蛙さん、驚いちゃったのよ。お母ちゃま、ごめんね、ごめんね、て言ったんだけど、ぴょっこん、ぴょっこんっておじぎをしながら、逃げていっちゃったの」

道雄はきゃっきゃっと声を挙げて笑った。

「かえるさん、おめめ、いたかったのね」

花子が昼食の準備のために立ち上がろうとした、と、その時である。すさまじい地鳴りと共に、地面が大きく縦に、そして左右に波打った。茶箪笥《だんす》が音を立てて倒れ、驚いた道雄は花子にすがりついて大声で泣き叫んだ。花子は道雄を抱きかかえ、素足のまま庭に転がり降りた。

「地震よ！　秀ちゃん！　早く庭に出るのよ！」

午前11時58分。

相模《さがみ》湾を震源とするマグニチュード7・9の大地震が神奈川、東京を中心とする関東地方を襲った。余震と地鳴りが続き、時折、大きな揺れ。その度に秀は悲鳴をあげた。

「秀ちゃん、落ち着きなさい」

花子は秀を叱《しか》り、道雄をなだめながら、天を見上げた。

今まで見たこともないような、巨大な入道雲が不気味に立ち上がっていた。

肉親を失う

　儆三は、銀座通りに出た。人々は騒然としていた。表通りの建物はほとんど損傷なく見えたが、裏通りは、かなりの被害を受けたらしい。倒壊した建物の下敷きになった人々の救済が叫ばれ、ところどころで火災も発生していた。不安そうな人々もいれば、この突然の異変を楽しんでいるような野次馬も多くいた。儆三は、従業員や教文館の顔見知りたちと、揺れが落ち着くまで様子を見ることにした。


「村岡さーん」

　築地《つきじ》から避難してきた知人が儆三をみつけ、人ごみを掻《か》き分けて駆け寄ってきた。切迫した表情である。

「築地はひどいです。立教の寄宿舎の瓦《かわら》が崩れ、興文協会や築地カトリック教会、その他いくつもの建物が崩れかけています。ここまで来る途中の家々はぺしゃんこですよ。２階が１階になってる。後から火が出てきます。もう、危険ですから建物の中に入ってはだめですよ」

　交通は寸断され、電気や電話も不通だった。

　帰る道々、各所で大きな火柱が上がり、暮れかかる都会の空に黒煙を吐いている。

刻々と時間がたつにつれ、焼け出された人や家族を探している人が増えた。ひたすら歩き続け、汗まみれになった儆三が、ようやく花子の待つ大森の家にたどり着いたのは夜9時すぎであった。幸い家は倒壊を免れていたが、余震による倒壊の恐れがあったので、一家は隣の畑で、近くに住む人々と野営して不安な一夜を過ごした。むしろを敷き、蚊帳《かや》を立てて子供たちはそこに寝かせた。

銀座は午後2時頃、八官町（現・銀座8丁目）の芸妓《げいぎ》屋から火災が発生し、西と南に燃え広がり、数寄屋橋《すきやばし》から木挽《こびき》町を焼いた。その火の手が、有楽町の東京電燈《でんとう》株式会社から発火した火と合流して、午後4時過ぎには尾張町、銀座4丁目界隈《かいわい》をひと舐《な》めにした。いっぽう、日本橋区本町から発した火が風向きを変え、京橋を越えて、銀座1丁目から3丁目を延焼した。

さらに内幸町方面から丸屋町（現・銀座8丁目）へ飛び火した火は西風に煽《あお》られて、わずかに焼け残った家々を焼き尽くしたのである。儆三が歩き続けている間に、激震を持ちこたえた銀座の建物や家は、火災により全《すべ》て焼失した。

築地は、夜になって、本願寺から火災が発生し、焼け残ったのは鉄砲洲《てっぽうず》の聖路加記念館と軽子橋のたもとに立っている自動電話ボックスだけだった。隅田川には無数の焼死体が浮かんでいた。

一家が、野宿生活をやめて家に入ったのは、3日の朝である。儆三は早朝、横浜、山下町の福音印刷に向かった。交通も電話も電気も遮断され、新聞も届かない。各新聞社も社屋を焼失していた。確かな情報を得るには、歩いて確かめるほかには手立てがなかった。花子は、井戸のある家からもらい水をして、米を炊《た》き、握り飯を儆三に持たせた。

空は灰色の煙の膜で覆《おお》われていた。港町横浜、儆三の生まれ育った異国情緒漂う美しい町は、行けども、行けども、一面埃《ほこり》っぽい廃墟《はいきょ》となっていた。黙々と死体の収容をしている消防団や、家族を探して彷徨《さまよ》う人々、張り紙のしてある家らしき瓦礫《がれき》——地獄絵巻のような光景が続いた。

宝飾店や時計店のあったところでは、焼け跡荒しが、瓦礫の中をしきりに掘り起こしている。

去年、会社の25周年を祝ったグランドホテルも、指路教会も、あとかたもない。ように見えているはずの赤レンガの社屋——そこにあるはずの福音印刷は、真っ黒な瓦礫の山と化していた。立ち尽くす儆三の足元からは、まだくすぶるような熱気が立ち上がっていた。

儆三は4日間、家に戻らなかった。

その間、新聞の号外を手にした花子は、この震災の被害が、想像以上に大きいことを知った。大森は、東京府下の田園地帯であり、火災による被害は少なかったのである。

朝鮮人が井戸に毒を入れる、集団で来襲して放火する——不安を増長させる噂《うわさ》が猛スピードでかけめぐり、この大森にも伝わってきた。

衝動的に暴徒化した市民が、朝鮮人や中国人に集団で暴行を加え殺傷するという事態が相次ぎ、これに軍隊も参入して、3千人とも6千人とも言われる朝鮮人が犠牲となったのである。騒動のどさくさに、警察は社会主義者を一掃しようと動いていた。戒厳令が布告され、町では兵隊と警官がものものしく見回っていた。

7日の晩、家にたどり着いた儆三は、1週間前とは別人のように憔悴《しょうすい》しきっていた。夫の身を案じていた花子は、ほっとするのも束の間《つかのま》、ただならぬ不幸が起こったことを察した。

「福音は跡形もなかったよ。70名の職工が、建物の下敷きになって、聖書と一緒に焼けたんだ」

儆三の声には嘆きよりも、怒りが込められていた。

「何ですって？　斎さんは？　斎さんは無事なんですか？」

「見つからない……」

徹三は首を振った。

「瓦礫の中から見つかったのは、あいつの時計の鎖だけだ。巴さんに届けてきたよ。希望はないだろうね」

「まあ！　なんてこと……」

あの元気な斎さんが……。

創はまだ1歳になったばかりである。残された巴が痛まし過ぎた。

「少し休ませてもらうよ」

花子は急いで布団《ふとん》を敷き、お湯をわかして徹三の体を拭《ふ》いた。

倒れるように横になった徹三は、しばらくして眼をとじたまま、ぽつりとつぶやいた。

「水上家も全滅だ。全員死んだんだ」

花子は返す言葉を失った。

牧師水上政五郎の家には、徹三の妹雪子が養女に入っている。そして、水上家には、徹三と前妻との間の7歳の男の子――徹三の血を分けた嘉男がいるのだ。道雄の兄……。

嘉男は、父親の再婚後、いったんは兄十太の養子に入ったのだが、もともと腺病質《せんびょうしつ》だった十太の具合が思わしくなくなり、つい数ヶ月前に、水上牧師のもとにひきとられたばかりであった。両親に縁のない嘉男の死は、儆三と花子の心に暗い影を落とした。

「儆三さん？　儆三さん？」

花子は何度か呼びかけたが、儆三はこんこんと眠り続けていた。

家計を支える

震災以来、天から冷たく突き放されたような儆三だった。

父の代からの役員の中に裏切り者がいた。会社の復興の手続きのために預けた印鑑や重要書類を、まんまと持ち逃げされたばかりか、震災の混沌《こんとん》の中、儆三が奔走している間に、それまで交わされていた福音印刷と米国聖書協会、及び、英国聖書協会、北英国聖書協会との聖書・讃美歌《さんびか》の印刷に関する契約はなかったものとされた。

元来、儆三は実業家肌というより、学者肌である。一代で事業を築き上げた平吉がこの世を去り、父親譲りの気質の斎を失った儆三は、いともたやすく足元をすくわれた。

横浜山下町の敷地は人手に渡った。銀座通りに、早くもその年の暮れには夜の町の明かりが点《とも》り、服部《はっとり》時計店、木村屋、伊東《いとう》屋、三越が次々と再建していく中で、福音印刷の看板はついに甦《よみがえ》ることができなかった。

一遍にあまりにも多くのものを失い過ぎた儆三は、心身ともに疲れ果てていた。肉親との別れ、多くの職工たちの死、信用していた人の背信、父から受け継いだ事業の挫折《ざせつ》、そして口には出さないが、嘉男の死に対する自責の念が、儆三の精神を苛《さいな》んでいた。

儆三さんを失いたくない。彼の愛なしには生きていられない。どんなことがあっても私たちの家庭を守らなければ。

毎晩のようにうなされ、苦しんでいる儆三の傍らで花子は思った。惜しみない愛情で、花子を人間関係のしがらみや孤独から救い出してくれた儆三に、今度は自分が全身全霊のまごころを捧《ささ》げる番だった。夫婦というのは病める時も、健やかなる時も、愛し合い、支え合うもの。その終生変わらぬ愛の誓いを、神の御前で立てて結婚したのである。生活費は働けばなんとかなる。このまま夫の健康が悪化して夫婦の絆《きずな》が絶たれる危険は、絶対に避けたかった。

「あなたは印刷事業を再開するための準備をしてください。日々の糧《かて》は私がなんとか致します」

家族が暮らすための仕事を探す、という儆三を、花子は強く引きとめ、きっぱりと言った。義父の葬儀の時に、惚《ほ》れ惚《ぼ》れとうち眺めたあの立派な儆三が、慣れない苦労をして誰かの下で働くのはつらかった。なんとしてでも印刷会社を再興して、彼の知識や経験を生かせる場を作りたい。

この時花子、30歳。儆三、36歳。

「君に苦労をかけてすまないね。40までには会社を再建するつもりだ。それまで君の世話になるよ。ありがとう」

花子は再び、生活のために仕事に勤《いそ》しんだ。

「社長夫人」だったのは、ほんの1年半にも満たない。が、16歳の時から働いてきたのだ、苦にはならなかった。実家と自分の家庭、ふたつの家計が花子の両肩にかかっていたが、ひとりで実家の暮らしを背負っていた時よりも、儆三がいる今は、むしろ荷が軽く感じられるのだった。

稼ぐために最大の武器になったのは、やはりカナダ人婦人宣教師仕込みの英語力。

と同時に、道雄に聞かせる物語を少しずつ原稿に起こして童話を執筆した。花子は婦人矯風会《きょうふうかい》の会報誌『婦人新報』に毎月、翻訳小説を寄稿するかたわら、子ども向けの物語も訳し続けた。大正13年（1924）11月、翻訳童話集『島の娘』（あおぞら社）を出版している。

震災で灰燼《かいじん》と帰した興文協会は銀座・教文館に吸収合併され、大正15年（1926）、銀座通りに甦り、花子は教文館に通った。

その年の7月、翻訳『小鳥のささやき』を教文館出版部から刊行。再出発した野辺地天馬の小冊子『小光子』の編集も手がけた。

同じ年、大震災の翌年から少しずつ精気を取り戻した儆三と花子は二人三脚で、自宅に「青蘭社《せいらん》書房」という出版社兼印刷所を立ち上げることになった。決意表明ともいえる創立のあいさつには、女性と子供の本、という志が明快だ。

「青蘭社書房創立の趣意」

一　青蘭社書房の志す所は「婦人と子供のため」の一路であります

一　良書を廉価《れんか》で提供するのを本書房の特色と致します
一　故《ゆえ》に莫大《ばくだい》な費用を投じて物々しい広告を致しません
一　購読者お一人お一人の御後援に依《よ》って事業の発展を計りたく存じます
一　御助力下さろうと思し召《おぼ》さるるお方様は御住所と御姓名を本書房宛《あて》に御通知下さいませ
一　新刊書発行の都度其《そ》の書名著者定価等を其の方々に御通知申し上げて御便宜を計ります

東京市外大森新井宿西沼六一三　青蘭社書房　電話大森八七〇

青蘭社書房設立にあたり、花子と儆三は、片山廣子《ひろこ》から金4千円、守屋東《もりやあずま》から金1千円を借入している。

ちなみにこの時、取り付けた電話番号「大森870」は、片山廣子からの紹介で『黒馬物語』の翻訳者、本田増次郎から安く譲り受けた番号である。

「本田増次郎先生が、外国にいらっしゃるので大森のお宅をたたまれることになったんですけどね、『誰か震災で打撃を受けて、これから再出発しようとしている人に譲りたい、金儲《かねもう》けをしようと思えば儲けられるけど、自分の電話の在りかとして、後々までも心が愉《たの》しくなるようなところに置いてゆきたい』っておっしゃるの。私は花ちゃん、あなたこそ、先生のご希望にふさわしい人物だと思うのよ。しかも番号が870《はなまる》なんですもの！」

廣子は愉快そうに笑い、後日、花子を本田家に連れていった。本田増次郎のひとり娘も「花子」という名前だった。本来なら、電話番号は法外な高値である。

5月、青蘭社書房は最初の出版物として童話集『紅い薔薇《あかいばら》』を刊行する。前書きで花子は次のように語りかける。

お母様方へ

「おかあさん――お噺《はなし》してちやうだい」今年七つになる私の子は明暮れに、かう言うては私の許《もと》へ飛んで参ります。面白い噺、感心な噺、長い噺、短いはなしと私は絶えず彼のためにおはなしを考へては、聴かせてやります。

私自身の想像から生れ出たものや、幼い時分に聴かされたり、読んだりしたものに、新しく自分の思を加へたもの――さうした数々の噺を、我が子に聴かせながら、書き記したのが「紅い薔薇」でございます。

「紅い薔薇」――それは一人の母とその愛児の幸福の産物でございます。そして今この母子《おやこ》は限りない親しみの思を以《もっ》て、これを廣く世のお子様方に捧げようとして居ります。

「紅い薔薇」の出版は特殊の予約募集に依りました。それ丈《だ》けにこの一冊が世に出るためにはどんなに大勢の方々の厚いお心とお力が加はって居るか知れません。それを思ふ時、著者の心には強い感激が起ります。

私を理解して、御助力下さった多くの友方に、今此処《ここ》で心からのお禮《れい》を申上げます。

又、私の爲《ため》に過分なる推薦の言葉をお与えくださいました畏友守屋東女史に感謝いたします。どうぞしてお言葉に添ふやうな働きをしたいと念じて居ります。

装丁には冨澤画伯を煩しました。お禮申上げます。

大正十五年　　　大森に於て　　　村岡花子

守屋東の推薦の言葉

此頃《このごろ》の子供程お話を要求し　また自分で読みたがるものはありません。

村岡夫人花子氏は、女学校時代から此要求をみたす為に奉仕したいとつとめられた方です。そして数種の著書があります。今また「紅い薔薇」を著《あらわ》して新しい読物に対する運動を起こされんとしてをります、私は心から喜んで此の運動の為に働いてお手伝いがしたいのです。どうかみなさまも子供の為によき読物が贈られ、與《あた》へられるやうに御賛助下さいませ。

村岡夫人は永年矯風会の文書部の仕事をとってをられます。こんどのお仕事はその完成の第一歩とおもひます

子供の友達　守屋東

道雄の死

「こっちがママアのダアリング
こっちがパパアのダアリング
パパア、ママアのダアリング
お母ちゃま、僕、かわい子ちゃんの歌を作ったのよ」

もうすぐ満6歳になる道雄がご機嫌で歌いまわっていた。この頃はずいぶん悪戯《いたずら》で、やんちゃをしては秀を困らせたりもするが、おおいに家族をなごませていた。

歌を作るのが得意で、見たまま感じたままの情景を、片っぱしから節をつけて口ずさむ。以前、花子が「道雄はママス・ダアリングボーイよ、お母ちゃまのかわい子ちゃんという意味よ」と言ったのを、道雄は大層気に入って「かわいこちゃんの歌」を作ったのだった。

近くに住む、大森めぐみ教会の岩村清四郎牧師は、お祈りが上手で、讃美歌の『ジーザス・ラブス・ミー（主、我を愛す）』をつかえることなく歌う道雄を「リトル・ジエントルマン」と呼ぶ。

花子は道雄に、両親の経済的な苦労や心労をできるだけ見せないように努めていた。花子と儆三にとって、のびやかな道雄の成長こそが、慰めであり励みである。

あの忌《い》まわしい関東大震災から、3年が経《た》とうとしていた8月末。

朝、道雄がしきりに母も幼稚園に来るようにせがんだので、花子は請《こ》われるままに付き添い、2時間もの間、道雄が得意に遊戯しているのを嬉《うれ》しく眺めた。

午後に帰宅し、道雄はいつになく昼寝をして、目覚めてから様子がおかしい。

「僕、お熱があるかもしれないよ」

ぐったりとしてつぶやいた。

「あら、ほんとだわ、ずいぶん高いお熱よ」

花子は道雄を寝かし、熱を計ってヒマシ油（下剤）を飲ませ、医師の来診を待った。

「疫痢《えきり》にかかってますね」

道雄は直ちに赤坂の福田医院に入院。疫痢とは、当時子供の間で大流行した伝染病である。洗腸、リンゲル、カンフル、血清、油薬……。あらゆる人事を尽くして、あとは回復を待つだけだった。

道雄は一晩中、高熱にうかされていたが、翌日の午後3時、ぱっちりと目をさまし、黒い大きな目できょろきょろと病室を見回したのである。

「まあ！」

つきっきりで看病していた花子と儆三は、ほっと息をついた。

「やっと気持ちよくなったのね。坊やのお目めのなんてきれいなこと！　さあ、お湯《ぶう》を飲みましょうね」

花子はいそいそと立ち動いた。匙《さじ》を道雄の口に持っていこうとしたその時、突然、道雄はぷつぷつと白い泡のようなものを吐き出した。

「道雄ちゃん！　道雄ちゃん！　どうしたの？」

道雄は小さな手足を硬くして、急激に苦しみ始めた。疫痢という病気の知識を持たない花子は、あの大きな黒い目が、恐ろしい前兆であるということを知らなかった。それは、高熱により脳症を起した、疫痢の致命的な症状だったのである。儆三が医師を呼びに行った。医師は明かりに黒い布をかぶせ、カーテンを下ろし、薄暗い部屋で神妙に治療を続けた。

道雄は目を閉じたまま、時折、

「お母ちゃま」

と呼ぶ。

「道雄ちゃん、お母ちゃまはここにいますよ」

「お母ちゃま、僕がお母ちゃまと言ったら、ハイってお返事するのよ」

「ハイ、道雄ちゃん、お母ちゃまもお父ちゃまもあなたのそばにいるのよ」

熱は下がっても脈はおさまらず、30分おきに気つけのカンフルを打つ。咽喉《いんこう》には痰《たん》がからまり、道雄は苦しそうに喘《あえ》いだ。

花子と儆三は懸命に神に祈った。

明け方、道雄の小さな体はこわばり、ピンク色だった唇と爪《つめ》は紫色になっていた。

「道雄ちゃん、道雄ちゃん、お母ちゃまをどうするの？　お母ちゃまはどうすればいいんです？」

道雄は三度、何とも言えない悲しそうな口をした。花子に叱《しか》られたときにする、今にも泣きそうな口である。小さな声が漏れた。

「もう、お時間もありません」

医師が言い、花子が顔を近づけようとした時、看護婦の手が道雄の目と口をふさいだ。

「ああ！」

二晩の悪夢。

花子は蒼白《そうはく》だった。

今は宮崎姓となった燁子《あきこ》が病院に駆けつけ、花子に寄り添った。

9月1日、震災からちょうど3年の同じ日。道雄は6歳の誕生日を目の前にして、忽然《こつぜん》と世を去ってしまったのである。疫痢は大正10年代から戦前まで、猛威を振るって日本の子供たちを襲った。発症して2日ほどで死ぬ激症のものもあり、死亡率も高い。

弔いの日、「すべては神のみこころだ」と聞かされた時、花子は、心の中で反発し続けた。

神にみこころがあるのならば、何故《なぜ》罪のない幼い生命《いのち》が断ち切られなければならなかったか。何故、血を流さんばかりの祈りが聞き入れられなかったのか。

神よ、我はかかる痛手に耐えうる勇者にあらず、離れ去りたまえ。

花子は告別式のあいだ中、教会の最前列で自分の腕から道雄を奪った神を畏《おそ》れながらも呪《のろ》っていた。みこころなんかではない、病気の妻と幼い子供を離れた儆三と、彼らから儆三を奪った花子に対する制裁、ふたりが結ばれた罪の代償なのだ――それは、与えて奪う、あまりにむごい仕打ち。

だが、たしかに自分たちは人を傷つけて省みず、痛みも忘れて幸せに陶酔したではないか。私たちが平安に生きることを神はお許しにならないのかもしれない。これから先の生涯、ふたりが犯した罪の償いとして、この悲しみを背負って生きろと命じられたのだろうか。

ひとり息子を失った花子は立ち上がる気力をなくしてしまった。悲嘆に打ちのめされ、ただ虚無の中に泣き暮らすばかり。

いとしみの六年《むとせ》の夏は夢なれや　うつつはひとつ　小さき骨がめ

そのひとりあればまひるのかがやき　そのひとりあらずばぬばたまの闇《やみ》　いみじくも貴きそのひとりよ　そのひとり子今は世になし

九月二十三日

（追悼文集『道雄を中にして』）

百ヶ日を過ぎたあたりから、少しずつ花子の心に変化が起こる。絶望の底で、ふと心の耳に聞こえてきた言葉があった。

「神はその独り子を賜《たま》うほどに世を愛し賜えり」

聖書のヨハネ伝3章16節である。

幼い頃から、数え切れないほど読みもし、聞きもした言葉が、最愛の道雄が帰らぬ人となった今、初めて、現実味を持って花子の胸に迫ってきたのである。

神は愛する独り子イエス・キリストを救世主として人の世に送るほどに、人を愛した。

独り子を与えて惜しまない「愛」とは？

寂寞《せきばく》とした感覚の中で花子はふと、マーク・トウェインの『ザ・プリンス・アンド・ザ・ポーパー』を開いた。花子が以前、片山廣子に日本の出版界における「家庭文学」の必要性を語った時に、片山廣子が「是非これを」と、薦めてくれた本である。アメリカ文学の父、マーク・トウェインが、ふたりの娘に読み聞かせながら執筆したというこの物語を、花子もまた、愛する道雄に読んで聞かせる日を夢見ていた。実に3ヶ月半ぶりの読書だった。本を読む気力すら失っていたのである。まる2日間、寝食を忘れて『ザ・プリンス・アンド・ザ・ポーパー』に没頭した。読み終えた時、啓示にも似た閃《ひらめ》きが走った。

私たちは天地の何者にも代えがたく愛していた子供を失いました。それは私の今日までの生活の間に味わった最大の悲痛でありました。

しかも、私は子を失って、はじめて子を愛する道を悟りました。自分の愛が、いかに浅はかなものであったということをも自覚したのです。子を愛すると思いつつも、それは自己の野心の満足を求めていた時もあったのを悟りました。「我が子」という対象を肉眼の前にもたないで我が子を愛するいま、愛は醇化《じゅんか》していきます。そうして、その醇化された愛は私をはげまして、有意義な生活をいとなもうとの理想に導いていきます。

七歳にして、世を去った道雄は私のうちなる母性に火を点じてくれた神の使でした。一度点じられた火は消えません。誇るべき男の子をもたぬ悲しみの母ではありますけれど、一度燃やされた貴い母性の火を、感傷の涙で消し去ろうとは決して思いません。高く、高く、その炬火《きよか》をかかげて、世に在る人の子たちのために、道を照らすことこそ私の願いです。

美しきものは命短し、短きゆえに、不滅の印象と感激をのこすのです。その印象と感激は悲しみの母に不断の霊感を与えます。

（『若き母に語る』より「うろこのごときもの」）

神が定めた運命に従おう。自分の子は失ったけれど、日本中の子供たちのために上質の家庭小説を翻訳しよう。

花子の中で、ひとりの母としての母性が、広く普遍的なものへと成長を遂げた。

道雄の死は「小我より真我」をめざす花子の再出発となった。花子は失意のどん底から、家庭文学の翻訳という天職——天から与えられた道——を見出《みいだ》した。

『ザ・プリンス・アンド・ザ・ポーパー』は『王子と乞食《こじき》』として平凡社の世界家庭文学大系シリーズの2巻に組み入れられることになった。監修にあたった作家の前田晁とその妻、徳永寿美子が翻訳中の花子を支えている。ふたりは花子と同郷の山梨県出身で、徳永寿美子は花子より5歳年上の童話作家であり、5人中2人の子供を、やはり疫痢で失っている。

前田への手紙には、締切が遅れているお詫《わ》びに添えて、原稿料の催促も書かれている。

又風邪を引いて休んでしまひました、心が弱くなると身体《からだ》も弱くなるものでございませうか、ほんたうに意気地《いくじ》ない自分がいやになってしまひます。お葉書先程病床にて拝見、明朝又原稿をお送り申上げます、あと九章ばかり残って居りますがこれは直《す》ぐに片附《かたづ》きます、大変に御手間をかけて何ともお合わせする顔がござひません、私もこんなに意気地なしではなかったやうに思ひますが、仕事をし始めると、つく〴〵自分の心の根気も弱っているのに驚きます、然《しか》し今年はもう少し強くなりませうと存じます、道雄の生れた大正の代が短く終った事は、いっそ私には慰めでございました、同じ年の中に大正の代も終ってしまったのですからつく〴〵短い命数をしか与へられてゐなかった子だと思ひました、宿縁とか因縁とかいふ事もむやみに思はれてなりません、

健次郎色々と御厄介になってゐる事と存じ、それを思ひますと、身体が熱くなります、ほんとにお宅の奥様にも、どんなにか御手数をおかけ申して居る事でござひませう、私も主人が事業を前のやうに続けて居りますと、少しは無理も聴いて貰《もら》へますが、今は何かと遠慮いたしますので弟の事なども思ふばかりで、唯々《ただただ》悩むばかりでござひます、

「王子と乞食」のさしゑや装幀《そうてい》の事で一度御相談願ひたいと存じて居ります、その中一度お邪魔いたしたいと存じます、印税のことはどういふ事になってゐたのでございましたかしら、何だかむづかしい条件だったやうに思ひますが、すっかり忘れてしまひました、私の方では皆様方のおきめになったやうな方法で、そのきまりの分丈けを今月貰《もら》ひたいと存じますが、平凡社の方へはどういふ風に申してやるのでございませうか、大変に御手数をかけて何とも申わけござひませんが、どうぞお教へ下さいまし、校正はまだちっとも出ません、早く出して貰ひたいと思って居ります、お寒さの折からどうぞ皆様御自愛遊ばして下さいまし、とりあへず、お願のみ

昭和二年二月二日

村岡花子

前田晃様

昭和2年（1927）10月15日『王子と乞食』は刊行された。

箱入り、布張のアールデコ調の装丁に、天金が施されている美しいこの本の巻頭には、

「わが幻の少年道雄の霊に捧《ささ》ぐ」

と、花子の人生の記念碑ともいえる献辞が添えられている。

大正11年（1922)、夫の事業も順調、道雄も健やかに成長して２歳となり、花子の最も幸福な時期。A

大正5年（1916）、広岡浅子の別荘で開かれた夏期講習に参加した時に、受け取った浅子のポートレート。「愛する安中花子嬢へ　浅子」と記されている。A

明治43年（1910）11月、花子と結婚する以前の、福音印刷の後継者、村岡儆三（左）と英国留学を前にした弟の斎（右）。A

第7章　婦人参政権を求めて

昭和3〜13年（1928〜38、35〜45歳）

女流文学者たち

昭和3年（1928）初秋、花子は午後のひとときを片山廣子《ひろこ》の家で過ごしていた。廣子は、仏教学者、鈴木大拙《だいせつ》の妻、ビアトリス・レーンに教えを受け、松村みね子の名でアイルランド文学の翻訳も手がけていた。病身の夫を大正9年（1920）に送って、今はひとり暮らし。その文学的資質は、長男達吉と長女總子《ふさこ》に受け継がれた。それぞれ吉村鐵太郎《てつたろう》と宗瑛の筆名で、作品を発表している。

廣子のすすめで花子が渾身《こんしん》の力をこめて翻訳出版した『王子と乞食《こじき》』は、原作の素晴らしさとあいまって、花子の翻訳の力を文学界に知らしめ、好評を博した。花子にとって廣子は、絶望から再び文学の道へと、導き出してくれた恩人である。

もしも、この指導者であり友である片山さんの近くに住んでいなかったら、私の上に強く吹き荒れた生活の転変は、私をして、ただ生活の現実のために心をくだくことにのみに忙しく、かつて持っていた文学の夢も愛も、失わせてしまったかもしれないと思っている。

（『改訂版 生きるということ』より「友を語る」A）

花子は9月はじめ、上野の精養軒で開かれた吉屋信子《よしやのぶこ》の渡欧壮行会の模様を報告していた。

「時雨《しぐれ》さんはお元気でした？」

廣子は熱い紅茶を淹《い》れながら聞いた。

「ええ、とてもお元気そうでしたわ。相変わらず颯爽《さっそう》としていらして、姐御肌《あねご》！」

佐佐木信綱《のぶつな》主宰の竹柏会《ちくはく》の先輩で、戯曲や演劇評論にも健筆をふるう長谷川時雨が幹事だった。時雨は7月に女性解放を目指す月刊総合誌『女人藝術《げいじゅつ》』を創刊。この雑誌を舞台に林芙美子《ふみこ》[79]、岡本かの子、森三千代、円地文子、神近市子、宮本百合子《ゆりこ》らが活躍した。ソヴィエト連邦のルポなど、革命を意識した記事も掲載され、進取の気性がみなぎる内容となる。

『女人藝術』に次いで、やはり竹柏会の渡辺[80]とめ子が、女性の作品のみで構成する文芸雑誌『火の鳥』を創刊。廣子と花子は『火の鳥』の同人でもあった。

「そうそうたる顔ぶれでしたのよ。時雨さんのご主人の三上[81]於菟吉《おときち》さんはもちろん、

徳富蘇峰《そほう》、[82]菊池寛、片岡鐵兵《てっぺい》、文藝春秋の斎藤龍太郎……」

外国への旅は、ただでさえ大事件だったが、当代一の人気作家の洋行とあって200人余りが集まった。列席した華やかなメンバーが、女性作家の時代到来を告げていた。[83]与謝野晶子《よさのあきこ》、生田花世、[84]今井邦子《くにこ》、[85]宇野千代、野上弥生子《やえこ》、三宅《みやけ》やす子、円地文子、[86]平林たい子、林芙美子、真杉静枝……。

平林たい子は社会主義者としての検挙歴を持ち、朝鮮や満州に渡って辛酸をなめたプロレタリア作家。林芙美子は極貧のなか職業を転々としながら詩や童話を発表し、小説家としての成功はまだ収めていなかった。新聞記者から作家をめざす真杉静枝は、恋人の武者小路実篤《むしゃのこうじさねあつ》から預かった餞別《せんべつ》を持参した。編集者、記者、評論家など、先端的な女性が一堂に会していた。

樋口《ひぐち》一葉以来、優れた女性の文筆家は点在したが、昭和に入って作品の発表の場が増すと共に、女性たちは急速に実力と存在感を示していった。

「今どき、5円の会費は馬鹿《ばか》にならないでしょうにね」

壮行会に欠席した廣子は、自分には関わりがない、という口ぶり。廣子は近頃「何もかも嫌になった」と、賑《にぎ》やかな場を疎《うと》ましがる。

その原因は良き理解者であった芥川龍之介《あくたがわりゅうのすけ》が昨年、自殺したこと――とは言い切れない。しかし、芥川の死に象徴される純文学の時代の終焉《しゅうえん》に、廣子は少なからず失望していた。代わって台頭してきたプロレタリア文学とは肌が合わない。現状の改革をめざす政治的な思想や、リアルな生活感が文学の中に混入する傾向になじまないのだ。

廣子は育ち方も立居振舞いも文学的嗜好《しこう》も、新進の文学者たちとは一線を画していた。

だが、その裡《うち》には独特のユーモアや温情、そして、さらに深いところには烈《はげ》しい情熱を秘めていることを花子は知っていた。アイルランド文学の影響を受けて、夢幻的なところもある。

以前、この女性《ひと》にしては珍しく興奮した面持ちで語ったことがある。

「私ね、夫の生きていた時に、ずいぶん彼に左右されたのよ。独立の考えを実行しなかった場合がかなりあったわ。今日ね、馬込のほうへ散歩に行ったときに、弁天池の底へ結婚指輪をほうり込んできました。『もう、あなたとの関係はこれまでです』ってね。せいせいしたわ」

青くどんよりした弁天池の水底に眠っている結婚指輪の神秘的なイメージに、花子は胸騒ぎを覚えた。

廣子と芥川との出会いは、夫の死後、軽井沢の廣子の別荘で開かれていた文学サロンである。

芥川の遺稿となった自伝的小説『或阿呆《あるあほう》の一生』の中にこんな一節がある。

彼は彼とオカの上にも格闘出来る女に遭遇した。が「越《こ》し人《びと》」等の抒情詩《じよじやう》を作り、僅《わづ》かにこの危機を脱出した。それは何か木の幹に凍《こご》つた、かがやかしい雪を落すように切ない心もちのするものだつた。

天才と謳《うた》われた芥川をして「才力の上にも格闘出来る女」と言わしめた女性、「越し人」とは片山廣子と、芥川の死後、堀辰雄《たつお》が公表。しかし、廣子としては芥川との文学的、精神的な交流を興味本位に言挙げされるのを好まなかった。

芥川の死に際して、廣子はただ静かに歌を詠《よ》んだ。

あけがたの雨ふる庭をみてゐたり遠くでひとの死ぬとも知らず

「与謝野晶子さんのスピーチも素晴らしかったわ。でもね、なんと言っても、宇野千代さんがお友だちと、真新しい浴衣《ゆかた》で元気よく入っていらした様子、お目にかけたかったですわ」

花子は、孤高の人としてとらえられがちな廣子を前に、無邪気に話した。

「そう、それはいい気持ちのお話ねえ。さぞ美しかったでしょうね」

いつものように、うっすらと口元に微笑を含んで合槌《あいづち》を打つ。

「美しいのなんのって、一気に場をさらってしまいました。ああいう思い切った行動が出来る方はいいな、とこちらは感嘆するばかり」

壮行会の当日、主賓の吉屋信子は白いドレス姿。女性たちは色とりどりの、きらびやかな着物に装《よそお》いを凝らしていた。定刻をとうに過ぎても、まだがやがやと控え室での雑談は続き、花子は華やかな雰囲気の中、談笑を楽しんでいた。

と、そこへ宇野千代が友人と二人、白地の浴衣、素足に塗りの下駄《げた》というさらりとした姿で現れたのである。その奇想天外の艶《あで》やかさは場内を圧倒し、人々の口から「まあ」という感嘆詞が漏れた。

「みなさんは紋付でいらっしゃるだろうとは思ったけど、私たちはそんな立派な衣装、持っておりませんもの。でも、せっかくの壮行会に着物がないからといってあがらないのは残念ですから、さっぱりと仕立ておろしならいいだろうという気持ちで上野の山を登って参りましたのよ」

宇野千代はそう言って、愛嬌《あいきよう》たっぷりに出席者に挨拶《あいさつ》して回っていた。

「清涼剤でも飲んだみたいに、何だか私までひどくさばさばした気持ちになりましたの。旧習にとらわれて、人目を気にして暮らすほど馬鹿馬鹿しいことはないでしょう」

花子は宇野千代の心意気に、すっかり魅了されて帰ってきたのである。

「でもね、花ちゃん、そのように思い切って伝統を無視した行動は、どうしてもできない立場の人も世の中にはいますよ。一見、自由で新鮮なふるまいですけれど、着ているものというのは、意外な時に意外な人たちから軽蔑《けいべつ》されることもあるわけだから、私はその折々にかなったものを常に身につけていたいと思いますけれどね」

上流育ちらしい廣子の、正統な意見である。しかし、廣子よりも15歳も若い花子には、色も形も香りも違う花々が咲き競う文学界の新しい風潮は刺激的で、胸をときめかせずにはいられなかった。

大正末期から昭和初めまで続いたプロレタリア文学運動の影響もあり、現実に根ざしたテーマを扱う作品が多くの読者を惹《ひ》きつけるようになっていた。女性の地位の低さや社会の矛盾を訴える小説も注目を集めた。

林芙美子が『女人藝術』で昭和3年（1928）に連載した『秋が来たんだ〜放浪記』は、極貧の中で仕事と恋人を転々とした経験を昇華した小説。2年後に『放浪記』の題名で改造社から出版されて大ベストセラーとなった。貧しい中にも文学を愛し、夢を見続ける若い女性の姿は花子の心にも共感を呼んだ。

林さんの小説の中の女たちは忍苦の中にも希望を見出《みいだ》そうと精いっぱいの努力をする。

或《あるい》は無意識の裡に、その周囲にとって大きな支えとなっている。ほそぼそとなよなよとしている中に、どことなくきりりとしたところがあり、立ち直って行こうとする生活意欲を持っている。温い、何とも名状しがたい、温いものが胸元にせまって来るような気が私はするのである。

（『母心抄』より「小さき光」）

「翻訳家庭文学」を志して

吉屋信子とは、お互い20代の初めに雑誌『少女画報』に寄稿していたのが縁の始まりである。信子は当時、連載していた少女小説『花物語』が一世を風靡《ふうび》。以来、絶大なる人気を誇っている作家だが、花子のほうは、生活の荒波を越えながら、地道に「家庭文学」の翻訳と執筆活動を続けていた。

けれど、少女や女性向けの純粋な物語や、清らかな理想をかかげた「家庭文学」を志向するという点では、稀少《きしょう》な同志である。

一般家庭が男性優位の家父長制であるように、文壇は男社会だった。評論家や知識人は「少女小説」や「家庭文学」を十把一絡《ひとから》げに、女子供の読み物として軽視。吉屋信子は愛読者にとってはカリスマ的な存在ではあったが、評論家たちは「甘く感傷的な吉屋信子の作品は、若者の精神に害を及ぼす」などと吹聴《ふいちょう》し、文学性を真剣に検討しようとはしない。

おおらかな吉屋信子は女流文学者の間でも信頼され、男性文士の人気も高かったが、作品の文学性を理解されないのが、本人にとっては長年の悩みであった。

「気にすることないわ。だって育ちざかりの少女たちが、あなたの作り出す文学を必要としているんですもの」

花子は吉屋作品が若い人の心を潤《うるお》す力を、山梨英和女学校教師時代に実感している。感傷的でロマンティックな要素は、無味乾燥な作品よりも情緒を豊かにさせる。比べてみれば、近頃の男性人気作家の、どろどろした性愛や、複雑な人間関係を描いた作品のほうが、よほど害になるではないか。

信子も常に花子の翻訳作品の愛読者であった。ある時、信子は花子にたずねた。「西洋にはまるっきり恋愛がなくて面白い小説ってあるかしら？　あったら教えてちょうだい。面白くて夢中になってしまうものでなけりゃいけないのよ」

この言葉が胸に残った花子は、思い立って『王子と乞食』を送った。

ほどなく、礼状が届いた。

立春の□□の夜しるす

今夜雪をのせた小さい私の小屋の中のストーブのほとりで　しみじみと『王子と乞食』を読みました、始は一寸《ちょっと》お義務的？な感じで読み出したのですが面白くてくたまらず三嘆して一息に読み終りました、まったくツエイン夫人《おっと》が良人の原稿をまちかねてよんで礼讃《らいさん》したわけです、

毎日〳〵あれをたのしみに四十何才の作者が二年かかってかいたとは羨《うらや》む可《べ》く

又もって頂門の一針　カングワイムリョウ。
一寸　譯考《やくこう》に尊敬をはらひ戴《いただ》いた本の御礼まで

「あれは素晴らしいことね」

と、信子はその後、顔を合わせた時も花子の仕事をほめた。

この時期、翻訳はまだ、ひとつの職業として確立していない。翻訳というのは英文学者か、語学のできる歌人や作家が本業の傍らにやる文学修業のひとつぐらいにしか認識されていなかった。ましてや、花子が熱望する「翻訳家庭文学」は、ごくわずかな人にしか必要性を理解されず、出版界の片隅に追いやられていた。

昭和4年（1929）暮れに教文館から翻訳出版された『花咲く家』の序文に花子は次のように書いている。


強烈な官能刺激に中毒してゐる近代生活のうづまきの中へ、無邪気にほがらかな、この小さい物語を敢て送り出す自分の勇敢さを、私はほほえましく眺めて居ります。

生活の中に、美しきもの、平和なるもの、純真なるものを求める人々のみが、このささやかな〈Blossomy Cottage〉――『花咲く家』―の一巻を愛して下さるでありませう。

翻訳権を快く与えて下さった米国のアビングトン出版会社ならびに原作者モンタナイ・ベリー氏にお禮《れい》を申上げます

昭和四年十二月　　村岡花子

翻訳は原稿料も安く、花子は童話や少女小説を書く仕事も続けて生活を支えている。道雄の写真が、明け方まで机に向かう花子を励ましていた。

参政権獲得運動

まだまだ少数派の女性文学者たちは、作風やジャンルに縛られず交流を重ねてきた。女性たちの結束の背景には、高まりつつある婦人参政権獲得運動があった。

大正13年（1924）12月、婦人矯風会の久布白落実《くぶしろおちみ》と、アメリカで見聞を広めて帰国した市川房枝《ふさえ》を代表として、婦人参政権獲得期成同盟会（翌年、婦選獲得同盟に改名）が結成された。

すでに多数の婦人が、社会の各方面に有力な活動をなしつつある今日、婦人を中心とする家庭生活が、社会国家生活と非常に密接な関係に於《お》かれて居る今日、婦人が政治に参与することは当然のことである。

（「創立総会案内状」より）

しかし、翌大正14年（1925）の帝国議会で、男性の普通選挙が承認されたにもかかわらず、女性は取り残された。

女性たちの激しい怒りが、文学者や運動家、各婦人団体の盛んな集会、講演会、署名運動となり、分野を超えて意識の高い女性たちを巻き込んでうねりを作った。女性の社会的地位を上げる闘いは、時代を先駆けて生きる者の使命であった。

昭和に入ると、こうした女性たちの声は政府も無視できないほど大きくなり、婦人参政権を実現する法案が幾度も議会に提出されるが、その度に「女性に参政権を与えることは日本の家族制度になじまない」という差別的な視点による否決に終わった。

昭和5年（1930）には、可決目前のところまで盛り上がりながら、「日本の美風に一大欠陥を来《きた》す」

「婦人を尊敬し婦人の天職、婦人の責任に鑑《かんが》みて、此《この》法案の否決せらしむことを望む」

という男性議員たちの浅慮で、参政権獲得は最終的に退けられた。

広岡浅子や大正14年に他界した矯風会会頭、矢島楫子《やじまかじこ》の薫陶《くんとう》を受けて、花子も男女同権を求める運動に積極的に参加している。権利の獲得には、母の苦労や妹たちの悲哀を胸に刻んだ、花子の希望がかかっていた。

花子は、両親が、生活に比較的ゆとりのある静岡の農家に嫁いだ四女、雪のもとに身を寄せることになって、ほっとした矢先、北海道に嫁いだ次女千代から、奉公に出た三女梅子が悲惨な生活を送っている、との知らせを受けた。

11歳年下の妹梅子は、女学校を卒業してすぐ、千代の嫁ぎ先に近い北海道の開拓民に雇われたが、厳寒地の貧しい奉公先で、真冬でも素足のまま過酷な労働をさせられていた。

見かねた千代が「助けてやりたいが、嫁の立場では家で何の権利もなくて、どうにもしてやれない」と訴えたのだ。

梅子は、花子が東洋英和女学校の寄宿舎に入ってから生まれたので、子供の頃の交流はないに等しい。しかし、血の繋《つな》がった妹である。花子は、直ちに梅子を自分の手元に引き取った。

過酷な環境から解放された梅子は、大森の花子の家で、姉の書いた童話や翻訳文学を読み、花子と儆三《けいぞう》と共に、日曜日には大森めぐみ教会に通った。秀を助け、儆三の食事の世話をしながら、魚のさばき方などは儆三から教わった。時には儆三が梅子を歌舞伎《かぶき》に連れ出したりもした。

花子は文学者として、女学校時代の読書が自由な思考を養った体験から、本を通して若い人の内面に、人生に対する夢や理想を育てたいと望んでいた。

一冊の本が幸福な家族を養う種となり、将来、女性たちが健全に暮らせる環境へとつながってほしい。

昭和5年（1930）、花子は儆三と共に大森の自宅に設立した青蘭《せいらん》社から、子供も大人も楽しめる家庭文学を提唱する機関誌『家庭』を創刊した。「生活派」宣言が創刊号に掲げられた。

文學《ぶんがく》において、私は生活に基調をおいたものを愛する。優れた創作から私たちは、生活に対する公平な批判を得られるべき筈《はず》である。

作中に生活そのものの鼓動と脈拍を感じ得るところの、有機的な文学を、私は求める。

それゆゑに、畸《き》形《けい》的、変態的、性慾《せいよく》文學や醜怪文學を好まない。

私はささやかな此の『家庭』に陣営をかまへて、『生活派』の文學を提唱する。

『家庭』で、花子はエレナ・ポーター作『長姉物語』（のちに『スウ姉さん』[87]として出版）を連載する。吉屋信子、中里恒《つね》子《こ》、生田花世、徳永寿美子、母校の校長に就任したカナダのプリンス・エドワード島出身の婦人宣教師ミス・ハミルトンらが寄稿した。また、読者から童話と短歌を募り、受賞者選出に短歌は柳原白蓮《びゃくれん》、童話は北川千代の協力を得ている。

『家庭』は、後から文部省関連の団体である大日本統合婦人会から同題の雑誌が登場し混乱をきたしたため、昭和7年（１９３２）2月号より『青蘭』に改題する。社名を冠した機関誌づくりに、花子と儆三は明るい希望をこめて取り組む。

だが、このころ、日本軍の中国侵略は勢いづき、両国の衝突は激化。中国に関心を抱く列強は日本を危険視していた。翌年には、満州国[88]を認められなかった日本は、国際連盟から脱退することになる。

国内では海軍急進派の青年将校が、首相犬養毅《いぬかいつよし》の官邸を襲う5・15事件を決行。軍縮を唱える護憲派総理の暗殺を機に、軍部が政局の舵《かじ》を握りはじめていた。

ラジオのおばさん

昭和7年（1932）の早春、花子は応接間でラジオJOAK放送局（NHKの前身）の局員と向かい合い、レギュラー出演の依頼に驚いていた。

そのころ、ラジオの普及はめざましかった。すっかり茶の間の必需品となったラジオで、初の子供番組『子供の時間』の放送が本格的に始まろうとしていた。毎日午後6時から30分間、朗読、合唱、合奏、放送劇などの子供向きのプログラムが組まれ、その最後の5分間を「子供の新聞」つまり子供向けニュースにあてる。

それまで、子供には世間の実情を知らせないほうがいいし、知らずに育つのがいい子、と考えられがちであった。けれど、政府の示す教育方針を受けて「子供の新聞」では、子供にも国の情勢や日々のできごとを伝えるという画期的な試みがなされる。

「ええ、もちろん、子供にも内外のニュースを知らせる放送プログラムがあってもいいと賛成のお返事を致しましたよ。でも、私は書斎の人間ですもの。それは無理というものですよ」

数ヶ月前、花子は放送局のアンケート調査に協力して、子ども向けニュースの企画について、賛成と書いて返信した。しかし、実際にニュースを伝える声として、自分に白羽の矢が立つとは考えてもみなかった。全く意表をつかれる提案だった。

「何事だね？」

奥から儆三が出てきた。

「ニュースとは言っても子供向けだから、男の声だけではなく、女性の声もあったほうがいいらしいんです。でも、突然、私にやって欲しいなんて言うんですよ」

「うん、なんだか面白そうだね。誰が君を推薦したんだろうね」

放送局員は、強力な賛同者を得られそうな気配に嬉々《きき》として応じた。

「巖谷《いわや》小波《さざなみ》先生と久留島《くるしま》武彦《たけひこ》先生です。それで局内の人間も大方、意見がまとまりまして」

「ほう」

儆三は興味深そうに身を乗り出した。巖谷小波と久留島武彦といえば日本のグリム、アンデルセン、と称される児童文学の大家である。花子は幼少期、巖谷小波の『世界お伽噺《とぎばなし》』を読んで育っている。子供時代に夢を与えてくれた人は、たとえ大家であっても、友人のように身近な存在である。花子は女学生時代、学校に講演に来た巖谷を特別の親しみを込めて仰いだものだった。

一方、久留島武彦はＪＯＡＫ開局の大正14年（１９２５）以来、口述童話家としても定評があった。「おはなしの名手」の豊かな声は子供たちに慕われていた。

花子は、道雄を亡《な》くしてまもない昭和２年（１９２７）１月、『家庭の時間』という番組で「童話を通じての家庭教育」のテーマで25分間、初めてマイクの前で話した。その放送が、関係者に評判が良かったうえに、花子が長年、童話作家として子供文化に貢献してきた経歴が今回の選考の理由であった。

もうひとり、花子を強く推したのは『時事新聞』記者からＪＯＡＫ放送局に移った女性番組の主任、大沢豊子である。

花子は気が進まなかった。

「放送局にはたくさん本職のアナウンサーがいるわけですし、ニュースだなんて、私にできるはずがないじゃありませんか」

「初めて女性文学者が話す点に意味があるんだろう。いいじゃないか。別の誰かがやったことのあるものなら、いいとか悪いという批評の的にもなるだろうが、前例のないものには誰も批判はできないよ。君のスタイルを作ればいいさ」

儆三はケロリと言った。新しいものをためらわずに受け入れるところは港横浜育ち、儆三もやはり村岡平吉の息子だった。「よく検討してから」と返事して、花子はひとまず放送局からの使者を帰した。

このところの花子の仕事は本分である翻訳、童話創作、野辺地天馬から譲られた教文館の冊子『小光子』や『婦人新報』の編集、という文筆関連にとどまらなかった。各種婦人団体の座談会や集会に出席する機会が増えていた。母校、東洋英和女学校に関わる仕事は、同窓会の役員に塩原千代と共に選ばれたほか、創立50年を迎えて年史の編集も担当。カナダ・メソジスト派婦人宣教師設立の幼稚園にも、教師の講師として呼ばれる機会が増えた。ＪＯＡＫの仕事を躊躇《ちゅうちょ》した理由のひとつは、これ以上、夫を置いて家を空けたくなかったのである。放送を引き受ければ、毎日のように夕飯時に出かけなければならない。

花子と儆三は、結婚して13年にもなるが、幾多の困難を共に乗り越え、さらに絆《きずな》を深めていた。共に青蘭社を運営し、毎晩のようにその日のできごとや、文学論を語り合う。英語だけでなく、ドイツ語やラテン語にも通じ、聖書の知識も深い儆三は、花子が翻訳の仕事をする上でも、良き相談相手だった。家事の負担を軽くするために、いち早く洗濯機を取り入れ、台所の改修にも積極的に理解を示した。「妻は三歩下がって従う」が当然とされている中で、ふたりはよく連れ添って近所まで買い物に行ったり、家の近くの映画館や古本屋に出かけていた。「この界隈《かいわい》で夫婦肩並べて歩くのは『おしゃれ乞食《こじき》』と村岡さんのところぐらい」と、囁《ささや》かれるほど、近所でも有名なおしどり夫婦だった。

「おしゃれ乞食」とは、大森、池上界隈に住んでいる人なら必ず見かけた浮浪者の老夫婦。地域によって「おしゃれ乞食」とか「おひきずり乞食」[89]「ふんふん乞食」と呼び名が違っていたが、拾い集めたたくさんのぼろを重ね着して、目の見えない妻を夫がいたわり、寄り添って歩く。浮浪者ではあっても幸せそうで、道ゆく人々に強い印象を刻んでいた。

左は昭和7年5月4日付、カナダ人婦人宣教師が設立した長野旭幼稚園に講師として招かれた出張中の花子へ、儆三が宛《あ》てた手紙。ふたりの仲睦《むつ》まじさがうかがえる。花子は39歳、儆三は45歳。

　二日朝六時から[※1]雑誌発送、午後から東京へ　これは例の□前氏と松宮さんの用件　午後帰宅引き続いて雑誌の発送　これには林チャン手傳に来る。問題の夜が来た。夕食には[※2]梅チャン持参の鯛で、鯛ごはん。何とも知れず淋《さび》しいので、文藝春秋を読む。然《しか》し眼がさへて中々寝られん三日朝から東京へ松宮さんの仕事　これも一時頃済んだので、家へ帰る気もなく邦楽座で『私の殺した男』を視《み》る。バリモーアの親父が一等の出来、次は母親がうまいと思ふた。ポール役のホルムスもキャロル役のエルサも今一イキと思ふた。

風呂《ふろ》を立てた。食事中に中村姉妹、引續《ひきつづ》いて、健次郎君※3林チャンと順序で来る。皆風呂に入る目的で、其《その》用事が済めば僕一人と云《い》う淋しさ。

然し日一日と愛する人の帰りが近くと思ふと　氣《き》もいさむ　子供のように指を立て、三、四五、六七、あと四晩の辛棒と、元気を付けて再び文藝春秋よみふける

四日、健次郎来訪。二通の端書に依《よ》る発送「紅い薔薇《ばら》」※4「御山の雪」※4出す。今井邦子氏、ワーン氏、堤氏、其他郵便物をフセンして送る用意をする。今晩は麻雀《マージャン》になると思ふ。

可愛い花子を抱寝する夜も日一日と近くなる。腕は一杯も抱きたく、唇は堅いキス……あとは文にするを憚《はばか》る。

可愛い花子よ。元気でスバラーシイ！

元気で帰って来てくれ、可愛い花子なしでは仕事の張合もなく氣も荒くなる。

可愛い花子よ

五月四日

儆三

花子どの

（※1『青蘭』、※2梅子、※3花子の弟、※4青蘭社が出版した花子の童話集）

結婚前と変わらぬ儆三の惜しみない愛と協力が、花子が家庭と仕事を両立する女性となり得た大きな要因であり、エネルギーの素《もと》でもある。花子は夫の勧めと、放送局内の大沢豊子から「女性の社会進出が婦選獲得に繋がる」という熱心な説得を受けて、遂《つい》にはラジオ番組の「子供の新聞」コーナーの声を引き受け、番組は昭和7年（1932）6月1日にスタートした。

巖谷小波、久留島武彦をはじめ、児童心理学、児童衛生学、その他児童教育に関する権威という人々によって、ニュースの内容に関する研究会が定期的に持たれた。一番の懸案事項は、中国戦線の成り行きを子供たちにどう伝えるか、という問題だった。

隔週で交代する、もうひとりの語り手には、放送局の児童番組担当係で口演童話家の関屋五十二《いそじ》氏が選ばれていた。

夕食は放送のない週は6時半、ある週は7時半という家庭内の決まりが作られた。

北海道の奉公先から引き取った妹梅子は、大森に住む画家、小林古径の紹介で、画家の卵で、書家でもある坂田巖《いわお》と結婚した。花子と儆三は自宅の敷地内に4軒の借家を建てた。そこに、震災で横浜の家を失った儆三の弟昇の家族と、新婚の梅子夫婦が入った。昇夫婦は男の子ひとりと女の子ふたりの5人家族である。

梅子にも長女が生まれる。この年の9月13日、奇《く》しくも道雄と同じ誕生日だった。儆三がみどりと命名した。続いて1年半後、梅子に次女、晴子が生まれる。道雄亡き後、次の子供を切望しながら恵まれない儆三と花子は、甥《おい》や姪《めい》たちを可愛がった。小さな姪たちを抱く花子の胸には、再び母親の愛情が、ふつふつと湧《わ》き上がっていた。

特に、みどり。

花子と儆三は、みどりが道雄と同じ誕生日であることが偶然とは思えなかった。ふたりは、みどりを自分達の娘として大切に育てたい、と梅子と巖に心をこめて頼んだ。妹夫婦の笑顔とともに、願いは聞き届けられた。

番組が開始されると、日本各地の子供たちがラジオの前に陣取った。花子の柔らかな、それでいて張りのある口調は聴衆に親しまれた。「全国のお小さい方々、ごきげんよう！　これから皆さまがたの新聞のお時間です」という挨拶《あいさつ》で始まる番組から2例を再録しよう。

『大切な帝国議会』昭和7年6月1日の第一回放送より

　帝国議会、これは小さい方には少し難しいかもしれませんが、尋常6年の読本巻の12と、修身の本には出ておりますから、よくおぼえていて下さいね。帝国議会は[90]大日本帝国憲法という、国の掟《おきて》によって、今から42年前の明治23年から毎年開かれています。そして今日から開かれる帝国議会はその62回目に当るのです。今日議会は貴族院と衆議院のふたつに分かれ、国の大切な事柄を決めるのです。今日はその開院式が貴族院で行われますので、天皇陛下には朝の10時35分宮城をお出ましになり、貴族院へ行幸遊ばされて開院式に参列した貴族院と衆議院に有難い勅語を賜りました。帝国議会はいつもならば年の暮れから翌年の3月までの3ヶ月間でありますが、今度の議会は臨時の必要で開かれましたので、今月の14日までの2週間で終わることになっています。

『九州の海辺に鰐《わに》の迷子』翌年の放送より

九州長崎県の生月村の海辺に一匹の鰐がのこのこあがってきました。鰐は熱帯の暑い地方に住む動物で、獣の王様の獅子《しし》でさえも時には負けるという強い動物ですから、さあ、大騒ぎ。やっとのことで猟師さんの手で捕まえましたが、なにぶん暑い地方の動物ですので「寒い、寒い」という様子をしていたそうでございます。

「子供の新聞」は、放送局が対象としていた子供はもちろん、大人からも喜ばれた。時間帯が夕食時ということもあって、家族全員で聴かれていた。短時間ゆえ特に、忙しい主婦には都合が良かった。

一般のニュースが政治・経済、軍関係の硬い内容が中心なのに対し、「子供の新聞」はほっとして思わず笑みがこぼれるような話題が多く、新聞で言えば社会面にあたるニュースも含まれていた。

ラジオの普及と共に、村岡花子の名前は全国に広まった。その結果、途方にくれる問題も起こる。

番組の最後、花子はマイクの向こうのたくさんの顔を思い浮かべ「Fare you well」（どうかあなた方は丈夫で元気に、明日も私のお話を聞いてくださいよ）という気持ちを込めて「それではごきげんよう！　さようなら」という挨拶で締めくくっていたのだが、この独特の口調が流行し、物真似《ものまね》が現れた。

時間つぶしに入った日比谷公会堂の演芸会で、芸人が「ええ、次はラジオの村岡菊子女史」と、花子の声帯模写を始めた。場内笑いの渦の中、顔は知られてはいないとは言え、恥ずかしさに真っ赤になって花子は慌《あわ》てて逃げ帰った。その芸はよっぽど受けたのか、以後、ラジオの演芸番組でも度々、披露されていた。

村岡花子を名乗る偽者《にせもの》が出没して神田の洋服店で生地の注文をしたり、「花子の夫」をかたる者が、料亭で芸者をあげて放蕩《ほうとう》し、儆三に覚えのない請求書が届いたこともあった。

放送局には毎日のように、聴衆から手紙が届いた。

「けふのラジオはへんだなあ
むらおかのおばさんかぜかしら
おばさんさむさにきをつけて
おからだじょうぶにさやうなら
おびょうきおみまいさやうなら」

たどたどしい筆跡に微笑《ほほえ》む日もあれば、親からの手紙に涙ぐむ日も。

「うちの子供は先週死んだけれども、死ぬまで『子供の新聞』を聞いていて、ラジオのおばさん、おばさんと言っていました」

自分の声が病気の子供や看病する母の慰めになっていると知ると、あらためて放送の仕事に対する使命感を強くした。

その一方で、

「東京に出て勉強したいが、何という学校がいいだろう」という進路相談から「私は再婚した方がいいでしょうか、それとも独身を立て通しましょうか」と一生に関わる身の上相談まで、各自が4銭の返信用切手を同封して回答を求めるケースも増えた。それらの郵便物に目を通しながら、花子はラジオ人たる苦しさも感じるようになった。

戦争の足音

放送が始まってから5年目の昭和12年（1937）に日中戦争が勃発《ぼっぱつ》し、国じゅうが必勝祈願の提灯《ちょうちん》行列で沸いた。翌年に国家総動員法が公布され、銃後を守る国民には、総力を挙げて軍事体制への協力が求められた。

関東大震災後の救済活動でめざましい働きを見せ、政府に女性の社会性を訴えた婦人団体は、この非常時にあたって「愛国婦人会」[91]「大日本国防婦人会」[92]などの組織に送った。エプロンにたすきをかけて、千人針を作り、出征する兵士を激励し、見送った。

千人針とは、「虎《とら》は千里を往《い》って千里を還《かえ》る」という伝説にちなむお守りである。白い晒《さら》しに、ひとりの女性が赤い糸でひと針縫っては縫い玉を作り、千人で仕上げるのだが、寅年《とらどし》の女性は縁起が良いということで何針も縫った。近所の家に頼むこともあれば道行く人に協力を呼びかけもする。協力しない女性など、まずいない。誰もが外地で戦う男たちの無事を祈った。死線（4銭）を越えるために5銭玉、苦戦（9銭）を越えるために10銭玉を縫い付けた千人針は、戦地に発《た》つ兵士のお腹《なか》に巻かれた。また、遠隔地で軍務に就く者のため、慰問袋に入れて戦地に送られた。

人間も物資も戦闘を優先するため、政府の命令に従わなくてはならないのだ。その影響は花子の家の飼い犬にまで及ぶ。

昭和13年（1938）春、6歳になるみどりと、4歳の晴子が、庭に面した小さな書斎で翻訳を続ける花子のもとに駆け寄ってきた。

「お母ちゃま、テルを見なかった？　どこにもいないのよ」

「テルがいないの。朝はいたのに！」

テルとは、みどりと晴子が可愛がっている犬。体全体は白く、しっぽの先と目の周りが茶色で、愛嬌《あいきょう》のある目をしていた。

　1年前、みどりと晴子が遊んでいるところに現れた子犬は、家までついて来た。帰ろうとしない子犬はテルと名づけられ、庭の片隅の犬小屋に暮らすようになった。目に見えて大きくなるテルは、近所の子どもたちの人気者だった。

　この日、みどりと晴子が幼稚園から帰ると、いつもならぴょんぴょん跳ねながら、細いしっぽをちぎれんばかりに振るテルが、鎖と首輪だけを残して姿はすっぽりと抜けていた。

「テルはね、お仕事に行ったのよ」

　花子はペンを置き、心配そうな表情のみどりと晴子に体を向けて、つとめて明るく言った。

「お仕事？」

「そうよ。今日ね、兵隊さんがテルのところにやって来て『僕たちと一緒に日本のために働きませんか』って誘ったの」

「それでテルは行っちゃったの？」

「『僕、行ってきます』って。『みどりちゃんと晴子ちゃんによろしく。ありがとうって伝えてください』って、目でお話していたわ」

「わたしたち、テルをお見送りしたかったわ」

テルの出征に立ち会えなかった不満をもらすと、しばらくして、みどりと晴子の目から、大粒の涙が頰を伝ってぽろぽろとこぼれ落ちた。花子も思わずもらい泣きしそうになるのをこらえ、笑顔を作った。

老若《ろうにゃく》男女の生活はもちろん、子供の教育にも軍が干渉するようになり、飼い犬まで軍用犬として戦争に駆りだされた。ほっそりした中型犬のテルは、可愛がられる役目に慣れきって、戦地で勇ましく戦えるわけがない。役に立たなければどうなるか——。とても、みどりたちには聞かせられなかった。


みどりは夕食時も色々と幼い臆測《おくそく》を立てては、テルの身の上を心配していた。翌日、花子が放送局に行くと、局員が用意していたニュース原稿のひとつに、北海道のある家で飼われていた犬が、軍用犬として戦地で活躍する模様が書かれていた。いつものように、マイクに向かって原稿を読んでいた花子は、名を記されていない犬を咄嗟《とっさ》に「テル」という名前にして「テル号の元気な様子」を伝えてしまった。

その晩「子供の新聞」を聴いていたみどりと晴子の耳は、北海道という地名を聞き落として「テル」という名前だけをしっかりキャッチした。

翌日の午後、みどりと晴子は家に遊びに来た友だちに自慢気に話していた。

「テルが昨日、ニュースに出たのよ」

「テルは偉いのよ。戦争に行って、兵隊さんのお手伝いをしているの」

「そうよ、戦争に行ったから『テル号』っていう名前になったの。『テル』より偉い名前なのよ」

みどりたちの声は明るかった。

「まあ、偉いのねえ」

友だちは感心した。

花子は心の中でみどりと晴子、そしてラジオの聴衆に謝った。戦争は国の一大事である。当然、子供たちにもニュースとして伝えなければならない。JOAK放送局には軍の情報局が設置され、「子供の新聞」も軍事体制下の検閲を免れない。しかし、花子は子供たちの世界から夢を奪いたくなかった。


現在の時局下にあっては、そんな悠長なものではなくもっと軍事に関係ある話材を脚色して見せるべきだといふ人々も、勿論《もちろん》、多くあることでありませう。

しかしながら、子供はいつの時代にも美しい夢を持っているものです。生まれ合わせた時代がきりきりと緊張してをり、大人たちが切迫した気分で生活してゐればゐるほど、子供の無限的気分へのいたわりを、忘れないやうに心すべきであると、私は考えているのです。

(『母と子の問題』より「母心随想」)

作家たちは従軍記者としての任務を負い、花子と親しい文学者たちも戦地に赴いた。テルが徴用された年の8月から、林芙美子、吉屋信子、菊池寛、佐藤春夫、吉川《よしかわ》英治らが次々と「ペン部隊」として中国に向かった。

一方で社会の中で女性全体の存在感は確実に大きくなっていた。市井《しせい》の女性たちは生活レベルの向上や、趣味、文化を求めるようにもなっていた。

国家総動員法が公布されたこの年の4月15日、銀座数寄屋橋《すきやばし》、日本劇場内に、特定の思想を帯びず、また特別な運動を目的とせず、純粋に教養を高める場として、日本で初めての一般女性のための教養クラブ『東京婦人会館』が開設された。

事業のキーワードを「大衆」「家庭」として阪急《はんきゅう》電鉄、宝塚歌劇、田園都市計画を成功させた実業家、小林一三《いちぞう》を中心に、財界人と文化人が協力。顧問にレート化粧料本舗社長の板倉安兵衛、理事長に村岡花子、常任理事は金子真子。役員に吉屋信子、鳩山薫子、大妻タカ子、今井邦子、市川房枝、守屋東《もりやあずま》、藤原あき、和田織江、金子（山高）しげり、武岡鶴代、柳原白蓮などが名を連ねた。

活動は多岐にわたる。精神の栄養になる講演会、音楽会や演劇鑑賞が開催された。生活に役立つ講習会が開かれ、法律や育児についての相談も受ける。そして、華道、茶道、書道、謡曲、長唄《ながうた》、舞踊、日本画、洋画、声楽、ピアノ、洋裁、手芸などの各種稽古事《けいこごと》を一流講師に学べる。女性の才能を多角的に伸ばす、という画期的な発想で、一年で2千人を超す会員が集まった。

この前年には、『銭形平次』の作者である野村胡堂《こどう》の次女、松田瓊子《けいこ》が『少女小説物語　七つの蕾《つぼみ》』を上梓《じょうし》。情操豊かな環境で育った瓊子は、オルコットやスピリに傾倒し、15、16の頃から創作を始めていた。21歳になった娘の作品を初めて読んだ胡堂は、文壇的には縁の無いものとはいえ、斬新さと聡明さ、ユーモアを感じ、「ジャーナリズムに溺《おぼ》れたり、歪《ゆが》められたりせずに、真《ま》っ直《す》ぐに進んで行ったら、いつかはきっと、人間の魂のためになる立派な物語が書けるだろう」と、自費出版にあたり、花子に協力を依頼する。原稿を一読した花子も、その中に、欧米の上質な家庭文学に通じていく健全で清らかな精神を読み取り、「同類」を見つけた心の高鳴りのままに筆を取る。

瓊子さま
新しい昭和一二年の最初の讀みものがあなたの『七つの蕾』でございました。ありがとう！　ありがとう！　ありがとう！　私は何度あなたにお礼を云《い》ったら満足がいくことでしょう。自分のために、それから、やがてこの御本を手にする大勢の少女たちのために私はあなたにお礼を申し上げるのです。昔、私も今のあなたぐらいの年頃に初めて本を出しました。その時の気持は今思出しても、胸がどきどきして来るほどに、怖いような、異常な興奮でございました。きっとあなたも同じような感情の裡《うち》にこの頃をお過しのことと、私には想像されるのです。そして、そういう幸福と云っていいか、恐ろしいと云っていいか分らない、微妙な雰囲気に包まれていらっしゃる今のあなたを、まるで自分の若い日が返って来たようないとしさで見詰めている私なのです。私たちの娘時代よりも遙かに透徹した眼で周囲を見ることが出来、ずっとずっと自由に想像の翼をかけらせることの出来るあなたの筆に成ったこの物語から私は今まで讀んだどの少女小説からも

感じられなかった溌剌《はつらつ》さと、生命の躍動とを摑《つか》んだのでした。（略）

この国の少年少女の読物の中に欠けていた要素をあなたは立派に『七つの蕾』に依って満たして下さいました。『七つの蕾』があなたの処女出版であり、あなたがうら若いお嬢さんであることは、何と心強いことでありましょう。これから後、あなたには限りない発展があり、『七つの蕾』のあとに爛漫たる花と豊かなみのりが待っていることは、この国の少女文学にとって大きな祝福でございます。

（略）

やがて日本のオルコットやバーネットとなる女性が生まれる！　その片鱗《へんりん》を花子は若い瓊子に感じたのだった。それは、花子自身もそうなりたいとほのかに望みながら、いつしか生活に追われ、果たせないままの夢でもあった。

花子からの手紙は、瓊子はもちろん、胡堂、婚約者である経済史学者の松田智雄ら、瓊子を愛する家族たちをおおいに歓《よろこ》ばせ、そのまま『七つの蕾』の序文として添えられた。後日、胡堂に伴われて訪ねてきた知的で美しい瓊子の、開かれた澄んだ瞳《ひとみ》をみつめながら、花子は蕾の花開く未来を改めて確信した。

同じ年、宇野千代がファッション雑誌『スタイル』を創刊。お洒落《しゃれ》なセンスが、若い女性や主婦に大歓迎された。

花子は発刊当初、宇野千代から年間購読と随筆の寄稿を依頼され、喜んで承諾。御礼として、千代の元恋人である画家、東郷青児による素描（恐らくモデルは千代自身）を受け取った。宇野千代は昭和14年（1939）、『スタイル』の協力者の北原武夫と結婚。媒酌人は吉屋信子と画家の藤田嗣治《つぐはる》、披露宴の司会は花子が務めた。

戦時下ではあるものの、戦場は遠く、国内の人々は楽観的で、日常生活はまだまだ平穏に過ぎていた。

昭和15年（1940）、文学を志す若手女流作家たちの発案で、「女流文学者会」が発足。代表は吉屋信子、以下、宇野千代、林芙美子、今井邦子、森田たま、平林たい子、円地文子、壺井《つぼい》栄、窪川《くぼかわ》（佐多）稲子、矢田津世子、中里恒子、真杉静枝をはじめ、ジャンルを超えた文学者が互いの文学を研磨し合う目的で結束した。花子も吉屋信子に誘われて入会する。

第8章　戦時に立てた友情の証《あかし》

昭和14〜20年（1939〜45、46〜52歳）

踏み絵

昭和14年（1939）9月、ヒットラー率いるドイツ軍のポーランド侵攻を契機に、イギリス・フランスなどの連合軍がドイツに宣戦を布告。第二次世界大戦が始まる。翌年ドイツ・イタリアと日独伊三国同盟を結んだ日本は、連合軍とは敵対関係になった。

西欧の列強は、植民地政策によって国力を増大させてきた。近代化の遅れた日本は、先進国に肩を並べるために、同じ帝国主義の道をたどった。朝鮮、台湾、中国を植民地化して、軍人と多くの移住者を送りこんだ。科学と産業の発展によって武器が増え軍備も肥大した今度の戦争は、第一次世界大戦を超える規模になった。もし、日本も参戦すれば、兵士だけでなく、銃後を守る女性や子供たちも総動員で、これまで以上に「お国のために」戦時体制に協力しなくてはならない。

国内では「鬼畜米英」が叫ばれ、英語は敵国語とみなされた。花子と儆三《けいぞう》は「国賊！」という叫び声とともに、家に石を投げ込まれたことがある。ガラスが割れ、危うくみどりが怪我《けが》をするところだった。儆三は趣味で聴いていたクラシック音楽のレコードを自粛し、花子も外出する時には必ず携えていた洋書数冊を、カバンから出した。

みどりの通う尋常小学校では「英語の国のご本」を校庭で燃やしたという。本を燃やすなんて……。マーク・トウェインやディケンズ、オルコット、バーネット……。乱暴に積み重ねられた名作の山に火が放たれ、高く黒い煙を吐き、灰となって空に舞っていく光景は想像するさえおぞましい。

開戦の少し前から、連合国出身の人たちは次々と荷物をまとめ、日本を去る準備をしていた。明治期から、日本の社会と文化の発展に献身してきた宣教師までをも、石もて追うような風潮となった。

なんとか政府の外交手腕で、日本の参戦を回避できないものだろうか。花子はいてもたってもいられなかった。

東洋英和女学校で初めて海外の文化を教えてくれたのは、今や敵視されている国の人々である。花子の文学的な素養も、人格形成の基礎も全《すべ》て母校のカナダおよび英米の婦人宣教師によって養われた。卒業してもう26年の月日が経《た》つ。

懐《なつ》かしい顔が次々とよみがえる。大正14年(1925)に老齢で故国に帰ったミス・ブラックモア、卒業論文の指導をしてくれたミス・アレン。笑顔の優しいミス・クレーグと、優等生が教師になったような小林富子は既に亡《な》くなっていた。今は退職した寮母の加茂、山梨英和の校長・ミス・ロバートソンにミス・ストラザード……。東洋英和の思い出の中で繋《つな》がっている人々は、それぞれの場所で、戦いに明け暮れる世界情勢を憂《うれ》いているに違いなかった。

花子は塩原千代や、同窓会に関わる卒業生らと母校を訪れ、ミス・ブラックモアやミス・クレーグの系譜を引くカナダ・メソジスト派の婦人宣教師たちと別れの挨拶《あいさつ》を交わしていた。

東洋英和は昭和9年(1934)の創立50年を機に、アメリカ人建築家ヴォーリズ[93]の設計によって、近代的な新校舎に建て替えられていた。生徒たちも袴《はかま》姿ではなく、カナダのシンボル、秋の楓《かえで》の色をイメージしたえんじ色のスカーフに、2本の金のラインが入った紺色のセーラー服を着用していた。このセーラー服のデザインを決めたのは、カナダ・プリンス・エドワード島出身の校長ミス・ハミルトン。彼女はお洒落《しゃれ》のセンスに定評があり、女学生たちはこのセーラー服を気に入っていた。

新しい大礼拝堂は、ミス・クレーグの功績を記念してマーガレット・クレーグ記念講堂と名付けられていた。天井は高く、細工と緩やかな曲線が美しい窓からは優しい光が差し込み、威厳を湛《たた》えた聖壇を中心に壁には聖書の教えに基づいた「敬神」[94]「奉仕」[95]という墨痕《ぼっこん》鮮やかな文字が大きく掲げられていた。この書は穏健派の天皇側近だったクリスチャンの斎藤実《まこと》内大臣の直筆である。斎藤実は昭和11年（1936）の2・26事件で、皇道派の青年将校により四十数発の弾丸を受けて殺害され「敬神」「奉仕」の文字は、今では遺筆となった。自宅を襲撃してきた将校たちに「殺すなら私を先に」と言って、拳銃《けんじゅう》を前に身をもって夫をかばった妻、春子は東洋英和の初期卒業生だ。

そして、「敬神」「奉仕」の書よりも高い位置に掲げられているのは、天皇陛下の御真影。創立以来、キリスト教と英語を教育の柱としてきた母校も、今度ばかりは時局の影響を免れず、御真影を掲げなくてはならなかった。

ミス・ブラックモアが見たらなんておっしゃるかしら。

花子は、日露戦争の頃、ミッション・スクールに対する政府の圧力や文部省の通達にも屈せずに、徹底的な英語教育を貫いたミス・ブラックモアを思い出した。

東洋英和では御真影の奉戴《ほうたい》をめぐって昭和10年（1935）から文部省の圧力がかかり、時代と共にミッション・スクールが白眼視される中で、昭和13年（1938）

9月、受け入れを決断した。
奉戴式の日の感想を2人の在校生は次のように記した。

教室に入っても皆静かであった。皆何を考へてゐるのか真面目《まじめ》な顔をして席についてゐた。私は皆の顔に安堵《あんど》の色が浮かんでゐる様に思った。

昨日のお式には校長先生がこの上もない名誉である、とおっしゃった。(略)まだご真影を頂いていない学校だってある。私達の学校はご真影を頂いたので鼻が高い。

(『東洋英和ニュース』38号より)

切羽詰まった状況に息をこらしていた女学生たちにとって御真影は安堵をもたらしたのだった。日本を去っていく婦人宣教師たちは、生徒の身の安全を考えて、特別な壮行会などはせずに、複雑な思いを胸に、ひとりひとり静かに祖国への長い旅路へと向かう。花子たちは再会を約束して、労をねぎらった。
校長以下、学校責任者は全て日本人に代わり、昼食には日の丸弁当が実施され、文部省指導による「国民教育の基礎」「国体観念」などの軍事教育や「日の丸掲揚」も受け入れざるを得なかった。しかし、ミス・ハミルトンやミス・コーテスをはじめ、数人のカナダ人宣教師は依然、校内に留まり、秘めやかに日々の礼拝を続けていた。御真影や軍国教育を受け入れることは、ミッション・スクールにとっては、踏み絵を踏んだに等しい。しかし、それは生徒を守るためであり、たとえ踏み絵を踏んでも、したたかに生き延びる道を選択したのだ。

「今は、ミス・ブラックモアの時代のように、一筋に意志を貫ける時ではありません」

そう語るミス・ハミルトンとミス・コーテスの目には強い光が宿っていた。花子は、逆境に耐え抜こうとしている母校の宣教師たちの勇気に、大きな力を与えられた。

昭和17年（1942）にミス・ハミルトンが交換船で帰国した後も、生徒を案じて残ったミス・コーテスは翌年、神奈川県の収容所に拘留される。理由は、敵国人、というだけであった。

『アン・オブ・グリン・ゲイブルス』を託される

アメリカ人宣教師によって設立され、キリスト教関係の本の出版をしている銀座の教文館も困難な時期を迎えていた。

　教文館には花子の友人、カナダ人婦人宣教師、ミス・ショーがいる。数年来、ふたりで冊子『小光子』の編集をしていたが、昭和14年（１９３９）、ついに帰国を決意。ミス・ロレッタ・レナード・ショー。１８７２年にカナダ東部ニュー・ブランズウィック州に生まれ、１９０４年に英国聖公会の婦人宣教師として来日。27年間、大阪のプール女学校（現・プール学院）に教師として奉職し、その後、昭和６年（１９３１）から教文館で働く。実に35年にわたって日本の女子教育と、女性や子供のための本の出版に献身してきた。

　長らく寄宿舎で女学生たちと過ごしてきたミス・ショーには、花子にとって、恩師たちと通じる親しみやすさがあった。

　女学生たちにシェイクスピア劇『ヴェニスの商人』の指導をしたこと、女学生たちの霜焼けの手当てをしたこと、病気の生徒に油薬を飲ませるためにビスケットを焼いたこと、聖書の講義で慣れない日本語を使い「カインとアベルの兄弟は、お仲が悪うございました」と言ったら、生徒たちは「お腹《なか》が悪かった」と勘違いしてしまったこと……。プール女学校の寄宿舎には、花子の母校と同じ空気が流れていたように感じられた。ミス・ショーの口から思い出話を聞いているうちに、花子はまるで自分もそこにいたような、思い出を共有しているかのような錯覚を何度もした。

いよいよカナダに帰るという日、ミス・ショーは見送りに来た花子に、「私たちの友情の記念に」と、一冊の本を贈った。

「いつかまたきっと、平和が訪れます。その時、この本をあなたの手で、日本の少女たちに紹介してください」

花子がこの時、受け取った本、それはカナダの女流作家、ルーシー・モード・モンゴメリによる『アン・オブ・グリン・ゲイブルス』。

遠い異国での生活の中、祖国を思いながら何度も読み返したのだろう、かなり手ずれていた。本はミス・ショーの手から花子の手へ――私たちカナダ人の本当の心を伝えてほしいという万感の思いが込められていた。

教文館月報（昭和11年3月号）には、ミス・ショーの次のような言葉が載っている。

ユートピア　　　　　エル・エル・ショー

洋の東西を問わず、各国の詩人や預言者は凡《あら》ゆる時代を通じて、同じやうに人間が幸福で平和に暮らせる郷土を夢見た。此《この》夢を実現する為《た》めに、各国の政治家等は議会に於《お》いて国事を議したり、法律を編んだりした。或《あるい》は外国に旅行をしたり、ラジオや出版物を通して世界はひとつの議会となり、夢は我々の目前に於て実現せられて、平和とか、正義とか、国際的親善とかは日を追って向上されつつある。

西洋に於て最も有力な書物は聖書である。世界の古代歴史や、英文学を研究せんとする者はすべからく聖書の知識がなければならぬ。

聖書には精神修養は無論、詩歌もあり、伝記文学もあり、又科学的知識もある。人生に対する、基督《キリスト》教的待望は進歩的で而して建設的であって科学の力を通して世界の文化興進に大なる貢献を呈している事は事実である、我々は一国の良書を他国に紹介して国民と国民とをもっと接近せしむべく文学を通して大に努力するものである。

ショーは、幼い頃から聖書に親しんでいる花子を深く信頼していた。花子は手渡された本の重みを感じながら誓った。愛する人々の祖国、カナダの物語を日本の人々に伝えよう。

「ミス・ショー、約束します。平和が訪れた時に、必ずこの本を翻訳して、日本の多くの人に読んでもらいます。それまでどんなことがあっても、この本を守ります」

戦争へと向かう困難極まる時勢に、カナダ人女性の真情を伝える「ミッション（使命）」を、花子は宣教師から託されたのだった。

慎重に家に持ち帰り、早速読み始めた『アン・オブ・グリン・ゲイブルス』は花子の胸を明るく照らした。ヒロインは、やせっぽっちでそばかすだらけ、にんじんのような赤い髪の孤児の少女アン。アンをとりまく文化や学校生活は、花子の寄宿舎生活とあまりに似通っていた。登場人物の髪型や服装にも覚えがあった。アンの憧《あこが》れたふくらんだ袖《そで》のドレスは、まさに花子が在学中の婦人宣教師たちの服装。その生地の質感までも、ありありと思い浮かべることができる。パウンド・ケーキの焼ける香り、砂糖漬けの味、お茶会、音楽会、詩の暗誦《あんしょう》……。物語の随所に花子が親しんできた詩や文学がちりばめられていた。

淡い恋にも似た燁子《あきこ》への友情。憧れの人を喜ばせたい一心で、テニスンやブラウニングの詩を翻訳して聞かせた部屋。脳裏に、それらの詩を夢中になって読んだ心の高鳴りが甦《よみがえ》り、本を持つ手が震えてきた。青春時代の花子の周りに満ち溢《あふ》れていた情緒豊かな世界が、第二次大戦によって今は確実に失われつつあった。だが、花子の手元には、あの麻布の丘の学窓での思い出が詰まった宝石箱にも似た『アン・オブ・グリン・ゲイブルス』が残されたのである。

開戦

昭和16年（1941）12月8日、朝6時前、まだ薄暗いうちに、けたたましく電話が鳴った。放送局からである。

「今日は非常に勇ましいニュースがありますから女の声ではいけませんので、いらっしゃらなくて結構です。明日、改めてお越しください」

先週11月30日に「子供の新聞」の放送を終え関屋五十二に交代して、今日からまた花子の放送日となるはずの朝であった。早朝の、切迫した伝達にざわざわと胸騒ぎがしてすっかり目が冴《さ》えてしまった花子は、お湯を沸かし、お茶を淹《い》れてラジオのスイッチを付けた。儆三も起きてきた。朝7時の臨時ニュースで、ふたりは遂《つい》に日本が戦争へと突入したことを知った。

「臨時ニュースを申上げます。大本営陸海軍部12月8日午前6時発表。帝国陸海軍は本8日未明、西太平洋方面においてアメリカ、イギリス軍と戦闘状態に入れり」

日本軍は太平洋におけるアメリカ最大の基地、ハワイのオアフ島の真珠湾奇襲攻撃を敢行した。正午には米英両国に対する「宣戦の詔書」が放送され、開戦のニュースはその日一日、繰り返し放送された。

なんとしてでも家族を守らなくては。開戦のニュースを聞いて、まず第一に花子が思ったことである。儆三は2～3年前から心臓が弱って血圧が高く、体に負担のかかることはさせたくなかった。みどりはまだ9つである。人生で一番美しい青春時代がこの先に待っている。なんとしてでも無事に青春時代に送り込んでやらなければならなかった。

花子は開戦を機に、9年間続けてきた「子供の新聞」をやめた。軍部の干渉が強まり、とうに限界を感じていたのだ。今まで何度も辞表を書きながら、出せずにいたのだが、関屋五十二に後を任せて、この際すっぱりとやめてしまった。

戦争が報ぜられた朝、私がただちに「子供の新聞」を放送していたのを辞職して、マイクから声を消したのも、実はこのブラックモア女史の悲しみを思ったからである。

ブラックモア先生だけではない、10年の学校生活の間に、数十人のカナダ人やアメリカ人、イギリス人の教師から導かれた私は、その人に関する限り、一人残らずが平和主義者であり人間の最高の線を行こうとしている人々であることを知り抜いていた。そしてその人々の背後には、彼等の日本での仕事のために、精神的に物質的に援助している本国の多くの人々があったことを考えると、私は胸がつぶれる思いがして、わが国の子どもたちに私の口から戦争ニュースの放送は出来なかったのである。

（『この先生たち』より「昔の先生たち」）

この日から放送局はじめメディアは完全に軍と政府からの情報伝達機関となり、内容にはさらに強力な検閲と情報管理が行われるようになった。

翌年4月18日、東京、名古屋、大阪、神戸に日本本土初の空襲が行われる。正午過ぎには、東京の荒川、王子、小石川、牛込などにアメリカ軍爆撃機B25による空襲があった。以来、夜は灯火管制が布《し》かれ、ネオンや街灯は全廃、東京の夜の町はすっぽりと闇《やみ》に包まれた。夜間トイレに行くみどりが、そのたびに電気をつけてしまうのを、花子は飛んでいって消した。

6月8日、日本軍は中部太平洋のミッドウェー海域で大敗を喫する。めざましい勝利は開戦から半年間のみで、この海戦の後、日本は負けを積み重ねていく。しかし、本当の戦況は伝えられず、国民は戦果の報道に沸いていた。相次ぐ戦勝ニュースは人々を熱狂させ、至る所で「万歳！」が叫ばれていた。この騒ぎは明治以来「富国強兵」「忠君愛国」を叩《たた》き込まれてきた国民のナショナリズムが集団心理でふくれあがったともいえる。また、客観的、批判的な立場をとるはずの新聞やラジオなどマスコミが、完全に軍の情報局の統制下におかれ、戦果は誇大に伝え被害は詳細を伏せ、巧みに国民の戦意を高揚させた結果でもある。統制された情報の中で日本中が勝利を確信し、怒濤《どとう》のような好戦的な興奮に包まれた。当時、第一線の知識人たちですら、開戦当初は戦争を肯定した。

子供たちの遊ぶすごろくも兵隊の進軍コースが素材となり、絵本も兵士が勝利をおさめる物語が増えた。軍国少年少女を育てる仕掛けが、学校の授業にも張り巡らされた。大人も子供も声を合わせて歌うのは、敵を打ち負かして進軍する英雄を讃《たた》えるものが多くなっていた。西条八十《やそ》、高村光太郎のような優れた詩人が手がけた歌詞もある。

女性に対し、軍事体制下の政府では「婦人は家を守り、たくさん子供を産んでくれればいい」という考え方が強まった。婦人参政権は政府案として議会に提出さえされなくなり、その実現を目前にしながら、戦争に阻《はば》まれた市川房枝を中心とする女性知識人たちは、なんとか時局を利用して社会における女性の重要性を政府に認めさせようと考えた。

民主的な政治では先進国であるイギリスやアメリカでも婦人参政権の実現は意外に遅く、参政権獲得運動に関わる女性たちは、先の第一次大戦中、積極的に国策に参加した。花子が山梨英和の教師時代、同僚の婦人宣教師たちから聞いた「our war（私たちの戦争）」という言葉にはそうした意識が込められていた。その協力的な姿勢が認められ、戦勝国となった後に、イギリス、カナダでは1918年、アメリカでは1920年、ようやく婦人参政権が成立している。日本の知識人たちも海外の例を踏襲し、「国民精神総動員」の軍事政策に積極的に参加する、という現実的な路線を選んだ。理想とはかけ離れた選択だったが、参政権を勝ちとらなければ、平和を求めようにも女性の意見は政治決定に生かされない。

当局への協力は文学者たちにも強く求められ、ミッドウェー海戦の10日後には、日本文学報国会が発足。吉川《よしかわ》英治が発足の声明を読み上げた。

「銃後われ等同僚、同田同耕の士もまた今日無為なるに非《あら》ず。文芸文化政策の使命大、いまや極まる。国家もその全機能を求め、必勝完遂の大業もその扶与をわれ等に命ず」

戦地に赴かず国を守る我々も無為に過ごしていてはいけない。文芸文化の担《にな》う使命は大きく、今こそ戦争に勝つために我々の最大限の協力が求められている、という戦時体制に協力するメッセージであった。

会長に徳富蘇峰《そほう》、事務局長に久米《くめ》正雄、菊池寛が小説家代表となり、戦前に発足した女流文学者会も女流文学部として合流した。その他、文学者に加え、学生、文学青年らが参加した。

この日本文学報国会発足は、国民の戦意を煽《あお》ることを目的とする情報局の指示による。当局は知名度の高い作家や知識人の庶民に与える影響力を利用した。文学の世界は戦争を美化して歌いあげる、戦意高揚一色に染まっていく。

社会主義者、共産主義者は危険分子として拘置所に抑留される。日本キリスト教団の幹部も一斉検挙。戦争謳歌《おうか》に抵抗すれば、作品を発表する場もなく、生活にも窮すばかりか、警察に連行されるリスクも高い。巷《ちまた》で反戦を叫ぶのは、きわめて難しかった。

ただし、外国人宣教師から教育を受け、キリスト教や西洋文化に触れて成長した花子に、「鬼畜米英」の排外思想は無縁だった。たとえ国同士が敵対しても、宣教師たちとの友情は失われるはずもなかった。口にするのは許されなかったが、心の中では一日も早く外国に去った友人たちと再会できる日を待ち望んでいた。

花子は家族に、「『アン・オブ・グリン・ゲイブルス』はお母様にとって家族の命の次に大事な本」と伝え、出かける時は「自分の留守中に空襲があったら、この本と書きかけの原稿を防空壕《ぼうくうごう》に運んで欲しい」と念を押していた。

参政権獲得運動と宣教師との友情、そして、英米文学の翻訳の仕事は花子が戦前から大切にしていたものである。平和であれば問題なく共存していけたはずなのに、参政権獲得運動が国策と複雑に絡《から》んだことも重なり、花子は自己の中に矛盾を孕《はら》みながら歩まざるを得なかった。守るべき家族もあった。

女流文学部では、お揃《そろ》いのもんぺを着用することになった。物資は既に配給制である。普通なら国防色（カーキ色）となるところを、おしゃれな宇野千代の主張で、女流文学部には茄子紺《なすこん》のもんぺが配給された。花子も女流文学部のメンバーのひとりとして、銃後を守る女性たちの協力を呼びかけるために、もんぺ姿で連日のように大政翼賛会、大日本婦人会、国防婦人会、勤労奉仕の女学生などの会合や、講演に狩り出された。

平和な時代にこの状況をどうとらえるか、さまざまな視点があるが、自らも戦中を生き、空襲警報が鳴るたびに愛読書である吉屋《よしや》信子《のぶこ》の本を抱いて防空壕に逃げ込んだ田辺聖子は、次のように語る。

女性史研究家には往々にして、現代感覚で歴史を裁く考え方もあって、私としては当惑させられる。吉屋信子は従軍ルポを書いたから軍国主義者であるとするたぐいの短絡思考である。それは世の流れというものの烈《はげ》しさを思い知らぬ人の、のんきな発想であろう。国の運命というものも業《ごう》のようなもので、そこへなだれこまずにいられぬような時の流れ、というものもある。

（『ゆめはるか吉屋信子』田辺聖子著　朝日新聞社）

命がけの翻訳

昭和18年（1943）2月、日本軍は太平洋南西部ガダルカナル島でアメリカ軍との飛行場の争奪戦の果てに、壊滅的な打撃を受け撤退を始めた。4月、米軍の攻撃による連合艦隊司令長官、山本五十六《いそろく》の戦死は国民に大きな衝撃を与えた。その後も各地で悲惨な玉砕が続く。

この頃は昼でも警報サイレンが鳴り響く。文学者たちは相変わらずの講演や会合に狩り出された。花子は本を読む時間も体力も吸い取られ、翻訳どころではない。

「こんな状態がいつまでも続くわけないわよ」

「早く仕事がしたいわね」

「一時の辛抱よ、もうすぐ本分に帰れるわ」

仲間うちで集まると、お互いがお互いを励ましあった。

ある日、女流文学部のメンバーでアメリカの婦人雑誌を見る機会があった。そのページをめくりながら、花子たちは口々に驚きの声を挙げた。日本の雑誌のようにむやみに戦争謳歌を書き立ててはいない。誌面からは、アメリカ人たちが戦争中にもかかわらず、豊かな生活を送っている様子がうかがえた。色鮮やかなファッションやおいしそうな料理、さまざまな趣味に小説や随筆が掲載されている。

「いいわね……」

誰からともなく本音がもれた。が、カラフルなページの下に目をやると、隅の方に小さく「Remember Pearl Harbor（リメンバー・パール・ハーバー）」と書かれていた。

「パールハーバーを憶《おぼ》えよ……」花子はつぶやいて、ページを繰った。全《すべ》てのページの同じ場所に小さく「Remember Pearl Harbor」と、ただ、それだけが繰り返し印刷されているのだった。

その意思表示の迫力に、花子は言い知れぬ恐ろしさを感じた。

初秋のある日、花子は顎《あご》から喉《のど》にかけて倍の太さに腫《は》れ上がり、激しい咽喉《いんこう》の痛みと呼吸困難に襲われた。ジフテリアに感染したのだ。7歳の時に10日ばかり学校を休む熱を出して辞世の句を詠《よ》んで以来、病気らしい病気などしたことがなかった。心臓があまり丈夫でない儆三の血圧を心配し、みどりを疫痢《えきり》にかからせまいと神経質なほどに気を配ってきたが、自分の体には全く無頓着《むとんちゃく》だった。

ジフテリアは一般には子供がよくかかる感染症で、高熱と咽喉の痛みを発症し、咽頭に偽膜ができて呼吸困難を起こす。血中に菌が流出すると発症してから4週間から6週間の間に、突然の心臓麻痺《まひ》や神経麻痺による死亡の恐れもある。その割合は10人に1人という。

医者も多くは従軍し、あるいは疎開《そかい》し、町はどこも医者不足だったが、急遽《きゅうきょ》、儆三の麻雀《マージャン》仲間でもある林 髞《たかし》医学博士の来診を受けた。自宅の一部屋を殺菌した白い布で覆《おお》い、花子はその部屋に隔離されて血清治療を受けた。

感染の恐れがあったので、家族もその部屋に入るわけにはいかなかった。花子は約2ヶ月間、ほとんど林医師と近所に住む大村医師としか顔を合わせず、戦局を知らせるラジオや新聞の報道からも離れ、講演活動からも解放され、全てを放棄して病魔と闘った。空襲サイレンが鳴っても、身体《からだ》中を覆う倦怠感《けんたいかん》をどうすることもできずに寝ているしかなかった。

儆三はこんなにげっそりと肉の落ちた花子を見たのは初めてだった。花子はもともと丸顔でふっくらした体型だったが、身の丈150センチに満たないため、痩《や》せると本当に小さくなった。

しかし、この空白期間は、心身共に疲れ果てていた花子を休ませた。療養中、近隣の婦人や子供たちから、物資不足にもかかわらず、見舞いや励ましの手紙をたくさん受け取った。同性や子供たちの優しい声は花子を癒《いや》してくれた。儆三は甘いものが大好きな花子のために、闇で砂糖を仕入れてきた。今や滅多に店にも置いていない砂糖は貴重品だった。

微熱や倦怠感の中、花子は幾度となくミス・ショーやミス・ブラックモアを思い、そして本を手渡された時のミス・ショーの言葉を思い出した。

「いつかまたきっと、平和が訪れます。その時、この本をあなたの手で、日本の少女たちに紹介してください」

花子は病床から起き上がると、家中の原稿用紙をかき集め『アン・オブ・グリン・ゲイブルス』の翻訳にとりかかった。

平和の時を待っているのではなく、今、これが私のすべきことなのだ。

モンゴメリの原文と描かれている情景のみずみずしさは、高圧的で乱暴な日本語ばかり聞かされていた花子の魂を浄化する。実に久しぶりの翻訳に、花子は、英語が敵性語であり、憲兵や特高に見つかったらどうなるかという不安すら忘れ、胸を高鳴らせた。

頭の中には物語の舞台であるプリンス・エドワード島の、花の咲き乱れる美しい光景が広がる。モンゴメリによって書かれたロマンティックなアンの言葉が、花子を通してリズミカルで美しい日本語に紡《つむ》ぎ出されていった。

10月21日、明治神宮外苑《がいえん》競技場では、秋雨の降りしきる中「出陣学徒の壮行会」が行われていた。ペンを捨てた大学生が銃を担《かつ》いで行進し、東条英機《ひでき》首相の演説に観衆は熱狂。花子と儆三の甥たちも次々に出征した。

昭和19年(1944)度の軍事費は国家予算の85・5パーセント。店から商品はなくなり、生活必需品のほとんどが闇《やみ》で取引され、物価は20倍から30倍まで高騰《こうとう》した。人々の口からも、前年までの威勢のいい言葉は次第に失われた。明日、食べるものがあるか、それが最大の関心事に変わり、闇の話題が中心となった。本音を口にすることは許されない、暗い閉塞感《へいそくかん》が人々を覆っていた。

知識人や文学者は、内心、長引く戦争に対して嫌気がさし、軍や政府に対する不信感を強めていた。今まで、あれを書け、これを書けと命令がましく言われ、書きたくないことも書いてきたのである。今もなお、大蔵省からは「国民に貯蓄を奨励する作品を書け」「婦人にもっと節約させる文を発表しろ」と求められていた。けれど、もう紙もなければ、雑誌も廃刊が相次いでいる。仕事がなくなっても、政府が文学者たちの生活を保障してくれるわけではない。

花子の友人たちは次々と疎開していった。

日中戦争の頃から従軍ルポライターとして戦地に赴き、めざましい行動力を発揮した林芙美子《ふみこ》は、太平洋戦争中も新聞社の報道班員として南方の戦地に派遣され、シンガポール、仏印、ジャワ、ボルネオに取材している。しかし、昭和18年の5月に帰国し、女流文学部の集まりに顔を出すと、その後は音沙汰《おとさた》がなかった。貝のようにぴたりと口をつぐんでしまったのだ。やがて、その年の12月に突然、生後間もない男の子、泰《たい》を養子に迎え受け、翌4月に実母と泰を連れて長野の温泉地に疎開した。林芙美子は疎開先の村で子供たちのための童話を書き、読み聞かせをしながら泰を育てていた。

花子も周りから疎開を勧められる。それでも疎開しない理由は、婦人会の人たちを置いては行けないからだった。また、蔵書に対する愛着もあった。花子の人生の友である蔵書は洋書が多く、これらの本を持ち出すことは不可能で、花子は行李《こうり》に入れて庭に埋めたり、防空壕に隠していた。花子は住みなれた大森にとどまった。憲兵や特高が目を光らせ、密告者も横行していた。ファンを名乗って訪ねてくる密偵がいるらしい、と文学者仲間から注意をうながされた。

それでも灯火管制下、スタンドに黒い布をかぶせた薄暗い部屋でカナダの人々に友情の証《あかし》を立てるような思いで『アン・オブ・グリン・ゲイブルス』を訳し続けた。

小さな書斎でこの本に向き合っていると、不思議と守られているという感覚になった。おしゃべりなアンが発する愉快な言葉や、おかしな失敗をみどりの寝物語に聞かせ、みどりもそれを楽しみにしていた。

空襲の日々

昭和19年（1944）6月にマリアナ沖海戦で大敗、7月にサイパン島も陥落し、民間人にも多くの犠牲が出た。しかし、8月に開かれた日本の最高戦争指導会議では徹底抗戦が決められた。もはやドイツ軍も敗色を濃くしている時期だったのに。

本土決戦が叫ばれると人々は、戦況がそんなところまできていたのかと、大きく動揺した。戦果のみ誇大に伝えるという原則が死守され、国民は本土が戦場になるほど劣勢であるとは夢にも思っていなかった。東京に残っている子供たちをすみやかに避難させる必要があった。学童疎開が始まる。

花子も、まもなく12歳になるみどりと姪《めい》の晴子を、8月22日、山梨県甲府市の親戚《しんせき》の家に縁故疎開させた。

子を遣《や》りて行く日　夜半の蟲《むし》を聴く　　花子

8月27日、23日発信のみどりからの第一信が届く。

お母さま、お手紙ありがとうございました

今日から学校へ行きました。六年四組で受持の先生は松土先生です。お二階のお教室なのでとてもいい景色で涼しいです。特別に校長先生にお会いしました。先生は体に気をつけてしっかり勉強してよい日本人になりなさいとおっしゃいました。もうお友達もできましたから御安心下さい。二十七日から三十日まではお休みです。お父様によろしく

さやうなら

11月1日、初めて東京の上空にB29の偵察機が姿を現した。既に夏から北九州、中国、四国地方、小笠原《おがさわら》諸島を襲っているB29である。たった1機で飛来し、澄んだ秋の空高くまっすぐに雲を引いて横切っていった。花子は小さな鳥のようなB29をみつめながら、東洋英和女学校の寄宿舎で初めて飛行機を見た時のことを思い出した。

もう何十年も前の晴れた日。アメリカの飛行機が日本の空を訪れて、女学生たちは校庭や中庭に飛び出し、空を仰いで目新しい機体のあざやかな飛行に歓声を上げた。そこに立って、額に手をかざしながら、じっと空を見つめていたミス・ブラックモアが花子に語りかけた。

「花子、これからの飛行機の進歩は世界を平和に導くか、戦争をもっと悲惨にするか、

どちらかです。我々人類はこの飛行機をどういうふうに使おうとしているのだろうか？　平和か？　戦争か？　それは我々の上にかかっている課題であることを、あなたもよく考えておきなさい」

その頃、人々は空襲など夢想だにしなかった。不気味な偵察機は度々やって来て、鳴り響く警報のサイレンは人々の心を苛立《いらだ》たせ、神経を消耗させた。

そんな折、11月20日に届いたみどりからの手紙は、激しく花子の心を揺さぶった。今までになく、悲痛な訴えだった。


お父様お母様お元気ですか。

私たちは元気です。

お母様は今度いつ来ますか。たのしみに待っています。

十五日に体操服がとどきました。

むづかしい字を書いて送りましたから教えてください。おばさんはおしえてくれません。

とてもいぢわるでいやです。だから時々さみしくなって帰りたくなります。をぢさんもはぢめはいいと思ったけれども今はとてもいやです。夜など私たちを早く寝かせて私たちの悪口をいひながらおいしい果物などをたべてゐます。さうゆう時はさみしくなって涙が出て来ます。お弁当でもいつでもあのお弁当箱に少ししか入れてくれないからおなかがペコペコです。おかずでも私たちにはくれません。今日はとてもいいお天気ですが、とても寒いです。この間の試けんをいっしょに入れておいたから見てください。これから寒くなりますからお体を大切に

さようなら

十一月十八日

みどりより

お父様お母様へ

「あなた、明日にでもみどりと晴子を迎えに行ってきます」

手紙を読み終えた花子は、儆三に告げた。

「これから空襲が来るという時に何を馬鹿《ばか》なことを言ってるんだ。母親はどんなに寂しくても耐えなければいけない、今は子供の命が第一だと言っていたのは君じゃないか」

「でも、この手紙をご覧になって。あまりに不憫《ふびん》なんです。いよいよ空襲となれば地方だって安全かどうかはわかりませんもの。親戚といったって、自分たちの身が危険になれば、みどりや晴子どころじゃなくなるんですよ」

　手紙を読んだ儆三は首をかしげた。

「それでも田舎のほうがずっと安全だよ。子供の言うことじゃないか。みどりは寂しくなって、少しわがままが出たのかもしれないよ」

　花子は夫の説得も聞き入れる気にならなかった。もし、両親が死んだ後にみどりだけが生き残ったらどうなるのだろうか、という不安に苛《さいな》まれた。やっぱり家族は遠く離れるべきではない。花子は晴子の母親である妹の梅子を味方につけ、儆三や梅子の夫、巖が止めるのも聞かず、甲府までふたりを迎えに行った。

　突然の来訪に驚いたのは甲府の親戚である。悪びれた様子もなく、

「大変な中をわざわざ来たんだから、ゆっくりしていって」

と言うのを、なんとか障《さわ》りのないように礼を言って早々に引上げ、その晩は母子《おやこ》四人で甲府市内の竹屋という旅館に泊まり、翌日、揃《そろ》って帰宅した。

　皮肉なことに、まるで空襲に遭うために帰ってきたかのように、花子がみどりと晴子を連れ戻した翌日の11月24日から、初空襲以来2年半ぶりに、東京空襲が始まる。

けたたましく警報サイレンが鳴り響き、直後に空襲警報が聞こえ、80機ものB29が編隊を組んで来襲した。防空頭巾《ずきん》をかぶり、ガス栓を止め、水槽やバケツに水を貯《た》める。

「みどり、早く！」

花子は叫ぶと、みどりの手を引っぱって、もう一方の手で書きかけの原稿用紙と原書とを包んだ風呂敷《ふろしき》を抱え、防空壕《ぼうくうごう》に飛び込んだ。

多摩の軍需工場とその付近が攻撃され、品川、荏原《えばら》、杉並にも焼夷弾《しょういだん》が落とされた。今までの戦争は、敵国を戦場としていた。日本の本土が戦場となり、生命《いのち》を奪われる危険にさらされたことなど一度もなかった。この日、東京中の人々は、初めて戦争の恐怖を身を以《もっ》て知ったのである。

それから、2〜3日に1度という割合でB29が襲ってきた。いつ、自分の住んでいる町に来るか知れない。空襲のあった次の日には必ず偵察機が被害状況を調べに来るので、警報サイレンは連日、白昼から鳴り響いた。

今にして思い返すと、戦禍の中にうめきながらむやみと威勢のいいことばかり聞かされていた国民は、結局、その中で唯《ただ》一つの『まこと』を親子夫婦兄姉弟妹が寄りあい、すがり合い、かばい合って行くことのみに感じていたのではないだろうか。

（『悔いなき結婚のために』より「小学生の母」）

敵機も東京上空で高射砲隊や本土防衛特攻隊の体当たりによって撃墜され、アメリカ兵も命を落としていた。

都内の人々をさらに恐怖に陥《おとしい》れたのは翌年1月27日の都心の爆撃である。午後2時、有楽町駅ではホームに電車が着いたところに爆弾が落下して100名以上の乗客が死に、泰明小学校、帝国ホテル、朝日新聞社や日劇もやられ、死傷者1451名を出した。この日は、空襲の最中に、誤って警報解除のサイレンが鳴ったことも被害を大きくした要因のひとつで、軍に対する不平の種となった。

2月22日には、130機のB29のほかに、空母から艦上機600機が昭和11年（1936）の2・26事件の日以来の大雪に埋まる東京を無差別爆撃した。下谷、浅草、麹町《こうじまち》、赤坂、深川、葛飾《かつしか》、江戸川、城東、荒川が爆撃に遭う。死傷者627名、被災家屋約2万戸余り。

そして、3月10日の東京大空襲では、午前零時、深川そして隅田川と荒川に囲まれた下町一帯を焼き尽くし、さらに、その外へと標的を広げていった。低空飛行による2時間半にわたる焼夷弾の投下は、折からの強風にあおられて大火災を発生し、死傷者12万4711名、被害家屋26万8458戸に及んだ。

涙の終戦

それからも小刻みの空襲があった。葉桜の残る4月13日から14日にかけて、170機の編隊により、深夜23時から4時間にわたる空襲で、芝、新宿、中野、王子、四谷、麹町が焼かれた。

この日は3月10日に劣らない大空襲で被害家屋は21万戸余りにのぼり、死者2459人を出した。規模のわりに死者が少なかったのは、風がなく、東京大空襲の教訓で人々がバケツリレーをやめて避難したからであった。

大森が初めてB29の標的になったのは15日であった。花子の家のある一画は幸運にも焼け残った。しかし、家を失った人々のことを思うと手放しでは喜べなかった。いつ、自分たちも失うか、わからないのである。婦人会の人々は罹災《りさい》者のために炊《た》き出しを行い、毛布を集め、孤児となった子供の世話をした。

5月24日、午前1時半、花子が『アン・オブ・グリン・ゲイブルス』の訳文を推敲《すいこう》していると、警報サイレンが鳴った。そろそろ来る予感はしていたのである。ペンを置いて立ち上がろうとした、ちょうどその瞬間、破壊音と共に家が烈《はげ》しく震動した。屋根を突き破り、焼夷弾が床の間つきの部屋に落ちたのである。みどりと儆三が寝ている部屋の隣だった。焼夷弾は庭の池にも落ちていた。幸い火が出なかったので、花子と儆三とみどりとふみは、しばらく壕に避難した。近所で火が出たという合図があり、再び飛び出してみると、焼夷弾が直撃した家のうち2軒が全焼していた。この日は250機のB29が荏原、目黒、大森、品川を攻撃した。明け方近く家に戻ると、焼夷弾の落ちた部屋は、近所近辺から見通しの良い、あばら家のように崩れ、トイレも壊れ、油の臭《にお》いが充満していた。廻ってきた警防団が焼夷弾の撤去のために、床の間の土を掘り返した。そこには、常時置かれていた儆三の愛用品である象牙《ぞうげ》の麻雀《マージャン》パイが黒焦《くろこ》げになって散らばっていた。

「どうやら、火が出た瞬間に、崩れ落ちた土壁が覆《おお》い被《かぶ》さって見事に火を消し止めてくれたんだね」

警防団のひとりが言った。蔵書は灰となる危機を免れた。花子と儆三は、こんなこともあるのだと呆然《ぼうぜん》と感心しながら、身代わりになってくれたパイを丁寧に拾い集めた。もし、火が出ていたらどうなっていただろうと思うと、花子は背中に悪寒《おかん》が走った。

翌25日には銀座の松屋、三越、読売新聞社も焼け、淀橋《よどばし》、小石川、中野、牛込、渋谷、芝、赤坂などの各区が大部分灰となった。これが東京最後の大空襲となる。

ようやく少しは家の中の泥が洗われた29日の朝、横浜方面の爆撃の余波で、飛んできた1機のB29が、気まぐれのように花子の家の庭に焼夷弾を落として行った。花子はその時、庭に面した書斎で机に向かっていた。けたたましい音と共に、土砂が雨のように降りかかってきた。

「奥さま、奥さま、怪我《けが》をしちゃつまりません、伏せて、伏せて！」

飛び込んで来たふみが叫んだ。3つ数えて、起き上がり、庭に飛び出てバケツの水をかけ始めた。焼夷弾の火力は強くはなかったが、ぼそぼそと庭中に狐火《きつねび》のように燃え広がった。沈丁花《じんちょうげ》に燃え移り、葉が一瞬にしてぼうっと音を出して燃えた。縁の下に、火をもぐりこませないよう、儆三とみどり、そして近所の人たちも駆けつけ、靴のまま風呂場《ふろば》と庭を何十往復もして、ようやく火を消し止めた。

東京を焼き尽くしたB29は、その後、地方都市の爆撃を続けて行く。みどりと晴子が疎開《そかい》していた山梨県の親戚の家は空襲に遭い、家族は焼け出された。終戦後、それを知った花子は、自分の一存で娘と姪を危険な目に遭わせてしまったことへの後悔から、少し解放された。

6月23日、沖縄戦で日本軍壊滅。

8月6日、広島に原子爆弾投下。次いで9日、長崎に投下。

そして8月15日、敗戦——。ラジオで天皇の玉音放送を聞いた花子は、儆三とみどりと共に滂沱《ぼうだ》の涙を抑えられなかった。戦争が終わったという喜びはわいてこなかった。家族は友人は、無事なのだろうか。

ひと月後に届いた知らせは花子を打ちのめした。燁子が真に愛した宮崎龍介《りゅうすけ》との間に宿し、立派に成長した長男、香織は学徒出陣して陸軍に入隊し、鹿児島県串木野《くしきの》でアメリカ軍の空からの攻撃を受け戦死。それも、終戦のたった4日前の8月11日に。

夜をこめて板戸をたたくは風ばかり　おどろかしてよ吾子《あこ》のかへると

長男戦死の知らせを受けた燁子の歌にこもる慟哭《どうこく》は果てしない。苦しさは察するにあまりある。

日本中が痛手を負っていた。戦時下で花子を支え続けていたのは、家族と、ミス・ショーから託された『アン・オブ・グリン・ゲイブルス』の翻訳だった。

いま曲り角にきたのよ。曲り角をまがったさきになにがあるのかは、わからないの。でも、きっといちばんよいものにちがいないと思うの。

アンの言葉に励まされ、きっと、平和な日が訪れると信じて翻訳を仕上げた。空襲で家族を失った子供たち、愛するわが子に会えなくなった親たち、殺伐とした風景をさ迷う人々にこの物語を届けたかった。しかし、ミス・ショーとの約束を果たせる日が本当に訪れるのかは、わからなかった。

ただ、花子の書斎の机の上には、『アン・オブ・グリン・ゲイブルス』の原書と、出版のあてもない700枚余りの翻訳原稿が積み上がっていた。

大正10年（1921）頃撮影。花子に『アン・オブ・グリン・ゲイブルス』を託した宣教師ミス・ショー Miss Loretta Leonard Shaw（右）。大阪のプール学院にて同僚と着物を楽しむ。（提供・プール学院資料室）

昭和18年（1943）８月30日、吉屋信子邸に集まった作家たち。前列左から、真杉静枝、林芙美子、中国から来日した関露、吉屋信子、窪川（佐多）稲子、宇野千代、阿部（三宅）艶子、後列左から村岡花子、井上まつ子、円地文子、通訳。A

昭和18年（1943）４月、九段の軍人会館にもんぺ姿で集まった作家たち。左から横山美智子、岡田禎子、真杉静枝、円地文子、壺井栄、吉屋信子、村岡花子。（提供・神奈川近代文学館）

第9章　『赤毛のアン』ついに刊行

昭和21〜27年（1946〜52、53〜59歳）

ポーシャのように

終戦直後、花子は母校を訪れ、焦土と化した麻布鳥居坂一帯の丘の上にたったひとつ、青い空に向かって建っている母校を見て、感涙を抑えられなかった。ＧＨＱ（連合国軍総司令部）の指令により、戦時中に校内に掲げられていた御真影と日の丸の旗は直ちに降ろされた。

翌昭和21年（１９４６）から、学校復興の準備で、カナダ人婦人宣教師らが次々と帰ってきた。彼女たちが、まず第一に始めたのは、空襲によって焼失した山梨英和と静岡英和の復興である。

真っ先に戻ってきた中のひとりに、戦中、敵国人として神奈川の外国人収容所に拘置されたミス・コーテスがいた。ミス・コーテスは昭和18年（１９４３）９月、拘置されたその月のうちに最後の交換連絡船に乗ってカナダに帰国していた。

花子はミス・コーテスとの再会を喜び、昭和17年（１９４２）にカナダに帰国したミス・ハミルトンが、故郷プリンス・エドワード島に帰らず、戦時中を通して日本人収容所に拘留されている日本人の世話にあたった、と聞いた。母校に携わっていた他の婦人宣教師たちも、皆、片時も日本の少女たちのことを忘れず、日々、教会で祈りを捧《ささ》げていたという。

また、ミス・ブラックモアが、日本とカナダ間の敵対関係を悲しみながら、昭和17年、故人となったという知らせは、花子を深い悲しみの淵《ふち》に沈めた。

昭和22年（1947）4月、新学制開始と共に、みどりは東洋英和女学院（戦後、東洋英和女学校から改名）の中学部3年に編入学し、セーラー服姿で学校に通っていた。

花子がいた頃とは変わって、生徒は自宅から、お弁当を持って通学するようになった。お弁当作りはお手伝いのふみに任せていたのだが、編入して1ヶ月もしないうちに、みどりは自分で詰めると言い出した。

「ふみちゃんのお弁当、美的じゃないんですもの」

戦後の食糧難と物資不足はまだ続いていた。配給だけでは満足なおかずは揃《そろ》わない、闇市《やみいち》では物価が高騰《こうとう》。「仕方ないじゃないの」と花子が言うと、それにしてもセンスがないから恥ずかしい、と応《こた》える。以来、みどりは早起きして、自分でお弁当を詰めていた。

「お弁当の蓋《ふた》を開けたらね、お友だちが、『まあ、そのお弁当、村岡花子さんがお作りになったの？』って聞くから、私は『ええ、そうよ』って答えといてあげたわ。お母様は、家事と仕事を両立している女性、ということになっていますからね」

「まあ、ありがたいこと」

花子は、笑いながらも内心、頭が下がる。

実のところ、娘に気がひけるほど、花子は忙しかった。

戦時中に結成された文学報国会はポツダム宣言受諾後の9月20日に解散となった。それに伴って女流文学部も解散したが、すぐに、吉屋信子《よしやのぶこ》を中心に、戦前の女流文学者会の再スタートが決まった。殺伐とした日々をくぐり抜け、また、自由に書ける時代がやってきた。ともに、その喜びを分かちあった。

花子のもとには昭和20年（1945）の秋から、入れ替わり立ち替わり編集者たちが訪れた。再会を喜び合う者もいれば、初めて会う者もいた。皆、戦災に遭わなかった花子の本棚を食い入るように眺めた。多くの作家や研究者が、戦災で命の次に大切な蔵書を失った。

花子が戦前に書いた童話や翻訳作品の抄訳が、次々に再編されて復刻する。21年

（1946）、戦前に翻訳を脱稿していたストウの『アンクル・トムズ・ケビン』を『奴隷《どれい》トム物語』として出版。また、少女小説『春の歌』や随筆『新日本の女性に贈る』を書き下ろした。紙は、きめの粗い仙花紙[96]で、貧相な装丁ではあったが。

戦時中よりも食糧難が深刻化し、何よりも食べることが第一という状況の中でも、人々は夢を求め、本を求めていた。

昭和21年の正月早々、花子は4夜連続で特別に企画された子供向けラジオ番組に出演した。「子供の新聞」を止《や》めて以来、マイクの前から子供たちに語りかけるのは実に5年ぶりだった。1日目が終わると早速、花子の声を懐《なつ》かしむ、たくさんの反響があった。

「ぼくはもう大学生です。久しぶりに懐かしいお声を聞いて、遠くから親類のおばさんが訪ねてきてくれたようで嬉《うれ》しかった」

成長した「子供の新聞」世代の子供たちから「親類のおばさん」と呼ばれるのは嬉しかった。

この年に被爆地、広島の教師たちが立ち上がり、傷ついた子供たちに楽しく、勉強の手引きになるような読み物を提供するために、タブロイド版2面の児童教育雑誌

『ぎんのすず』(低学年用)と『銀の鈴』(高学年用)を発行。その後、広島図書に発行が引き継がれ、18ページの月刊雑誌となって、7年間、広島から全国の子供たちへ発信される。花子も童話を書き下ろし、寄稿した。

戦前、花子が日本のオルコットやバーネットになる人としてその将来を嘱望した松田瓊子は、処女出版から3年後の昭和15年(1940)、23歳で夭折《ようせつ》。翌年に出版された『紫苑《しおん》の園』には、天賦《てんぷ》の才と愛される資質に恵まれながら、花開く寸前に散った瓊子を悼《いた》む花子の序文と、胡堂と夫、智雄の跋《ばつ》が添えられている。続いて『ちいさき碧』、『サフランの歌』も刊行。これら瓊子の魂とも言える作品は、吉屋信子の少女小説や、雑誌『少女の友』と同様、戦時中の少女たちの夢や憧《あこが》れを繋《つな》ぎ、多くの少女たちが、この宝物を防空壕に運んで守った。

昭和22年(1947)、画家の中原淳一がひまわり社を設立、前年に創刊された女性雑誌『それいゆ』に続き、少女雑誌『ひまわり』が創刊。吉屋信子の巻頭の言葉に加え、花子の随筆が掲載された。瓊子の遺稿『人形の歌』も連載が始まる。ひまわりらいぶらり文庫からは、愛読者たちからの熱望に応《こた》えるかたちで中原淳一装丁画による瓊子の作品が次々に復刊、刊行された。

戦後の世相は混乱していた。一部の日本人の間でGHQに日本人を密告することが横行。花子たちが長年親しくしていた夫妻も標的にされ、ある日の夕方、夫人が花子の家を訪ねてきた。

「夫が闇で儲《もう》けているのを密告されたんです。どかどかと家宅捜索隊に踏み込まれて、かなり摘発されまして……」

しかし、重大な問題とされたのは、闇物資よりも、海軍将校の装飾用の短剣だった。武器は厳禁だったので、夫は軍事裁判にかけられた。

「もちろん、闇をしたのは悪いんです。でも、短剣のほうが大罪だそうで、裁判次第でどうなるかわかりません。噂《うわさ》によると、沖縄へ送られて重労働だとか……。弁護士を頼みましたが全然、英語が話せません。裁判官の通訳の二世がまたこちらの言うことが分かっているのか、あやしげです。主人はもう観念していますが、答弁らしい答弁もしないで罰せられるのは残念だと言っています。短剣は孫の初節句のために買っただけでしたから……。本当に厚かましいお願いなんですけれど、明日最後の裁判があるので、あなたに出ていただけると……」

後は涙で言葉にならなかった。

花子も儆三《けいぞう》もしばらく黙っていたが、にわかに儆三が、

「その短剣は刃が立ててありましたか？」

と、聞いた。夫人は、

「さあ……多分、立ててなかったと思います。没収されてしまったので確かめられませんが……。本当にただの装飾品に、と思っていたんですもの」

と哀願するように言った。

「装飾品なら、恐らく立ててないでしょうね」

儆三はうなずいた。

「それなら、武器ではありませんね。日本には、研《と》ぎ師という仕事もあります。刃物の目を立てて、本当に切れるようにして、初めて刃物としての役をするわけですから。つまり、お宅の刀は、眠れる武器です。攻撃しようと思えば、何でも武器になります。万年筆だって、女のかんざしだって。しかし、そういうものを武器とは言いますまい」

そして、儆三はおもむろに花子のほうに向き直った。

「だからね、君は明日この論法で行くんだ。まだ武器とはいえない、装飾品であるとね。無理かもしれないけれど、やるだけやってみるんだね」

花子は覚悟を決め、翌朝、友人夫妻とその娘と弁護士の一行と共に、「アメリカ軍事裁判所」の看板がかかげられている品川警察署に出かけていった。控え所は、他にも取り調べを待っている人々で込み合っていた。やがて、花子たちは法廷に呼び出され、形式的な訊問《じんもん》があった。

その後に、花子は儆三から伝授された「眠れる武器（Sleeping armour）」の論理を、英語で朗々と弁じたのである。

いよいよ判決となり、全員起立の中、闇物資の件は厳しく咎《とが》められ、罰金1万円。短剣については情状酌量の上、宣告猶予《ゆうよ》。「執行猶予」というのは知っていたが「宣告猶予」というのは、この時初めて聞く言葉だった。ともかく、アメリカ人の裁判長は「眠れる武器」の弁論を認めた。

花子が内心、ほっと胸を撫《な》で下ろしていると、裁判長が英語で花子に向かって尋ねた。

「あなたは弁護士か？」

「いいえ、法律の知識はございません」

花子は毅然《きぜん》として答えた。進駐軍のアメリカ兵に擦り寄る女性も一部にはいるが、大半を占める日本の女性は誇り高く良識がある、とアメリカ人に示さなくては、という気負いがあった。

花子の答えに、裁判長は、宣告の時とは別人のようなおどけた表情でおおげさに驚いて見せた。一行が礼をしてその場を退場しようとした時、またしても裁判長は花子に声をかけた。

「あなたはまるでポーシャみたいだ。ポーシャを知っているか」

ポーシャとはシェイクスピア喜劇『ヴェニスの商人』の中で、夫の親友を助けるために男装して法廷に立ち、縦横な機知で、悪だくみをする商人シャイロックに勝った人物。

花子は裁判長と顔を見合わせて微笑をかわした。文学の薫るひとことで、肩肘《かたひじ》張って強張《こわば》った心が解けていくようだった。

敗戦により、アメリカに占領された日本の民主化は、猛スピードで進められていった。

婦人参政権は、終戦の年に実現する。市川房枝《ふさえ》は戦後10日目に、久布白落実《くぶしろおちみ》や山高しげりと共に戦後対策婦人委員会を組織し、日本政府や各政党に婦人参政権を要求したのだが、日本政府がもたもたしている間に、GHQのお達しで決まってしまった。

しかし、花子はこれを「アメリカからの頂き物」とは思わない。明治・大正・昭和と3世代に受けつがれてきた女性達のたゆまぬ努力によって得るべくして得た、と信じたかった。実現を見ずに亡《な》くなった先輩や、これからの若い人達のためにも。
また、婦人矯風会《きょうふうかい》が訴え続けていた公娼《こうしょう》制度廃止令も、昭和21年（1946）にGHQから出された。

民主化政策の一環として、戦前から戦時中に指導的立場にあった人々に公職追放令が出される。昭和22年（1947）、市川房枝も対象となった。しかし、房枝が何のために、誰のために闘い続けてきたかを、同性たちがよく知っていた。房枝の追放解除請願を求める17万人もの署名が集まり、GHQと日本政府に提出される。

房枝は、昭和25年（1950）に追放解除となり、日本婦人有権者同盟の会長に就任。その後、昭和28年（1953）から、3期連続で参議院議員に当選する。

戦時中は外務次官だった、花子の初恋の人、澤田廉三も昭和23年（1948）に公職を追放されるが、彼はその1ヶ月後に、三菱《みつびし》財閥の創設者、岩崎弥太郎《やたろう》の孫である妻、美喜と共に、神奈川県の大磯《おおいそ》町に混血の孤児を養育するための施設、[97]エリザベス・サンダース・ホームを設立する。世間は戦争で両親を失った日本人孤児には同情を示しても、アメリカ兵と日本女性の間に生まれ、捨てられた混血孤児に対しては冷たかった。施設の混血児たちは、偏見のため大磯の海岸で泳ぐことは許されず、澤田は故郷の鳥取県浦富《うらどめ》海岸を管理する役所に嘆願し、子どもたちを引き連れ、夏はここで遊ばせた。

たびたび、エリザベス・サンダース・ホームを訪れた花子は、澤田美喜の正義感の強い、熱い血潮に触れた。澤田と花子は、夫婦ぐるみの親交を深めていく。

澤田は昭和28年に復職すると、特命全権大使に任命される。国連の会議に出ても、敗戦国の日本は、意見を述べる機会も、投票権もないという苦境に耐えながら、澤田は日本の国連加盟に尽力する。


大森の家では敷地内の借家に、妹・梅子の家族と、義弟・昇の家族が住んでいたが、戦後、花子は弟・健次郎一家も、ここに呼び寄せた。健次郎は戦争で家を焼かれた上に、終戦直後、21歳の長男を結核で亡くしていた。長男の下には長女のマリ子がいて、兄を失った悲しみに沈むマリ子を、花子は何日か自分のベッドに寝かせて慰めた。戦後の混乱期には、きょうだい、親族が肩を寄せ合い、支え合って生活する姿が日本のあちらこちらにあった。

戦時中にひどく紙に不自由したせいか、花子は書き損じの原稿用紙を捨てられなかった。1〜2行書いては反故《ほご》にするのも度々なのだが、反故紙を捨てられず、丁寧にその1〜2行を切り捨て、残った紙をまたほかの原稿の書き損なった箇所へ貼《は》ってその上に書くという面倒をあえてする。そうして書き終えた原稿をコヨリで綴《と》じるのだが、このコヨリも花子には大事でたまらなかった。

コヨリには父の思い出がある。父の本来の稼業《かぎょう》は茶商で、茶袋を閉じるのに使われるのがコヨリである。品川に住んでいた子供時代、コヨリだけはいつも家に豊富にあった。父が商売をやめてからは、花子はコヨリを家の近くの茶商からわけてもらったり、反故紙を裂いて自分でよったりしていた。仕事がはかどらない手持ち無沙汰《ぶさた》の時には、コヨリ作りはちょうど良い作業だった。

父、安中逸平は、戦中を妻と共に、四女・雪の静岡県の嫁ぎ先で過ごし、生まれ故郷でもあるその地で昭和22年（1947）死去した。享年《きょうねん》88。

商売そっちのけで読書を愛し、思想を求め、自身の妻や子供たちの生活を犠牲にした父。花子にしてみれば、決して人に自慢できるような理想的な父ではなかった。

父の死から数ヶ月後、花子たちきょうだいを驚かした来訪者があった。幼い頃に他人に預けられ、そのまま音信不通となっていた花子の6歳下の弟、安中家の長男、庄三郎が、突然、花子の家を訪ねてきたのである。どこでどういう暮らしをしてきたのか、戦中、男たちが巻いていたようなゲートル[98]姿のまま、親族にも脅威を与えるほどに、ひどくすさんだ様子をしていた。花子は家族と相談して、庄三郎のためにパン工場の職人の仕事をみつけたが、庄三郎は新しい生活には馴染《なじ》めず、酒がないと大声で怒鳴り散らし暴れた。そして、姿が見えなくなったと思ったら、出先で消毒用のエチル・アルコールを飲み、行き倒れのように死んでいた。

この哀れな庄三郎の死は、花子たちを落ち込ませた。めっきり年老いた母には、庄三郎が現れたことさえも、知らせるのは憚《はばか》られた。長男でありながら全く父に顧みられず、おそらく行く先々でも愛情を受けられず、薄倖《はっこう》な人生を歩まざるを得なかった彼こそ、父の犠牲者である。

だが、父もまた、時代の犠牲者なのかもしれなかった。並外れた好奇心と向学心を備えながら、貧しいために教育を受けられず、さまざまな活動をした結果、親の代より貧しい暮らしから脱け出せなかった。社会を改革してより良い未来を目指す、という理想を打ち砕かれた大逆事件から37年間、世捨て人のように暮らした。晩年は、子供たちに対する呵責《かしやく》を感じただろうか。戦中の生活も老身には厳しかったに違いない。

『原敬関係文書　第八巻』に、安中逸平についてのわずかな記録が標《しる》されている。「北品川に住んでいる染物業で社会主義者のＫ氏と交際し　その結果社会主義となるとも学問の素養なく　その言動に見るべきものなし　社会主義に雷同するにすぎず……」

当時の政府からすれば、一分子にすぎない逸平の主張など取るに足りないものであった。しかし、父の見た教育の機会均等という夢が、花子の人生に学問の道をつけてくれたのだ。父が若き日に追いかけた理想は、花子の血肉となっている。弟の死も無駄にはしたくなかった。

花子は文部省の嘱託となり、全《すべ》ての子供に将来の可能性が開けるよう、教育改革に積極的に取り組んだ。

また、戦後の改正民法法案成立に向けて、さまざまな委員会に招かれ意見を聞かれた。そういった席では封建的な家族制度の廃止と、妻と夫が互いに尊重し合い財産を共有し、協力して子供を育て上げるという、民主的な新しい家庭の必要性を主張した。

運命の本

家族と共に戦火をくぐり抜けた『アン・オブ・グリン・ゲイブルス』の原稿は風呂《ふろ》敷《しき》に包まれ、書斎に置かれたままだった。生活が安定してくるにつれ、人々の西洋的な生活への憧《あこが》れは強まった。その志向は出版界にも反映され、新しい翻訳文学を求めて多くの編集者が訪れた。

しかし『アン・オブ・グリン・ゲイブルス』はだめだった。カナダのルーシー・モード・モンゴメリなんて、聞いたこともない作家には見向きもしない。特に児童文学や家庭文学では、出せば必ず一定部数は売れる有名な作品、例えば『若草物語』『小公子』、『小公女』『クオレ物語』などを、新たにアレンジしては出すという保守的傾向から抜け出せずにいた。

昭和25年（1950）、GHQが紙の配給制を撤廃し、出版界は自由競争となったが、資金と紙の調達が困難なため、出版社の状況はむしろ配給制のときより厳しくなった。復興を目指す各社の編集者は、新しい作品に挑戦したくても許されない、という事情もあり、花子がアンの本について話しても良い返事が返ってくることはなかったのだ。

翌26年（1951）のある日、三笠《みかさ》書房の小池喜孝《よしたか》という編集者が訪ねてきた。小池は、戦前戦中を通じて、熱心な小学校教師だった。一方、独学で歴史や社会科の研究をしていたが、GHQから占領軍政策反対者を教育事業から排除するよう命令（いわゆる教育追放令）が下ると、昭和23年（1948）、教壇を追われた。公職追放令が解除されたこの年、三笠書房の編集者となった。三笠書房は自らもA・J・クローニンの翻訳で知られる竹内道之助が、妻の富子と共に昭和8年（1933）に創立した翻訳文学の出版社だった。『ドストイエフスキイ全集』『ヘルマン・ヘッセ全集』など、多くの文芸作品を出し、昭和12年（1937）にも、M・ミッチェル著『風と共に去りぬ』（大久保康雄《おおくぼやすお》訳）を刊行。

昭和15年（1940）頃には、軍国色が濃くなり、花子がそれ以前に翻訳出版した『王子と乞食《こじき》』や『パレアナの成長』『スウ姉さん』『母の肖像』なども、敵性文学という理由で風当たりが強くなっていった時期である。『風と共に去りぬ』も時勢を免れず、やがて日本は太平洋戦争へと突入した。

三笠書房の創設者、竹内は戦後、会社を再興して昭和23年に『風と共に去りぬ』を復刊した。南北戦争を背景に逞《たくま》しく生きぬく主人公スカーレット・オハラの姿は、たちまち戦後の日本人の心をつかみ、アメリカ文化への憧憬《しょうけい》も重なって大ベストセラーとなる。翻訳文学としては今までにないほど、多くの女性読者をつかんだ。

花子も原書と大久保康雄訳の両方で読んでいる。

「竹内社長は、女性読者を視野に入れています。それで村岡先生のところに参ったわけです。『風と共に去りぬ』に続くような、何か新しい作品を刊行できればと思いまして……。何か、ございませんか」

竹内を信奉する編集者、小池は言った。三笠書房は「新しさ」を求めていた。原作の出版から間もない新作を積極的に翻訳出版するのが、会社が今後めざしていく方向だった。

『アン・オブ・グリン・ゲイブルス』は決して新しくはない。原作が出版されたのは明治41年（1908）、花子が15歳の頃で、40年以上前の作品である。それに『風と共に去りぬ』のような強烈なドラマもない。孤児の少女アンの成長する過程に沿って、日常が綴《つづ》られている平凡な物語だ。しかし、ありふれた日常を、輝きに変える言葉がちりばめられたこの小説は、花子に言わせると、「非凡に通じる、洗練された平凡」なのだが――。

「ありませんよ」

と、花子は素気なく答えた。

「そうですか」

小池はそう答えて、残念そうに帰った。

その後も小池はちょくちょく訪ねてきては、世間話をするようになった。特にこれからの子供の教育については小池は一家言あった。

そんな交流が続いて半年ほどたった同じ年の冬、書斎で紅茶を飲みながら、小池は花子に質問を投げかけた。

「先生はクリスチャンですね」

「ええ、まあそうだけど。どうして？」

「いえ、あそこにあんなにバイブルが並んでいるから……」

　と言って、小池は花子の本棚を指した。その一角には福音印刷の日本語版と英語版の聖書や讃美歌集《さんびか》がずらりと並んでいた。

「ああ、これね」

「やっぱり、英米文学を深く理解するには聖書の知識が必要でしょうか」

　小池は聖書を読んだことがなかった。

「そりゃあ、東洋の芸術を理解するのに、仏教の知識が必要なようにね。聖書は西洋人の思考や生活の全ての基盤になっているものだから、英米文学を研究する人には絶対不可欠ですよ。信仰するかしないかは別として、やはり読んでおくべきでしょうね。旧約聖書の『箴言《しんげん》』や『詩篇』なんて美しいのよ。若い頃、英語でずいぶん暗誦《あんしょう》したわ。今でもそっくり言えるのよ」

　花子は『詩篇』の一部をすらすらと英語で暗誦した。

「先生は英語を、どちらで、どうやって学ばれたんですか？」

「女学校よ。カナダ人宣教師が創設した学校の寄宿舎に入っていたの」

「ミッション・スクールですね」

「そう。とにかく、私は、英語さえできればいいと思っていたのよ。今、思うと、と

って も偏《かたよ》ってたわ。その頃は書籍室にある洋書を、片っぱしから読み漁《あさ》ったの。17歳の時に、その書籍室が改築されて大きくなったんだけれど、カナダ人の先生から『花子が全部読み尽してしまったから大きくした』なんて言われたのよ。もちろん、冗談でしょうけれどね」

「ここにある本も、全部お読みになったんですか？」

小池は、本棚の洋書の背表紙をひとつひとつ目で追いながら、尋ねた。

「そうねえ。女学校時代に外国人の先生に頂いたり、自分が好きで集めたり……。あなたがほしいような新しいものではないわよ」

小池はちょっといいですか、と立ち上がり、その中から一冊を手に取った。山梨英和に赴任中の花子が、ミス・ブラックモアから贈られたルイス・キャロルの『鏡の国のアリス』だった。

『フランダースの犬』、『ニュールンベルクのストーヴ』『クリスマス・カロル』など、美しい挿絵の入っている原書を小池は一冊ずつ手にとった。重厚な装丁の、テニスンの詩集『イン・メモリアム』を手に取った時、絹のように薄い懐紙に包まれた三色すみれの押し花が挟んであるページが開いて、そこには、若き日の花子の情熱ほとばしる書き込みが残っていた。

「綺麗《きれい》な本ですね」

小池は溜息《ためいき》まじりに言った。

ふと花子は、かつて聞いた言葉を思い出した。

「イギリスに負けないくらい美しい本を作るんだ」

そう願って印刷・製本業に取り組むさなかに、震災により命を絶たれた義弟、村岡斎《ひとし》。関東大震災は、もう遥《はる》か昔に思われた。空襲によって出版界が受けた痛手は、震災のとき以上に大きい。そして、戦後立ち上がった出版社は、今、生き残りをかけていた。

「ねえ、実は、あるのよ」

ためらいながら、花子は切り出した。

「小池さん、実は私、訳したものを持っているの」

小池は驚いて顔を上げ、黙ったまま花子の顔を見つめた。

「ただね、あなたが欲しがっているような新しいものではないの」

花子は、本棚のガラス戸を開けて、ミス・ショーから贈られた『アン・オブ・グリン・ゲイブルス』と、風呂敷包みに包まれた原稿を取り出し、テーブルの上に置いた。

いのよ」

「これですけれど」

「拝見いたしましょう」

「原作が書かれたのは1908年ですから43年も前のものよ。日本で全く知られていない作家の作品を出すなんて冒険は、あなたのところじゃなさらないわよね？　売れるか売れないかわかりませんものね。でも、アメリカやカナダでは本当に愛読者が多いのよ」

花子は奥付を見せた。1908年の6月が初刊で、その後、毎月のように版をかさね、目の前の本は12月に出た第7版である。

「ああ、確かに」

小池は目を細めて奥付を読んだ。

花子はこの原書を手にしたいきさつを話し、さらに、最初のページの端に小さく記されているミス・ショーのサインを見せた。そして戦中にどんな思いでこの本を翻訳したかを語り、この本が自分にとって、いかに特別な意味を持っているかを伝えた。その間、小池は身動きひとつせずに真剣な表情で聞き入っていた。

「わかりました。いただきます。社長に話してみます」

「もし、竹内社長がだめだと言ったら、すぐ返してちょうだいね」

おそるおそる、花子は訳稿を手渡した。

「必ずうちで出すように私が取り計らいます」

小池は大事そうに風呂敷包みを胸に抱え、足早に帰っていった。

『赤毛のアン』誕生

花子は、祈るような気持ちで連絡を待った。数日後、意気揚々と小池がやって来た。

「竹内社長と相談しました。うちで出させていただきます」

花子は躍り上がらんばかりに喜んだ。ついにカナダの物語が日本で出版されるのだ。戦争中に家族で守った物語の刊行に、みどりも儆三も手を叩《たた》いて喜んだ。

訳稿は推敲《すいこう》を重ね、いよいよ出版という運びになると、問題となったのがタイトルだった。原題を直訳すると『緑の切妻屋根のアン』だが、切妻屋根といったところで、日本人には馴染みがない。花子は『夢見る少女』『窓辺の少女』『窓辺に倚《よ》る少女』など、いくつかのロマンティックなタイトルを考えていた。そして、さんざん話し合った挙句、花子が『窓辺に倚る少女』に決めて帰ってきた夜のことである。三笠書房の竹内社長から直々に電話がかかってきた。

「もしもし、あの、題名なんですが、小池が『赤毛のアン』はどうだろうと言うんですが、いかがでしょう」

「『赤毛のアン』？」

花子は気に入らなかった。あまりに直接的で「想像の余地」もない。ロマンティックなアンなら絶対に嫌がる。

「嫌です。『赤毛のアン』なんて絶対嫌です」

はっきり断り電話を切った。

夕食が済み、お茶を飲みながら花子は家族に『窓辺に倚る少女』に決めたと報告した。そして再び腹立たしげに言った。

「小池さんたらね、『赤毛のアン』ですってさ」

「『赤毛のアン』？」

二十歳になるみどりが聞き返した。

「そうなのよ。つまらない題でしょう？」

花子は、確信を持って言った。

「あら、そうかしら。『赤毛のアン』……。素晴らしいわ！　ダンゼン『赤毛のアン』になさいよ、お母様！　『赤毛のアン』、いい題よ。『窓辺に倚る少女』なんておかしくって！」

編集者の意見は一蹴《いっしゅう》してしまったのだが、思いがけないみどりの反対で、花子ははっと我に返った。

この物語を読むのは若い人たちなのだ。若い人の感覚の方が正しいのかもしれない。明日には印刷所に回ってしまうので、花子は慌《あわ》ててその場でまた社長を呼び出した。

「もしもし、先程は大変失礼を致しました。あのう、実は娘が『赤毛のアン』がいいと言って譲りませんの。若い人の感覚に任せることにしました。やっぱり『赤毛のアン』にします。どうぞよろしく！」


戦争で家族を失った悲しみ、殺伐とした風景の記憶は、まだ生々しく人々の心に残っているというのに、国内は、アメリカの軍事戦略に組み込まれ、再び、軍備が編成される気配があった。昭和25年（1950）6月には朝鮮戦争が起こり、日本国内では警察予備隊（後の自衛隊）が組織された。

長男、香織を戦争で失った柳原燁子《あきこ》は、国際悲母の会を立ち上げ、各地で平和を説いていた。


国境はもはや、不要のものだと思う。地球上の海も陸も、すべては全人類の共有財産であり、自然が与《あた》える無差な恵であり、一国や一民族の独占すべきものではない。全人類の生存と幸福を追求するためだといって、暴力に訴えることは、意味をなさない。それは平和的な手段によってのみ打開されるべきものである。先年の戦争で、日本にはたくさんの犠牲者がいる。これらにたいして、国はなんの救護もしていない。国民を偽って戦争にかりたてた政府が、このうえにまたも叛《はん》や再び人民を戦争に追いやろうとする。その結果として残るものは、混乱と、叛逆《ぎゃく》と、殺戮《さつりく》と、ついには滅亡だけであろう。

（『日本評論』昭和26年4月号「片隅からの言葉」柳原燁子）

昭和27年（1952）4月末、サンフランシスコ講和条約が発効しGHQが廃止されて、日本は独立国となったが、国民はとても独立祝賀気分ではなく、メーデーには「再軍備反対」「戦争反対」のプラカードを持ったデモが続き、警官とデモ隊が衝突する。

そんな社会背景の中、5月10日、初めての『赤毛のアン』は出版された。アンは、自由と夢と平和を求める日本の読者の前に、希望の象徴のように現れた。

赤い文字で「赤毛のアン」と書かれている表紙のカバーには、どうひいき目に見てもアンとは似つかない、金髪の、しかもとても深刻な顔をしている少女が描かれている。これは、花子が昭和10年頃から深く関わっていた雑誌『少女の友』の昭和15年2月号、名作画集の特集で紹介されたイギリスの画家、ラルフ・ピーコックの「エセル」と題された人物画だった。花子は少女たちのために希望をかけて取り組み、時代を共に歩んだこの雑誌から、そっと「エセル」を連れ出し、『赤毛のアン』の表紙に飾った。おそらく『少女の友』の愛読者世代がこの物語を手にすることだろう。苦難の時代を共にくぐり抜けたかつての少女たちへ愛をこめて。

とは言え、戦前に出した『王子と乞食』や『喜びの本』『母の肖像』に比べて、ずっと貧相な装丁だった。しかし、贅沢《ぜいたく》は言えなかった。何よりも出版することに、大きな喜びと意義があった。定価一冊２５０円。かけそば一杯13円の時代に、それは大変な値段なのだ。

花子は、発刊日前のできたてのこの本に「愛するみどりへ　母より」という言葉を記してみどりに贈った。

ミス・ショーは、花子に原書を手渡した翌年、祖国カナダで亡《な》くなり、花子との再会はかなわなかった。また、原作者ルーシー・モード・モンゴメリも、戦時中に亡くなっている。しかし、彼女たちの思いは花子に受けつがれ、『赤毛のアン』に結実した。花子は初版のあとがきで、次のように語っている。

（略）真昼の夢に包まれているようなアンの中には、航空機の時代になってもテレヴィジョンに親しみながらも失なわれない永遠から永遠につづく若い女性の清純さと、その清らかさが生むあこがれが呼吸しているのでしょう。

アメリカ合衆国の土に続いていながら、カナダの人々の性格は、アメリカ人ともイギリス人ともちがった意味での明るさと素朴さを特徴としているようです。日本人とカナダの婦人宣教師たちの協力によって創立された東洋英和女学院七十年の長い歴史の中の一つの時代に、あの学園で生活をした私は、英語をカナダ人の教師から学びました。西洋人との私の接触は学生時代から現在に至るまで主としてカナダ人を中心としてつづいて来ております。カナダ系の作家の作品を紹介したいという私の念願は、今日までに多くのカナダの教師たち友人たちから受けたあたたかい友情への感謝からも出発しております。我が国出版界の貧困の一つは健康な家庭文学の乏《とぼ》しさにある現在、若い世代の永遠の寵児《ちょうじ》ともいうべき「赤毛のアン」を世に送ることの出来るのに無上の喜びを感じながら、この訳業を麻布の丘の母校にこもる若き日のおもいでと、今そこに学びつつあるわが心の妹たちにささげます。

一九五二年の春　東京大森において

村岡花子

『赤毛のアン』は日本中の若い女性たちの心をつかみ、たちまちベストセラーとなった。それは、花子や出版社の想像を超えた反響だった。物質的には恵まれない時代だったが、アンの言葉によって、読者は想像する喜びを知り、主人公アンへの憧《あこが》れは、カナダ・プリンス・エドワード島への憧れにつながっていた。

花子のもとには、読者からたくさんの手紙が寄せられた。

「こんなに素晴らしい作品を私に与えてくれた村岡さん、私の腹心の友になってくださらないこと？」

中にはこのように微笑《ほほえ》ましい、訳文のアンの口調がうつっているものもあった。すぐに続編の翻訳出版の話を持って、小池がやって来た。

三笠書房は　昭和32年（１９５７）に『第五赤毛のアン（アンの幸福）』を出版した後、倒産。その後、再建したが、もうそこには日本の「赤毛のアン」誕生の立役者、小池の姿はなかった。教育への熱い思いを捨てきれず、昭和28年（１９５３）、彼は北海道北見北斗高校の社会科教師として赴任した。

「初めが偉いのよ。小池さんの眼識は大したものよ。小池さんのことは決して忘れないわ。きっとあの素晴らしく冴《さ》えたカンで生徒たちをよく指導していることでしょうよ」

花子は当時の三笠書房を知る人たちとしばしば歓談して、なつかしがった。

北見北斗高校での小池は、豊富な資料を駆使し、細かい文字がぎっしりと書き込まれたプリントを授業のたびに生徒たちに配るなど、熱心な歴史の先生としてたちまち本領を発揮した。授業のみならず、卓球部の顧問となり、自身も卓球に取り組みながら、卓球部を幾度も全道優勝に導いた。また、その生涯を、精力的な実地調査に基づく民衆史研究に捧《ささ》げ、『谷中から来た人たち　足尾鉱毒移民と田中正造』、『鎖塚――自由民権と囚人労働の記録』、『北海道の夜明け――常紋トンネルを掘る』、『平民社農場の人びと　明治社会主義者のロマンと生きざま』など、多数の本を著す。北海道開拓の犠牲になった労働者、アイヌやウィルタなどの少数民族、朝鮮人や中国人の強制労働者など、近代社会発展の影となった人々の歴史に光を当てた功績は大きい。

道雄文庫ライブラリー

『赤毛のアン』が出版された年の夏、大学が夏休みに入ったみどりの手を借りて、花子は大がかりな蔵書の整理にとりかかっていた。すると、隣に住む西川家の次男、小学校2年生の西川久之が、真っ黒に日に焼けた顔をひょっこり覗《のぞ》かせた。

「おばちゃん、何してるの？」

「あら、久之ちゃん、ごきげんよう。ご本がいっぱいになっちゃったからね、整理をしているのよ」

「ふうん。ほんと、いっぱいだねえー」

久之は近所でも有名なガキ大将。2つ違いのお兄ちゃん、誠司と二人兄弟、共にクリクリの坊主頭《ぼうずあたま》にランニングシャツという裸のような格好で、いつも近所じゅうを走り回っていた。隣の西川家からは、毎日のように兄弟喧嘩《げんか》と、ふたりを叱《しか》るお母さんの声が聞こえてきた。

しばらく花子とみどりの作業を見ていた久之が、ふと、思いついたように言った。

「おばちゃん、僕にも本、貸してよ」

「あんたはマンガでしょう？　うちにはマンガはないのよ」

花子はからかった。

「童話集はどう？　ためしに読んでみる？　面白いのよ」

久之は早速、嬉《うれ》しそうに泥だらけのズックを脱ぎ捨て、しばらくの間、本の山に埋もれ、まじめな顔で物色を続けていた。やがて、

「よし、これに決めた！」

と言って、かな文字で書かれた浜田廣介の『ひろすけ童話集』を持ち帰った。

あくる日の午後、まだ早い時間、

「おばちゃーん、これ返しに来たよ」

「あなたまさか、もう読んでしまったわけじゃないでしょう？」

「うん、字ばっかりだったけど面白かったよ。また、借りてもいい？」

目を輝かせて久之は答えた。そして、次なる一冊を選び取った。

「今度はお兄ちゃんも連れていらっしゃいよ」

花子が言うと、ちょっと首をかしげて、

「まぁ、考えてもいいよ。じゃあね」

と、本を小脇《こわき》に抱えて駆けていった。手を振って見送ったみどりが、声を弾ませて言った。

「ね、お母様。近所のお子さんたちのためにうちで子供図書館をやりましょうよ。うちにはお兄ちゃまの本や私がもう読まなくなった本がこんなにあるんですもの。並べ

ておくだけでは本が可哀想《かわいそう》よ。私がやるわ。ね、よかないこと？」

まだ、公立の児童図書館というものが日本にはなく、一般の家庭でも子供のための本が揃《そろ》っている家は少なかったのである。

「そうね！　本も喜ぶわね」


もう14年前になる昭和13年（1938）のこと、花子の頭の中には、庭に小さな子供図書館を建てる構想が浮かんでいた。当時小学校1年生だったみどりのところに、「みどりちゃん、遊びましょうか」と、毎日のように4年生や5年生のお姉さんたちが訪ねてきた。何をするのかと様子を見ていると、みんなそれぞれに座り込んで、雑誌や本を読んでいるのだった。どうやら、みどりは所有する本の多さで重要人物になっているようだ。子どもたちは読みたいのだ。

簡単な子供図書館があっちにもこっちにも、できないものかしら。

庭に小さな二階家を建て、上を集会室にし、下を子供たちのための読書室にする。まず、その部屋に入ったら片隅の洗面器のところで手を洗い、それから静かに本や雑誌を読む。2階も下も1室ずつ、それに小さな台所と、洗面所の設備一式。集まるのは最寄りの子供たちだけ。会員証を渡して、いつでも自由に出入りさせる。ただし、おしゃべりはしないこと。ときどき、2階に子供たちを集めておはなし会をする。それも講演上手な先生の独演ばかりではなく、時には、子供たちだけの自由談話会、相談会、討論会もする。後見として誰か大人が出席する。そんな子供図書館を町内にひとつずつつくってやったら、どんなに子供たちが喜ぶだろう！

もちろん、大がかりな、設備の完備した図書館ができるにこしたことはないが、まずはあまり難しく考えないで、肩の凝らない気持ちで子供図書館をこしらえるのが花子の夢であった。

当時、その夢を随筆に書いた。すると、即刻、編集者だった14歳下の石井桃子という女性から「先生と全く同じことを考えていました」という、賛同の手紙を受け取った。

石井は、花子の随筆を読んだ時、仕事で親しくなった作家、犬養健《いぬかいたける》の自宅の書庫を借りて、まさに、そこを子供図書館にしようとしていたところだった。が、花子の構想も、石井桃子が始めかけた子供図書館も、戦争によって立ち消えとなった。

戦争が終わり、いつしか、みどりや姪《めい》も甥《おい》もすっかり成長して、花子は子供図書館の構想をしばらく忘れていたのだが、このたび、久之の登場で、夢が甦《よみがえ》ったのだった。それもみどりの発案、というのが花子を幸福な気持ちにさせた。

花子が当初、思い描いていた図書館も小さなものであったが、急遽《きゅうきょ》できた実際の子供図書館は、それよりも、さらにささやかなものとなった。

廊下と庭の物置に本棚を並べ、まず、6つになる前に世を去った長男、道雄のために買い揃えた絵本を並べた。道雄のお気に入りだった絵本には「道雄文庫」と判が押してあった。もっとも、道雄の本は旧かな遣いによるもので、今の子供たちには読めない。それは、ただ母である花子の追憶のために置くのである。みどりが小さい頃に読んだ本には「みどり文庫」の判がある。その他、花子が手がけたものや、絶えず寄贈されてくる児童図書を並べれば、家庭図書館としては、まずまずの出発ができそうだった。当初から1000冊近い子供の本が並んだ。館長はみどり、名称は「道雄文庫ライブラリー」となった。

折からのベビーブームである。メンバーは芋づる式に増え、道雄文庫はみるみる大《だい》繁盛《はんじょう》となった。

ある朝早く、登校前の小学校2年生の男の子がやってきて、「ボクの事典を取りにきた」と言った。「あなたの事典がこっちに来ているの？」と聞いたら、「うん、ここに置いておけば、みんなで使えるからね」と言った。花子は涙が出るほど、嬉しかった。

花子は、道雄文庫の協力者として、近所の増井家の2階に下宿をしている大学生に白羽の矢を立てた。彼は、慶應《けいおう》義塾大学に新しくできた図書館学科第一期生だった。後に、『もりのへなそうる』の著者、『エルマーのぼうけん』『どろんこハリー』などの翻訳者として、日本の児童文学界の第一人者となる渡辺茂男《しげお》である。花子が戦後まもなく、母校の姉妹校、静岡英和女学院に講演に呼ばれた時、知人の家で紹介された渡辺少年が大学生になって上京し、下宿した親戚《しんせき》の家が、花子の家の目と鼻の先だったのである。

村岡さんは、私が図書館学科で「特に児童図書館と児童文学を勉強するつもりです」と申上げると、とても喜んでくださった。そんなご縁で村岡家に時どき遊びに伺うようになった。応接間と茶の間の間の廊下に低い書架がふたつあり、そこに並べられた子どもの本を近所の小学生たちが借りにきていた。幼い弟や妹の手を引いて来る小さいお姉さんもいた。そんな子ども達をみどりさんが、やさしくお世話をしていた。（略）道雄文庫の利用者の子ども達は「道雄クラブ」という組織を作っていて、みどりさんが会長で、私はいつのまにかそのお手伝いをするようになっていた。慶応の同級生を何人か連れて来て、花子先生がふやしてくだきった道雄文庫の蔵書の整理や貸し出しの準備などを手伝ってもらった。
(日本児童図書評議会の会報誌より、渡辺茂男「そのころ、私は」道雄文庫のこと)

こうして始まった道雄文庫は、ちょっとした世間の話題となり、新聞社や子供雑誌などが取材に来た。取材の日は、子供たちは皆、散髪して「よそゆき」を着て集まった。

また、「道雄クラブ」のメンバーは、毎週土曜日の放課後に集まって、遊んだり、勉強したりした。お手伝いのふみが出してくれるおやつも子供たちの楽しみだった。

渡辺はさまざまなアイディアを持って積極的に参加し、忙しさの合間をぬって、花子もときどき参加した。ストーリーテリング、遠足、討論会、英語の勉強会、近くの幼稚園を借り切ってのクリスマス会……。クリスマスには、子どもたちにクリスマス・カードとひとりひとりの名前を記した本が手渡された。

渡辺茂男が慶應を卒業し、アメリカに留学した後は、近くの入新井第二小学校の教員が道雄文庫の活動に協力してくれた。その教員は作家を目指していて、特に熱心に、子ども達の作文指導にあたった。

道雄文庫は　昭和42年（1967）、花子が目を患《わずら》い入院した時に閉館。蔵書は近くの小学校に寄贈された。

かつて、花子の構想にいち早く賛成してくれた石井桃子は昭和15年（1940）に、A・A・ミルンの『熊《くま》のプーさん』を岩波書店から翻訳出版。さらに昭和26年（1951）に書いた『ノンちゃん雲に乗る』がベストセラーになっていた。石井は児童文学と児童図書館学の研究のため、昭和29年（1954）から1年間渡米し、昭和33年（1958）、東荻《ひがしおぎ》（現・荻窪《おぎくぼ》）の自宅の一室に「かつら文庫」を開く。

花子と、石井桃子と、読書運動家の土屋滋子が中心となって、「家庭文庫研究会」が開かれ、それぞれの活動報告や児童図書館の在り方が主宰者たちによって話し合われるようになった。石井桃子はアメリカで学んだ児童図書館学の知識や情報を提供し、日本の児童文学界の発展や公立の児童図書館設立に大きく貢献していく。

30年代後半には、児童図書を扱う出版社や、小学校の教員、各地方で家庭図書館を開く主婦たちも家庭文庫研究会に参加して、子供図書館は日本全国に広がっていった。

昭和30年代。女性文学者の集い、東紅会では春秋に楽しい行事が催された。鮎釣りに参加したときの吉屋信子（右から２人目）は洒落た洋装。花子（左から５人目）は戦後も和服で通した。A

昭和26年（1951)、大森の自宅の書斎にて。A

昭和28年（1953)、日本で最初の家庭内児童文庫「道雄文庫ライブラリー」で本を読む子供たち。A

第10章　愛《いと》おしい人々、そして本

昭和28〜43年（1953〜68、60〜75歳）

母を送る

花子と儆三《けいぞう》の家には常に、親戚《しんせき》や友人が集まり、賑《にぎ》やかだった。

昭和26年（1951）から、花子は、父に先立たれた80歳の母を引き取って、きょうだいたちの協力を得ながら自宅で母の介護をしていた。

午後から夕方にかけては、道雄文庫の子供たちが現れ、子供たちが帰る頃には、姪《めい》や甥《おい》が訪れる。世田谷に住む儆三の末の弟、潔の息子と娘も、足繁《あししげ》く遊びにやって来た。夜は週に1～2回、麻雀《マージャン》大会となり、花子の弟、健次郎や大森めぐみ教会の牧師、岩村清四郎をはじめ、儆三の友人たちが集い、時にはみどりや、甥や姪も参加していた。花子はやらない。多くの翻訳や執筆の仕事をかかえ、とてもそんな時間はない。ただ、家に人が集まり、みんなが明るく談笑している雰囲気を好んだ。

約束なしの来訪者もあった。大学で英米文学を専攻している女性が、緊張しながらも意を決した面持ちで「先生のような翻訳家になるにはどうすればいいか」と相談に来るのだった。時には翻訳したものを携えて。花子はその熱意を買って、ペンを置いて話を聞いた。なるほど、そうした若い女性たちは英語の勉強に意欲的で、大変優秀だったが、ただ、花子の若い頃とは違って、日本語の研鑽《けんさん》という点において、あまり必要性を感じていないようだった。難しい言葉である必要はない、しかし豊富な語彙《ごい》を持ち、その中の微妙なニュアンスを汲《く》んで言葉を選ぶ感受性は、翻訳の上では英語の語学力と同じくらい、あるいはそれ以上に大切な要素だと思う。季節や自然、色彩、情感を表現する日本語の豊かな歴史を思えば、日本の古典文学や短歌や俳句に触れることも大切。そんな指摘をすると、相手の女性は、当てが外れたような、きょとんとした顔をした。

花子は本気で歌人を目指し、佐佐木信綱先生のもとに通っていた日々を思い起こした。信綱師は80歳を越えた今も矍鑠《かくしゃく》として古典の研究を続けている。その門下には花子の知る限りにおいても有名無名に関わらず、多くの日本語の芸術家と呼ぶべき人がいる。最近になって、かつての竹柏会の知人たちと会う機会も増え、信綱師は花子の活躍を祝福してくれるのだったが、花子はそのたびに穴があったら入りたいような、恥ずかしさを覚えるのだった。

「全く、私は信綱先生の不肖の弟子だ。今ではすっかり散文的な人間になってしまった……」花子は韻文に対する敬意を忘れてはいない。

時代と生活の転変の中で、なんとか必死に筆にしがみついてきた。ただ、翻訳だけは女学生の頃から今に至るまで続けていた。それだけは確かだった。

儆三とみどりは、よくふたりで芝居や映画、買い物にでかけた。花子は、生活の必需品や、家の中の彩《いろど》りとなるような品の買い物は、ほとんど、ふたりに任せていた。

日中は会合や講演会などで外出する機会が多く、花子が、本当に腰を落ち着けて、執筆や翻訳に取り組めるのは、儆三とみどりが就寝する11時頃からである。この時間からが花子の王国だった。キチネットの、小さな電気コンロで、コーヒーや紅茶、あるいは番茶を入れて飲む時は、「我ひとり」の境地だった。そして、ギッシリ本のつまった書架に囲まれ、愉《たの》しく、また、苦しい仕事をするのである。

徹夜も週に3度くらいはした。元来の夜更《よふ》かしで、気をつけないと一晩じゅう書いていた。徹夜しようと思ってするのではなく、もうそろそろ寝ようかと思って時計を見ると、朝の4時5時になっているのである。

「牛乳はいいんだよ。完全食だからね。牛乳を飲みなさい」

花子は牛乳が嫌いだった。戦時中からあまり丈夫ではなくなった儆三は戦後、体にいいからと毎日牛乳を飲んでは、生活が不規則になりがちな花子にもしきりにすすめるので、花子も彼を喜ばせるつもりで飲むようになった。

昭和29年（1954）の12月17日、花子は83歳の母、安中てつを送った。母はクリスチャンだった。しかし、花子は葬儀を仏式で行った。クリスチャンと言いながら、それは父が入信した故《ゆえ》に、自分の生家の仏教をはなれて教会に列したのだが、キリスト教は母に現実感を与えてはいなかった。父の死後、話すことといえば仏の道だった。花子は、生前、何も主張せず、いつも微笑《ほほえ》んで父に従っていた母の、最期《さいご》の声なき願いを汲んで、母を仏式で弔い、手厚く供養《くよう》したのだった。

かつて婦人矯風会《きょうふうかい》の活動を通じて目指してきた公娼《こうしょう》制度廃止や少年禁酒法、婦人参政権獲得は実現したが、さらに花子は、女性や子供を含む全《すべ》ての人々が幸福に暮らせる社会を求め、日本ユネスコ協会連盟副会長に就任し、社会問題や福祉事業に取り組んでいった。市川房枝《ふさえ》の活動を支援し、青少年問題、売春問題などの委員会では、時には男性委員たちとはげしく意見をぶつけ合うこともあったが、議論が終われば、にこやかに手を取り合っていく社会人としての度量も備えていった。政治や経済についても真剣に学び、戦後の日本経済復興の立役者、日銀総裁の一万田《いちまだ》尚登《ひさと》[99]や、岸内閣のもと、民間人ながら外務大臣を務めた藤山愛一郎[100]、実業家の前田久吉[101]などとも会談し、意見を交わした。また、来日する社会運動家などの通訳の依頼も多く、社会改善のための協力を惜しまなかった。

昭和27年（1952）10月30日、40年間にわたり産児制限[102]（バースコントロール）の運動を続けてきた69歳のマーガレット・サンガーがアメリカから来日。翌々日、花子は通訳として、日本に於《お》けるこの運動の推進者である加藤シヅエ[103]と共に、ラジオ東京（現・TBS）の座談会に出席した。

サンガーがこの運動を始めた動機は、自身の母親が多産による体力消耗と貧苦による栄養失調で結核にかかり、11人目の子どもの分娩中に亡《な》くなったところにあった。看護婦として貧民街で働くうち、母親と同じような貧困と多産による不幸を幾度も目撃。ついに彼女は、キリスト教信者にとっては神の領域を侵すタブーとされていた受胎調節を提唱し、さまざまな避妊法を考案した。

子供を拒むのではなく、親の経済力や健康の能力に応じて、責任を持って育てられる人数の子供を家庭に迎えよう、という主張は、運動を始めた頃には非難された。神への冒瀆《ぼうとく》や猥褻《わいせつ》を理由に禁固刑にも処されたが、次第に女性たちの支持を集め、アメリカでは歴史を変えた勇気ある女性と讃《たた》えられるようになった。

初対面の席でのサンガーは、牢獄《ろうごく》生活を耐え、嘲《あざけ》りを浴びながらも信念を貫き通す強さがどこにあるのだろう、と思われるほど物静かで優しい印象。しかし、語りはじめると、熱情をほとばしらせて雄弁だった。理想の実現に向かい、迫害と闘ってきた人の強靭《きょうじん》な精神みなぎる言葉を通訳しながら、花子も励まされた。

昭和30年（1955）5月28日の各新聞は、「三重苦の聖女ヘレン・ケラーの来日」を大きく伝えた。恩師として著名なA・サリバンは既に1936年に他界して、彼女の精神を受け継いだP・トムソンがヘレン・ケラーの手を引いていた。ヘレン・ケラーの来日は、昭和12年（1937）の初来日、戦後の日本を見舞った22年（1947）の2度目の来日に続いて、3度目である。2度目の来日の際に、花子は日比谷公会堂で講演を聴き、感銘を受けた。そして、昭和25年（1950）、ヘレン・ケラー自らが語る『私の半生記』と『ヘレン・ケラーの救い主アニー・サリバン』の二書をもとに、子供向きの伝記『ヘレン・ケラー』を著《あらわ》し、偕成《かいせい》社より刊行。

この3度目の来日では、花子は帝国ホテルで行われた歓迎会で75歳になるヘレン・ケラーと直接話し合い、続く30日、飯田橋富士見町教会での講演の通訳を務めている。ヘレンは、日本が盲人を受け入れる社会となるようにと、人々の理解を求め、また一方で盲人たちに、決して自らの運命をあきらめないよう力強く励ました。

花子は、その時のヘレンの言葉と、彼女の魂に触れた印象を、先年出版した伝記『ヘレン・ケラー』にあらたに加筆して再版した。

日本では、昭和7年（1932）、矯風会の幹部、守屋東《もりやあずま》により身体障害者の福祉施設が設立されていたが、一般の人々の身障者に対する理解は非常に薄く、社会の表舞台から置き去りにされがちであった。ヘレン・ケラーの再度の来日によって、人々の理解は大きく深まり、福祉制度、盲聾唖《もうろうあ》教育の充実など、社会の変化を促す動きに繋《つな》がっていった。「青い鳥」運動が全国に広がり、障害者を支援する団体として、「東京ヘレン・ケラー協会」が誕生し、今に至っている。

『赤毛のアン』の出版以来、愛読者からの「早く次の巻が読みたい！」という熱い期待の手紙に励まされ、7年がかりで赤毛のアン・シリーズ全10巻を訳了し、新潮文庫の全訳と、講談社の抄訳、それぞれのシリーズが出版された。

『赤毛のアン』『アンの青春』『アンの愛情』『アンの友達』『アンの幸福』『アンの夢の家』『炉辺荘のアン』『アンをめぐる人々』、そして、物語の主人公をアンから、アンの6人の子供たちの世代に移した『虹《にじ》の谷のアン』『アンの娘リラ』と続く。

『アンの娘リラ』では、末娘のリラの視線で、第一次世界大戦中のプリンス・エドワード島の生活が描かれる。アンとリラは島で銃後を守りながら、戦地に赴いた息子たち、リラにとっては兄たちの無事をひたすら願う。だが、兄弟の中でも、とりわけ母親ゆずりの詩人の心を持っていたウォルターが、激戦地のフランスで戦死したとの知らせを受ける。この物語にはアンやリラの深い悲しみを通して、モンゴメリの平和への希求が書かれている。花子自身も帝国主義の時代を生き抜き、戦中には文学報国会に参加した者としての悔いが残る。

第二次世界大戦で愛する者の喪失を嘆いた世界中の母や姉妹たちの悲しみを思い、花子は戦争反対の意思を込めて『アンの娘リラ』を翻訳し、シリーズ最終章として世に送った。

友人たちの思い出

花子の書斎には懐《なつ》かしい記念の品がある。ライティング・ビューローに置かれた色紙は、戦前に書斎を改築したお祝いとして、歌人の今井邦子《くにこ》から贈られたものである。

眞木《まき》しげる谷よりいづる山水の　つねにあたらしきいのちあらしめ

今井邦子は端正な和服姿からは想像つかぬ程の、強い意志と情熱を持った歌人だった。クリスチャンで、19歳のとき、親に強いられた結婚に反発して家出、新聞記者となった2年後に、同僚であった夫と結婚するが、10年後、夫に愛人がいることを知り、ふたりの子どもを置いて家出した。清掃の仕事につくが、やがて子を思い家に戻った。邦子は昭和23年（1948）に59歳で心臓麻痺《まひ》で急逝した。

文筆の活動というのも、感情の満ち干《ひ》きがあり、いつも変わらない熱情を傾けるということはなかなか難しい。しかし、それができなければ、仕事らしい仕事はできない。だからこそ、邦子は、こんこんとして流れが止《や》まぬ山水のように「つねに新しい命を」と、花子のために祈ってくれたのである。それは彼女自身のための祈りでもあった。

壁には、年下の友人である林芙美子《ふみこ》から贈られた直筆の詩が、額装して飾られている。

「花のいのちはみじかくて」の有名な一節が含まれた詩。原稿用紙に、万年筆で丸いクセのある字。

風も吹くなり
雲も光るなり
生きてゐる幸福《しあわせ》は
波間の鷗《かもめ》のごとく
漂渺《ひょうびょう》とただよい

生きてゐる幸福《こうふく》は
あなたも知ってゐる
私もよく知ってゐる
花のいのちはみじかくて
苦しきことのみ多かれど
風も吹くなり
雲も光るなり

芙美子はもともとは、詩人である。『放浪記』が大ベストセラーになって以来、主として小説を書くようにはなったが、生まれ持った詩人の心は最後まで作品から失われなかった。

林芙美子も、昭和26年（1951）、心臓麻痺で急逝。享年《きょうねん》47という若さであった。芙美子は「ジャーナリズムの寵児《ちょうじ》」と呼ばれていた。さまざまな雑誌の探訪記事まで手がけ、書いて書いて書きまくり、貧しい生活から脱却し、物質的に欲しいものは全て手に入れた。

しかし、超人気作家の地位を築いてもなお、いつも何かに追われて、心のゆとりとは無縁であった。

ライバルの出版を妨害しただの、あらぬ噂《うわさ》を立てただの、林芙美子にはいつも泥臭い評判がつきまとう。成金趣味と彼女を冷笑している者もいた。

しかし、花子の記憶の中にあるのは——友だちから誤解されて辛《つら》いと涙ながらに訴えていた芙美子、雑誌の対談では煙草《たばこ》をふかして「家庭なんて」とうそぶきながら実際は家族を大事にしていた芙美子、「母が村岡さんのファンなのよ」と言って母親を紹介してくれた芙美子——可愛《かわい》い姿だけ。もう少し心のバランスがとれていれば、こんなに早く命を落とさずにすんだのではないかと惜しまれるが、その一方で花子は、彼女の切実なまでの欲望が、人々の心に訴える優れた作品を書かせていたのだとも思う。世間の風評や彼女の言動よりも、この一篇の詩の中に、林芙美子の内面の真実が抽出されている。

本棚の目立つところに『燈火《とうか》節』という本がある。昭和28年（1953）、花子が文学者として、女性として最も尊敬し続けた片山廣子《ひろこ》が出した随筆集である。廣子は、終戦直前に44歳の長男の達吉を亡くしている。吉村鐵《てつ》太郎《たろう》の筆名で文学を探求した息子の死は、彼を頼もしく思っていた廣子を、とっぷり孤独と戦後の生活難に浸した。

昭和24年（1949）4月6日、廣子から花子宛《あて》

おさむくて漸く花の季節になりました。先日は御しんせつなお言づてを意和子におっしゃって頂き誠にありがとうございました　何かしたいとは思ってみましても齢のことを考へると氣《き》おくれがして手も足も出ません

しかし　いよいよ住みにくい時代になって来ますのにぼんやりしてゐてはどうにもなりませんから自分の力相應なことをやってみませうと思ってをります

何か私にでもできるやうな仕事をお考へ下さればうれしいとおもひます　けっして急ぎません　どうぞよろしくお願いいたします

今月のうちにいちど大森の方へもまいりたいとおもってをりますがもしもおでんわでおはなし伺へればさいはひとぞんじます、かってなお願ひのみ　早々
ひろ子

かつて、生活と書くことを分け隔て、一切、原稿料を受け取らなかった廣子が、生活のためにペンを執り、初めて随筆を書いた。

この『燈火節』は昭和30年（1955）に第3回エッセイスト・クラブ賞を受賞し、同年、続いて出版された歌集『野に住みて』が高い文学性を評価され、芸術院賞候補となる。

その翌年、脳貧血に倒れ、32年（1957）に79歳で亡くなった。告別式には廣子の高潔な人格に敬意を抱く、多くの文学者たちが弔問に訪れた。

同じ時代を生きた友人たちの死は、花子に残された人生をどう生きるかを深く考えさせた。

花子が、女学生時代からその必要性を訴えてきた「家庭文学」は、戦後、にわかに社会に認められ、花子はその分野での第一人者となった。だが、自分の仕事はこれでよかったのかと、心によぎる。本当はもっと、オリジナルの童話や小説も書いてみた

かった。しかし、くよくよ考えたところで引き返せるものではない。今まで歩いてきた道が自分の道なのだ、全《まっと》うしよう。花子はそう自分に言い聞かせながら、G・ポーター作『リンバロストの乙女』『そばかす』、ウィギン作『ケレー家の人びと』、M・トウェイン作『ハックルベリイ・フィンの冒険』、オルコット作『昔かたぎの少女』、ディケンズ作『クリスマス・カロル』……青春時代に読んだ物語を次々訳して世に送っていく。

カナダからの便り

昭和34年（1959）4月26日、みどりが京都大学で学んだ物理学者、佐野光男と結婚する。母校東洋英和女学院のはす向かいに建つ国際文化会館にて、大森めぐみ教会の岩村信二牧師の進行でささやかな披露パーティを行った。

この年、花子、66歳。健康に恵まれ、気力も体力も充実していた。

花子はみどりの結婚後、みどりの部屋も自分の書斎にしてしまった。もともと部屋の模様替えをしたくなる癖があって、殊《こと》に書斎に関してはそれが激しかった。家具の位置も変えたがり、忙しい最中にガタゴトといろいろなものを動かしては部屋じゅうをひっくり返す。厳密に言えば、忙しくなろうとする直前に、それを始めるのである。

ただ、みどりが明け暮れに読んでいた本棚だけは、花子は神聖なもののように感じて、なかなか手をつけられなかった。半年以上経《た》ってから、ぽつぽつと上の段から一冊ずつ引き出した。

いいものを読んでいる……。

みどりは青山学院短大から四年制大学の英文科に進み、豊田《とよだ》実教授や倉長真《まこと》教授のもとで、花子も好きだった英米の古典や近代文学をよく読んでいた。エリオットの随筆は、花子はあまり読んでいなかったのだが、みどりは愛読していたらしい。日本の作家では、井上靖《やすし》、堀辰雄《たつお》、伊藤《いとう》整の作品、高見順や串田《くしだ》孫一の詩集が手ずれて並んでいた。

これらの本を読んでいた時のみどりの表情を思い浮かべ、彼女のベッドに腰掛けたり、ごろんと寝転んだりしながら本を開いた。何を読んでいたか、本をたどれば、その時代の娘の心の内に触れるような気がした。みどりが幸せな家庭を築きますように、と祈った。

相変わらず近くの子供たちは道雄文庫に本を借りに来たが、みどりのいなくなった道雄文庫は、少し寂しくなった。貸し出しにはふみが立ち会っていた。

みどりは、夫の勤め先である田無の東京大学原子核研究所にほど近い、久米川《くめがわ》団地を新しい住まいとした。今まで秘書役を務めていた娘と別居したため、花子は新しい秘書として、編集者であり新聞記者の経験もある八木令子に通ってもらうことを決めた。花子は堅実でさっぱりした気質の八木を信頼していた。

みどりも、毎週1〜2度は、1時間半もかかる道をやってきて、花子の仕事の手伝いを続けていた。来るたびごとに自分の部屋が変わっているのを見て、

「あら、また変わったのね」

と、きょろきょろ見回す。

ある日、自分の机に本や原稿用紙が広がっているのを見てみどりは言った。

「お母様、忙しくお仕事しているのね」

「そうよ、新しい翻訳を始めたの。またモンゴメリよ」

まだまだ現役、心配無用――という気概を込めて花子は潑剌《はつらつ》と答え、丸善で取り寄せた『果樹園のセレナーデ』の原書を示した。この作品もアン・シリーズと同じプリンス・エドワード島が舞台だった。

翻訳中、かつて東洋英和の校長を務めていたミス・ハミルトンから手紙が届いた。ミス・ハミルトンは40年間を母校の女子教育に献身し、昭和31年（1956）に引退してカナダに帰国していた。手紙はトロントからだったが、ミス・ハミルトンの故郷

はプリンス・エドワード島である。花子とミス・ハミルトンは、戦後にできた母校の短大・保育科の講師を務めており、顔を合わすたびに花子は美しい島の様子や作者・モンゴメリの話を聞き、いつか必ず島に来るように言われていたのだった。

1957年7月31日、ミス・ハミルトンから花子宛

親愛なる村岡さん　ちょうど今日から1週間前、私はプリンス・エドワード島に行き、アンの物語のモデルとなったグリン・ゲイブルスを訪ねました。ああ、どんなにあなたのことを考えたか。全くしんそこからあなたが私と一緒にここを訪問なさったなら、と惜しく思いました。アン・ブックスについて知り抜いているあなたには、あの家やあの辺一帯がとても私などの想像のつかないほど、面白く、意義深く感ぜられることでしょう。グリン・ゲイブルス訪問の記念に、絵葉書とスプーン、そしてプリンス・エドワード島の歌を小包にして島からお送りしました。歌の詩はルーシー・モンゴメリの作です。（略）

「島の讃歌《さんか》（アイランド・ヒム）」と題された楽譜の表紙にはグリン・ゲイブルスの写真があり、下に「グリン・ゲイブルスのアンの故郷、キャヴェンディッシュ国立公

園」と記されていた。

島の讃歌(アイランド・ヒム)　村岡花子訳

うるわしの海の島よ
　われらなんじをたたえて歌う
恵まれ輝くものよ

われら、はらからの心もて手をつなぎ
なんじに忠誠を誓い
わが最愛のこの島に
神のまもり絶えざれと祈る

ろうたけきわれらの島よ
　さちぐさはいよよ
年ごとに茂れかし

平和と栄とは
島ぬちを満たし
恐れと禍《わざわい》は消えてあとなからん

プリンス・エドワード、われらの島よ
　いずこの果てに行くとも
われらの心は汝《な》が上にあり
この島のわれら、とわに
はらからとして手をつなぎ
われらが愛するこの島に
　神のまもり絶えざれと思う
（『果樹園のセレナーデ』より「ルーシイ・モンゴメリおぼえがき」）

花子は贈られてきた「お化けの森」や「恋人の小《こ》径《みち》」、「歓喜の白路」、グリン・ゲイブルスのアンやマシュウの寝室の絵葉書を眺めながら、モンゴメリが地上のどこよりも愛した土地、かつて先住民たちが[104]「波間に浮かぶゆりかご」と名付けたプリンス・エドワード島に思いを馳《は》せた。

昭和35年（1960）2月1日、みどりと光男のもとに長女、美枝が誕生。初孫の誕生に儆三も花子も心浮き立った。

美枝誕生の2ヶ月前から若夫婦は大森の家で生活し、誕生後も2ヶ月間は、みどりは実家に残り、花子のもとで子育てをした。花子は書斎にゆりかごとベビーベッドを運び込み、娘と孫を眺めて幸せな時間を過ごした。そして、母となったみどりを思いながら『若き母に語る』『ママと子ども　〜ママへの注文12章』を書き下ろし、美枝の健やかな成長を願いながら、絵本『いたずらきかんしゃちゅうちゅう』（福音館書店）の翻訳も手がける。

また、この年の秋、パール・バックが来日。『母の肖像』を訳した花子は尊敬する作家と晩餐《ばんさん》の機会をもち、お互いの言葉に共感しながら対話を重ね、満ちたりた夕《ゆうべ》を過ごす。実りの時期に入った、という喜びが湧《わ》き起こる秋だった。

儆三との別れ

「儆三さん！　パパ！　どうなさったの！　しっかりして！」

立春を過ぎたのに、ようやく冬が真の姿を現したように、寒さが続いていた。夕食後、夫婦でいつものようにお茶を飲み、その日あったできごとを話し、そろそろ儆三は寝室へ、花子は書斎へと退くところであった。が、突然、儆三が苦しみだした。儆三は2年ほど前から、もともと弱かった心臓がさらに弱くなって、寝付くとは言わないまでも、できるだけ安静にしている日が増えていた。

大切なものが腕の中から奪われていく瞬間をかつても経験していた花子は、大声で夫に呼びかけ、ふみを叩《たた》き起こし、医者を呼んで緊急の事態に対処しながら、これが抗《あらが》えない力による運命であることを、どこかで察知していた。

44年間、共に暮らし、変わらず愛し続けた夫は、発作の2時間後に自宅で息をひきとった。

昭和38年（1963）2月6日、村岡儆三、心臓麻痺《まひ》で永眠。享年《きようねん》75。

青ざめたみどりが夫と美枝と共に駆けつけた。みどりにとっては忙しい母の代わりに、歌舞伎《かぶき》や映画、買い物に連れ出してくれた優しい父である。

花子にとって儆三は、夫であり、恋人であり、戦友であり、まさに半身だった。村岡花子という人格を、花子と儆三は、ふたりで作ってきたのである。

大森めぐみ教会の告別式の後、花子は哀《かな》しみのあまり、ほとんど三日三晩を泣き暮らした。ついに倒れこんで、ぐっすり眠り続け、ぽっかりと朝、目を開けたとき、

「彼はもうここにはいない」

と、哀しい現実をしっかりとかみ締めた。

届けられた花束を花瓶に生け、毎朝水を替える。花の茎を1本ずつ切るたびに、儆三の声が聞こえてきた。

「毎日、少しずつ茎を切るんだとさ。そうすると花がよく保《も》つそうだよ」

花子は1ヶ月余りの間、毎朝、花守りのように、儆三の写真の前で、手向けられた花の世話をした。


毎日のように「ああ、もう少し早くこれができていたら」と見せたいもの、聞かせたいものばかりである。しかし、これは欲というもの、私が生きる限りの恨みであろう。

「おもいでの中に生きる彼」などというのはなまぬるい。記憶とともに在る彼、私の生命と合致している彼は、いつも私と共に在る。

やっぱり私は幸福だ。花の水を替えてやりながら、つくづくと愛することのし

あわせを噛《か》み締めている私である。

(『改訂版　生きるということ』より「花守りの記」A)

儆三は花子の日常に満ちていた。

これから先は、彼が残してくれた日常の中で生きていけばいいのだ。

机の脇《わき》の回転本棚の上には、儆三から贈られた米国ウェブスター大辞典の第3版がでんと控えている。これは毎日の翻訳の、大きな助けとなっていたばかりか、花子の愛読書である。ちょっとした時間に辞典を読むのが花子の楽しみでもあり、ウェブスター大辞典は実に膨大で楽しみは尽きることがなかった。まるで儆三そのもののようだった。

初めての海外旅行

花子が一度も洋行したことがないと言うと、驚かない人はいなかった。外国人と冗談を交えながら、あるいは真剣に、流暢《りゅうちょう》な英語で会話をする花子を、誰もが外国生活の経験があると思い込んでいた。戦後20年以上経った今、花子の周りでもほとんどの友人が洋行している。

花子の語学力の基本は徹頭徹尾、東洋英和女学校時代の10年間にカナダ人婦人宣教師から授かった。その後、5年間の教師生活、さらに、翻訳の仕事で英語と日本語を研磨し続けた。戦後は、来日した人たちとの会談や通訳を頼まれる機会が多く、洋行しなくとも、幸運な出会いに恵まれている。

戦前、戦後を通じて何度も海外に出る機会はあった。見送ってきた理由は、忙しかったからである。特に『赤毛のアン』の出版以来、花子は読者の要望に応《こた》え続け、次々と作品を送り出した。

しかし、忙しさを理由に何度も海外に出る機会を見送ってきた本当のところは、病気がちの夫を残して、海を越える気にはなれなかったのである。

常に時代の先を走り続けてきた花子だったが、活動の場が広がるほど、仕事を理解してくれる夫に心を配っていた。

昭和41年（1966）、みどりの夫の光男がアメリカの大学の研究室に招かれ、一家はアメリカで生活を送っていた。光男はオハイオ州、クリーヴランドの大学の研究室に入り、その後、カリフォルニア大学デイヴィス校に移った。家族はそのデイヴィスに暮らしている。花子は、みどりからしきりに遊びに来るように誘われていた。

「急に、自由にどこにでも行けるようになったのが、寂しいわ」

と、言いながらも、花子は73歳にして初めての渡米を決心したのだった。長く家事を手伝っていたふみに代わり、新しく入った二十歳前の美代も連れていく。

「クリーヴランドのエリー湖のほとりにある家が素晴らしくて、お母様に是非見せたかったんだけれど、デイヴィスもいい町よ。学生街だから若い人が多くて、きっと気に入ると思うわ。お母様、せっかくですもの、プリンス・エドワード島にも行きましょうね。来年のお母様の旅行のために、私たち、今からいろいろと考えているのよ」

国際電話でみどりが言った。

花子はモンゴメリのエミリー3部作を翻訳中だった。第1巻の『可愛《かわい》いエミリー』を出版後、白内障が悪化し、仕事にも読書にも支障をきたすようになったので、2年がかりで第2巻『エミリーはのぼる』を入稿した後、思い切って手術をする。元の通りとは言わないまでも、手術の甲斐《かい》は大いにあった。目覚めの朝、カーテン越しに差し込むやわらかな朝日を見ながら、仕事ができる健康のありがたさを感じるようになった。

翌年6月末、サンフランシスコの空港に降り立った花子と美代を、みどりと光男、

7歳の美枝の3人が迎えた。そして、もうひとり。みどりのお腹《なか》には新しい生命《いのち》が宿っていた。日本は、じめじめした梅雨の最中だったが、一転、ここはからりと晴れた真っ青な夏空が広がっていた。

丸2ヶ月、仕事を離れ、遊びに来たのだ。アメリカの大学教授たちにはサバティカル・イヤー（sabatical year）という、7年目に1年の長い有給休暇がある。日本でも「サバティカル・イヤーだから世界一周している」と言っていたアメリカ人の教授に出会ったことがあったが、働き通しに働いてきた花子の場合、7年に一度どころか、多分、山梨英和女学校の教師時代以来の、実に約50年ぶりの長期休暇であった。

日本は平和な国になった。経済の発展めざましく、人々の暮らしも豊かになった。しかし、今またアメリカはベトナムで戦争をしていた。ベトナムに対するアメリカの非道な政策は日本でも非難を浴びているが、アメリカ国内でも若者の間で反戦運動が広がっていた。花子は車窓から、反戦を訴えるポスターが至るところに掲げられているのを見た。

車は軽快に走った。デイヴィスは州都であるサクラメントから15分ほど走った町で、カリフォルニア大学関係者が多く住む。

光男の立場は客員教授（visiting professor）であり、家族はまずまずの中産階級、つまりアメリカのごく一般的な生活をしていた。娘家族と一緒にスーパーに買い物に出かけ、公園や大学内を散歩し、図書館に立ち寄った。毎日、雨など一滴も降る気配がなく、日中は照りつける真夏の日差しだったが、夕方になると涼しい風が吹き起こり、夜は肌寒いくらいだった。

着物姿のおばあさんを初めて見るらしく、通りすがりのアメリカ人が、花子に微笑《ほほえ》みかけた。花子のほうでも笑顔を返し、気さくに話しかけると、ただでさえ、もの珍しい着物姿の小さなおばあさんが流暢に英語を話すので皆、驚く。花子はその反応が面白くて、いっそう会話をはずませるのだった。

ディズニーランドで美枝と美代と遊び、サンフランシスコでは花子は念願のミンクの毛皮のストールを、みどりは襟にミンクの付いたキャメルのコートを買った。

いくら休暇とはいえ、なんにも仕事を持たない旅が心細くなった花子は、出発の直前になって荷物の中に、本当は帰国後の秋から始める予定でいたモンゴメリのエミリー3部作の最終章『エミリーの求めるもの』の原書と原稿用紙を滑り込ませていた。いくら珍しいところに来たとはいえ、退屈することはある。そんな折には原稿用紙を広げ、原書を傍らにせっせと翻訳した。雑事にわずらわされずに集中できるため、作業が思った以上にはかどり、その快さに、仕事をもっていることがつくづくありがたかった。

ある朝、花子は滞在中のハイライトとして予定されていたプリンス・エドワード島行きはやめようと言い出した。

「あんなに楽しみにしていたのに。私も行きたいのよ。プリンス・エドワードの土を踏みましょうよ。私の体を心配しているの？」

みどりは、カナダに連れていくことが、最高の親孝行だと思っていた。

「そうよ。何かあって体に障《さわ》るといけないわ。私はね、本当に満足しているの。もう、こういう時代になったんだもの。これからはいつでも行けるわ。今回はやっぱりやめましょう」

花子はきっぱりと言った。

戦時中の灰色の景色の中で『赤毛のアン』を翻訳しながら、花子の脳裏にはモンゴメリの言葉から紡《つむ》ぎ出された美しい自然の風景が鮮やかに描き出されていた。その想像の風景を花子は翻訳の筆に注ぎ込んだのだ。モンゴメリと『赤毛のアン』の生誕地であるプリンス・エドワード島を娘と訪ねるのは、まさしく夢のように素晴らしい企画ではあった。が、同時に、現実に目にすれば、心の中で慈《いつく》しんでいた想像の世界が失われてしまう恐れもあった。

ミス・ハミルトンやカナダ人の友人たちに、今回はカナダには行けないが、必ず近々訪れたいという手紙をアメリカから出し、花子は、もう少し、夢を夢のままで置いておくことにした。

モンゴメリへの共感

9月の初旬、日本に帰国した花子は、モンゴメリの若き日の自伝的要素が濃いといわれているエミリー3部作の最終章『エミリーの求めるもの』の翻訳に全力を注いだ。モンゴメリの作品21冊のうち、花子はアン・シリーズ全10巻、『果樹園のセレナーデ』『丘の家のジェーン』『パットお嬢さん』そしてエミリー3部作と、合計16冊を手がけたことになる。花子の心には心地よい達成感があった。

再度の目の手術の前に、花子は昭和27年（1952）から続いていた家庭文庫、道雄文庫の閉館を決めた。道雄やみどりの幼かった頃の思い出の本は、そっと花子の蔵書に加わり、その他の童話、伝記、理科や社会の読物などは近くの入新井第二小学校、入新井第四小学校へと、それぞれ約400冊ずつ寄贈した。道雄文庫の閉館が昭和42年11月7日の朝日新聞で報じられると、花子の退院の日に合わせて、かつら文庫の石井桃子から温かいいたわりの手紙が届く。

昭和42年（1967）11月16日、石井桃子から村岡花子宛

先日来、いくじなく妙な風邪にとりつかれまして、ふせっておりましたが、ある日、新聞を開いたとたん、はっといたしました。先生のとても丶　お若く、美しく笑っていらっしゃるお写真のわきに、それとは対照的な胸つかれる「再度の目の御手術」「道雄文庫閉鎖」の文字

その記事全体が、さまざまな思いをひきおこして、しばらくはお写真をじっと見つめておりました。

明かるいお顔は、いつも愚痴をおっしやらずに、多くのことに打ち勝っていらした先生のお気もちを、そのまゝあらわしているように思いました。十五日には御退院とのことでしたから、もう大森におかえりでいらっしゃいましよう。手術の御結果がよかったよう、心からお祈り申しあげます。

道雄文庫の閉鎖は、これまで　私たちに道を示し、力になってくださり、十分お役目をおはたしになったのですから、厚くお礼申しあげます。ほんとに屯いこと、ありがとうございました。

先生、くれ〴〵　も御養生なさいまして、いよいよお仕事をなさってくださいまし。

何れ　御都合をお伺いしました上、一度　おたずね申しあげたいと思います。
何卒　御自愛第一に。
十一月十六日
石井桃子
村岡　花子　先生

翌年、新しい作品に取りかかる前に、ほっと一息入れたくてたまらなくなり、アメリカから帰国して大阪の池田市に住んでいるみどりの家族を、思い切って訪ねることにした。

仕事は全《すべ》て東京に置き去りにして、10日間、孫の顔を見るためだけの旅だった。花子には珍しく、毎日昼の食事のあとで昼寝をした。あとは9つの美枝と11ヶ月の恵理を相手に遊ぶ。そして夜は子供たちの寝てしまった後で若い夫婦と一緒に茶のみ話に時を過ごした。

ある日、恵理が眠っている間にと、みどりが買い物にでかけ、花子は留守番をおおせつかっていた。しばらくすると、恵理が眼をさまし、すこぶる上機嫌でいろいろ訳のわからないことを喋《しゃべ》っていたが、そのうちに花子の顔をしげしげと見つめ、突然わあっと泣き出した。あの手この手でなだめあやしても、かえって泣き叫ぶ。近所に気がひけるほどの大声だった。

そのうちにさすがに疲れたと見えて、恵理は布団《ふとん》の上でうとうと眠り始めた。花子は傍らに横になり、背中をとんとんしながら、「ねんねん、ころりよ、おころりよう」と、長年歌わなかった子守唄《うた》を口ずさんだ。孫の顔を眺めながら、花子はつくづく考えた。

この子を置いて母親がどこかへ行くなんて、もってのほかだ。

実は花子は、数週間のカナダ旅行を計画しはじめ、秘書としてみどりを連れていこうと思っていたのだった。

その日その時そのプランをふっつり思い捨てた。こんな可愛い、いたいけなこどもをどうして母親から離すことができようか、わたしの外国旅行などは鬼にくわれてしまえ、絶対に子どもは母親から離すべきではないと固く決心した。ちょうどそこへ「まあ、おまちどおさま」と、息せき切ってみどりが帰って来た。

「もう大丈夫よ、恵理」今はすやすやと眠っている孫に花子はそっとささやいた。

（『改訂版　生きるということ』より「大阪の休日」A）

東京に帰る朝、新幹線の座席まで、みどり一家が見送りに来た。

「次はクリスマスに会いにいくわね」

みどりが言う。

「お世話になったわ。どうもありがとう。恵理ちゃん、クリスマスまでおばあちゃまをおぼえていてちょうだいね。美枝ちゃん、またね、さようなら」

車中とホームからお互いに見えなくなるまで手を振り合った。


10月20日、花子は、モンゴメリの翻訳としては17冊目になる『銀の森のパット』にとりかかろうと、机に向かった。いつものように原書を開き、万年筆を握って原稿用紙に書き始めた。

多くの作家の作品を手がけてきたが、モンゴメリには格別の親近感を抱いている。まさに彼女と同世代のカナダ婦人たちから英語を学び、その時代のカナダの文化や生活習慣の中で育った花子にとっては、作品の背景や行間に隠れているスピリットまでもが、五感にいきいきと訴えてくるのだった。

また、モンゴメリの人生観そのものに花子は深く共鳴していた。

モンゴメリは『赤毛のアン』の出版で、マーク・トウェインやキプリングから賞賛を浴びるほどの人気作家となったが、自分を育ててくれた祖母の看病のため、村に留まり、郵便局の仕事を続けた。祖母を看取《みと》り、37歳でユーアン・マクドナルド牧師と結婚した後も、女性の地位向上のために縦横の活躍をしながら、執筆を続けた。その一方で、牧師の妻として、2児の母としての役割も怠らなかった。生まれてまもなく母を亡《な》くし、再婚した父とも離れて暮らし、両親の愛情に恵まれない少女時代を過ごしたモンゴメリにとって、祖父母に対する感謝は忘れてはならないものであり、温かい家庭は理想だったのだ。

花子には、モンゴメリの、文筆にかける夢と、実生活で果たすべき責任の狭間《はざま》での葛藤《かっとう》が痛いほどわかる。父の理想の陰で、家族が犠牲となり、幼くして家族と離れて暮らした花子にとっても、ようやく築き上げた家族の絆《きずな》は、ペンで生きるという夢の実現と同様に、守り抜きたい宝だった。

モンゴメリの生き方は物語の主人公の姿にそのまま投影されている。ひきとってくれたマシュウの死後、グリン・ゲイブルスを守るために、奨学金を辞退し、マリラに寄り添い、教師として村に残ったアン。また、作家を目指し、古い因習に縛られた人々の考えに抗《あらが》いながらも、彼らを理解しようと努めるエミリー。彼女たちは、自分ひとりの夢の実現よりも、共存の道を選んでいく。しかし、それは挫折《ざせつ》や犠牲ではない、確かに夢からは遠廻りしたかもしれないが、アンもエミリーも新しい道で幸福を見出《みいだ》す。そして彼女たちは、周りの人々の頑《かたく》なな心を解かし、いつしか、精神的な支えとなっていく。

自分の望みを一筋に貫ける人は、ほんの僅《わず》かにすぎない。どんなに法律や制度が整ったとはいえ、人生には、思いがけないさまざまなことが起こる。無理を通せば誰かを傷つけ、あるいは、どこかで行き詰まる。花子は、モンゴメリの描く物語こそ、花子が求め続けてきた「大人も子供も楽しめる本」であり、「非凡に通じる、洗練された平凡」であり、いかなる時代にも、ゆっくりではあるが着実に多くの人々を幸福にするメッセージが込められていると確信していた。

最も身近な人たちと共に笑い、涙して歩んでいく中にこそ、人生の深い味わいと実りがある。そして、愛する人たちと過ごす日常が、いかに、はかなく、そして尊いか――、花子は若い世代の人々に伝えておきたかった。

儆三との49回目の結婚記念日の翌日にあたる10月25日、花子はたまっていた仕事を、秘書の八木に手伝ってもらいながら片づけていた。『赤毛のアン』に寄せられたファンレターの返事、東洋英和女学院短大の学生70名のレポートの採点、ＮＨＫ学園などから依頼されていた原稿も、締め切りは11月1日だったが、口述原稿をまとめてしまった。

そして、美代と共に夕食中、突如、花子は脳血栓に襲われ、意識を失ったまま、2時間後に永眠した。

みどりの家族は、その日の深夜、大阪からかけつけた。棺《ひつぎ》には、みどりと妹の梅子により、花子が魂をこめて翻訳した『赤毛のアン』、ペン、原稿用紙などが納められた。

自宅で3日間の通夜《つや》がいとなまれたが、28日の夜、10歳くらいの男の子に手を引かれ、白菊の花束を抱いた盲目の老婦人が焼香に訪れた。亡くなる2日前に、謝礼なしで書いてもらった盲人を激励する原稿を受け取った、と語って泣き伏した。

「おかげさまで、先生のおやさしい原稿を点字に翻訳したパンフレットが完成しましたのに」

と、質素なリボンでとじた冊子を差し出し、その原稿を男の子に朗読させて帰っていった。

大森めぐみ教会で荘厳《そうごん》にとり行われた29日の告別式は、参列者千余人。児童文学界を代表して滑川道夫《なめかわみちお》、日本翻訳家協会の高橋健二会長、友人代表として吉屋信子《よしやのぶこ》、産経学園長の金子真子が告別の辞を述べた。参議院議員の市川房枝と、救世軍の山室軍平の娘で婦人運動家の山室民子が、感謝の言葉を述べた。

この日、葬儀開始が迫る午後2時ごろ、それまで快晴だった空に稲光が閃《ひらめ》き豪雨となる。

花子が愛唱していた讃美歌《さんびか》に続いて「また会う日まで」というリフレインの『葬別の歌』が響き献花に移ったとき、雷鳴と大雨は止《や》み、西陽が輝く夕映えをみせた。

昭和33年（1958）、フィリピン大使夫人を囲む会合にて。右端が花子、隣は市川房枝。A

昭和30年（1955）、マッカーサーと対等に渡り合い戦後の日本経済の復興に尽くした一万田尚登（右）と会談。A

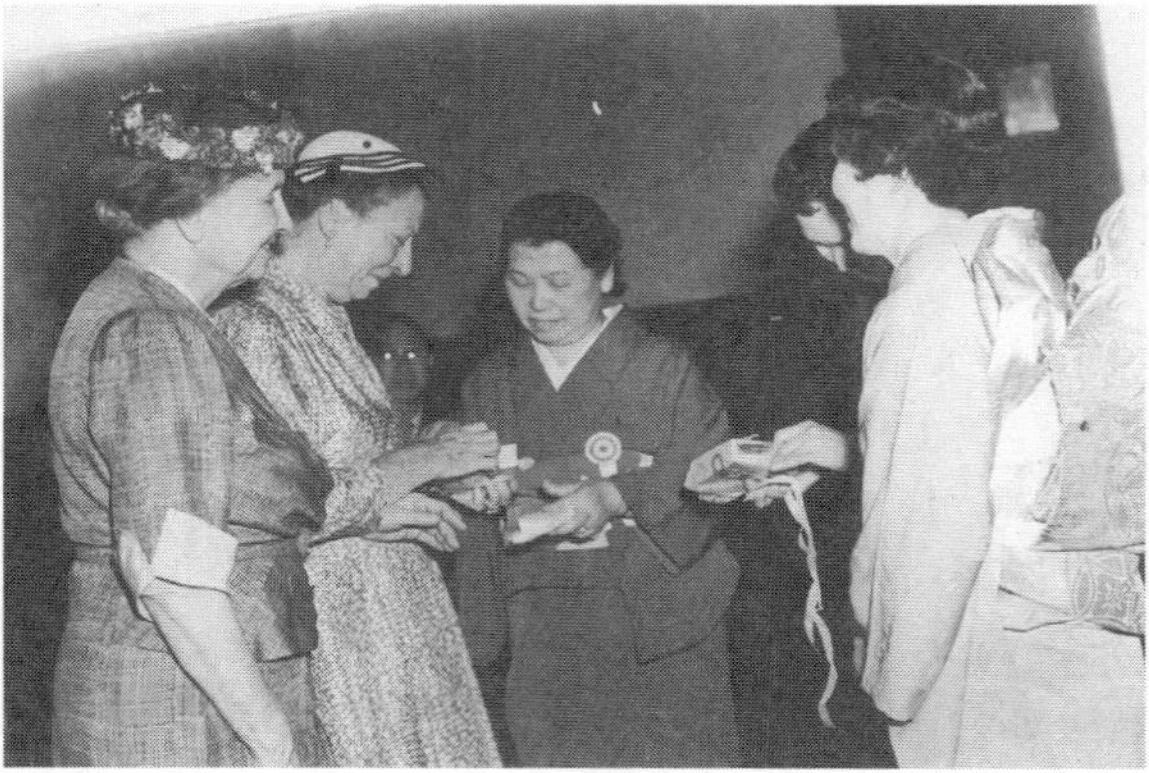

昭和30年（1955）5月、ヘレン・ケラー（左端）の歓迎会にて、トムソンに指文字を習う花子。A

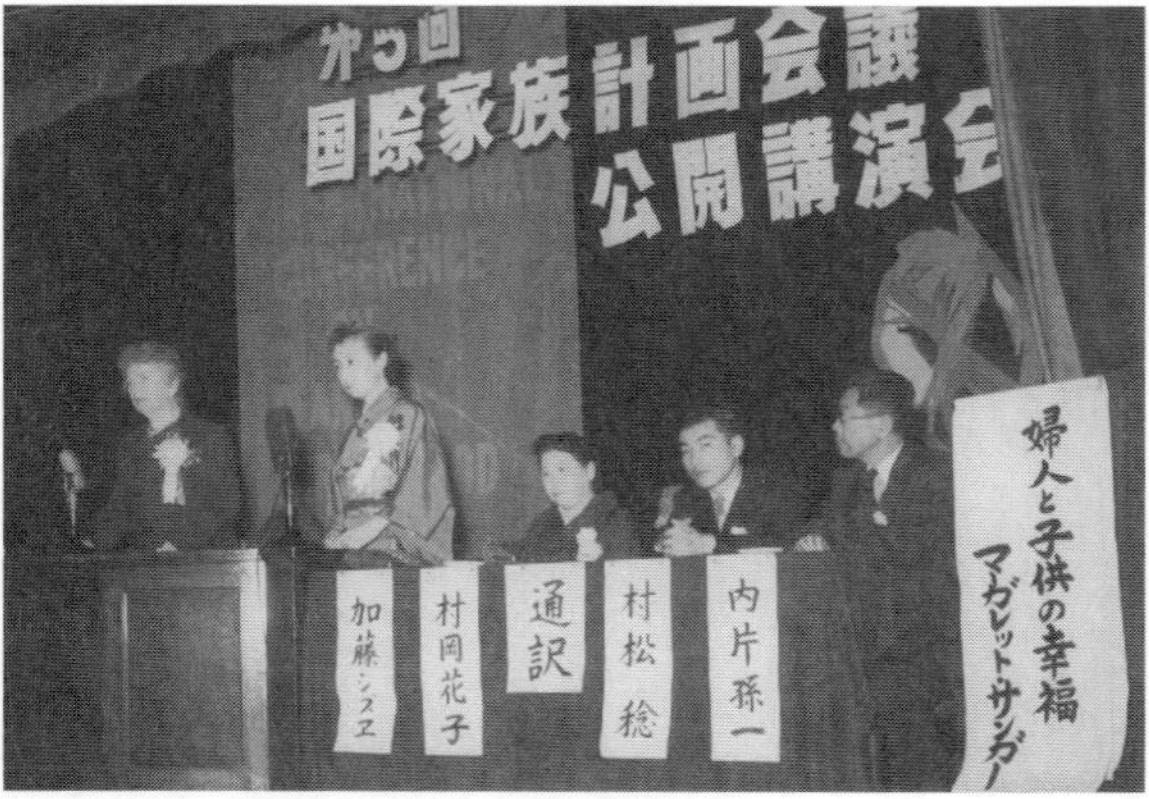

昭和27年（1952）11月1日、ラジオ東京主催のマーガレット・サンガー講演会。左からマーガレット・サンガー、加藤シヅエ、通訳の花子。A

エピローグ

『赤毛のアン』記念館に、祖母の書斎は残る

アン誕生100周年、花子没後40年の
平成20年（2008）4月13日

私は今、姉の美枝と共に、東京・大森で「赤毛のアン記念館・村岡花子文庫」を主宰している。記念館といっても、祖母が晩年仕事をしていた書斎と、それに続く応接間を再現したささやかな部屋である。

部屋の真ん中にはがっしりとした仕事机があり、机の上にはコヨリで綴《と》じられた自筆の翻訳原稿用紙、佐佐木信綱《のぶつな》の門下だった頃の詠草、若き日の情熱のほとばしる雑記帳、愛用のハンドバッグに眼鏡、万年筆、手鏡、セピア色の家族写真などが置かれている。机の横の回転台には、夫儆三《けいぞう》から贈られたウェブスターの辞書がでんと座り、机を取り囲む書架には、ぎっしりと並ぶ原書や翻訳作品、蔵書。

ここで、私たちは、月に2〜3回、定員10名の予約制の「オープンハウス」と称するお茶会を開き、いらしてくださった方々に祖母の生涯を紹介し、アンやプリンス・エドワード島について語り合うひとときを過ごす。

オープンハウスが始まったのは平成3年（1991）の3月だった。ある雑誌社の

『赤毛のアン』特集ページで、祖母の書斎を予約制で公開するという特別企画が持ち上がったのだ。

当時の家は晩年の祖母が暮らした古い家で、母みどりは書斎を祖母が亡《な》くなった日のままにとどめていた。というよりは、あまりに雑然としていて、手をつけようにもつけられなかったのかもしれない。祖母はものを捨てられない性分で、整理が苦手。机の引き出しや戸棚の中は、うんざりするほど雑多なものが詰め込まれていた。床にも本が積みあがり、足の踏み場もない有様だった。

母と姉と私で整理を始めたのだが、大切な原稿が、その数倍もの紙くず（私から見れば）と一緒に戸棚に押し込まれていた。また、友人たちからの貴重な手紙を収めた引き出しからは、母の4歳の記念に石膏《せっこう》でとった歯型や、亡くなった長男、道雄のへその緒も出てきた。思わぬところから思わぬものが出てくるので、整理には注意を要したが、ひとつひとつを取り上げながら母に思い出話を聞けたのは、今から思えば貴重な時間だった。

母は小さい時、お母さんというのはどこの家でも原稿を書くものだと思っていた。祖母は家庭と仕事を両立させた女性の先駆けとされてはいるが、母が生まれた頃には家事をする時間はほとんどなく、いつも机に向かっていた。ただ、毎日のように本を読んでくれたり、寝物語を聞かせてくれた。

周囲に気を使って笑顔を絶やさない祖母だったが、仲のいい妹の梅子とは、遠慮なく派手な喧嘩《けんか》をしていた。甘いものに目がなく、朝からお菓子を口にした。医者からさんざん注意されても止《や》められず、家族に隠れてまで食べていた晩年、糖尿病の兆候が出て、ようやく節制するようになった。そんなエピソードを聞くたびに、少しずつ祖母の人柄が身近に感じられていった。

祖母が亡くなったとき、私は11ヶ月の赤ん坊だったので、いっしょに遊んだ記憶も持たない。だが、8歳上の姉には、祖母にお話をしてもらった思い出が残る。いつも仕事机に向かう祖母だったが、書斎のドアは常に開かれていた。姉が書斎に入っていくと、『赤ずきんちゃん』や『七匹のこやぎ』などの童話を、声色を変えて面白く聞かせてくれた……。

平成6年（1994）に家を建て直すことになり、新築後も祖母の書斎だけは、できるだけそのままの形に再現するよう、建築家に依頼した。しかし、完成を待たずに母が亡くなり、新しい記念館は、姉と私とで力を合わせて続けていくことになった。

その時、私たちを温かい言葉で励ましてくださったのが、祖母とも交流の深かった児童文学者の石井桃子先生と渡辺茂男《しげお》先生、そして、かつての道雄文庫ライブラリーのメンバーである。私は石井先生と渡辺先生の著《あらわ》した本を読んで大きくなった。おふたりとも亡くなられたが、御恩は決して忘れられない。

記念館を開いてから17年にわたり、私たちは素晴らしい出会いや再会に恵まれてきた。

このたび、私の拙《つたな》い筆で祖母、村岡花子の評伝を執筆するにあたり、祖母を育てた人々、影響を与えた先人たち、あるいは、同時代を別な表現で生きた友人たちの足跡や人生を追った。祖母は、生涯を出会いに恵まれ、中でも10歳からの10年間にわたってカナダ人婦人宣教師から素晴らしい感化を受けた。

キリスト教、英語、文学、社会改革の意識――この4つの要素を身につけたことが、その後の人生をある程度決定づけた。学窓を卒業後、代表的な翻訳作品となる『赤毛のアン』の刊行までの道のりは、決して見通しの良い、まっすぐな道ではなかった。時代のうねりに巻き込まれ、いくつもの曲がり角を曲がらざるを得なかったが、ようやくたどり着き、成し遂げたこの訳業は、村岡花子の人生を集約している。

今年（2008年）は、モンゴメリ原作『アン・オブ・グリン・ゲイブルス』誕生100年であり、また日加外交樹立80年を記念する年でもある。

原作の素晴らしさに改めて敬意を表すると共に、ミス・ショーと村岡花子の友情の証《あかし》として日本に紹介されたこの物語が、これからも日加友好の象徴であり続けてくれることを祈っている。


最後になりましたが、私たちの記念館の活動を支えてくださっているアトランティック4州政府観光局の高橋由香さん、カナダ政府観光局の半藤将代さんに厚く御礼を申し上げます。

祖父母の手紙を解読してくださった東洋英和女学院史料室の田原綾子さん、祖母が柳原白蓮《びゃくれん》氏に宛《あ》てた書簡を提供してくださった宮崎蕗苳《ふき》さんに心から感謝の意を表したいと思います。

綺麗《きれい》な本に仕上げてくださったデザイナーの名久井直子さん、写真家の金子睦さん、イラストレーターの田雑芳一《たぞうよしかず》さん、編集者の桂真菜さん、ありがとうございました。

そして、日ごろ、記念館を通じてお世話になっている全《すべ》ての方々に、この場をお借りして感謝の気持ちを伝えられれば幸いです。

文庫版あとがき

翻訳者というのは、本来、黒子の如《ごと》き存在で、どんな経緯で、どんな想《おも》いでその作品を世に送り出したかは、あまり光の当たらない部分だと思います。それでも祖母の本を書こうと、私がはっきりと心に決めたのは、1994年、村岡花子の娘である母を亡《な》くした時でした。母の死は幸福な日常の喪失、祖母と私を繋《つな》ぐ確かな結び目の喪失、そして、私自身の存在理由の喪失でした。『アン・オブ・グリン・ゲイブルス』と村岡花子の必然的偶然の出会いは、それだけでも私を活気づけてくれるドラマを内包していましたが、祖母と母の足跡、社会背景、交友関係を辿《たど》り、喜びや涙に寄り添うことは、私の真ん中にすとんと通ってしまった太い空洞を埋めていくための作業、言わば私自身のルーツ探究でした。

気の赴くままに、祖母の書斎に身を浸し、蔵書や書簡を手にしては、泣いたり、憤慨したり、途方に暮れたり。時には、村岡花子本人すら当時は気づいていなかったかもしれない小さな動機づけをみつけて、眠れないほど興奮したり。また、生意気にも批判めいたものを抱くこともあれば、多くの人々の無念や全《まっと》うできなかった魂と出会い、厳粛な気持ちにもなりました。

時代という縦糸に、最も身近な人たちの生身の感情や行動を絡《から》め、一喜一憂しながら、教科書には載っていない、最も身近な近代史を追体験することになりました。そして、それは確かに私と繋がっていました。

高度経済成長期に生まれた私が、当然のように享受《きょうじゅ》してきた環境、制度、権利、あるいは、手を伸ばせば届くところにあったたくさんの良書が、母から祖母の世代に遡《さかのぼ》り、さらにもうひとつ遡った世代からの切実な祈りと不屈の努力によって得られたものだと知りました。

こうして、当初は村岡花子版『赤毛のアン』誕生の物語を書くつもりだったのが、『赤毛のアン』という一冊の本を新しい時代のメタファーとして、村岡花子を中心に、激動の時代を生き抜いた人々の物語となっていったように思います。

2008年、マガジンハウス社より出版した『アンのゆりかご　村岡花子の生涯』は私にとって初めての本だったのにも関《かか》わらず、多くの温かい読者に恵まれました。さらにこの度、祖母の翻訳のアン・シリーズとエミリー・シリーズが収まる新潮文庫に加えて頂く運びとなり、身にあり余る光栄を感じています。文庫化にあたり、訂正と若干の加筆を致しました。訂正に関しては、読者や各分野の研究者の方々からのご指摘を参考にさせて頂きました。この場をお借りして深く感謝申し上げます。

皆様と繋がる全《すべ》ての先人の方々へ感謝の気持ちを込めて、また、私たちひとりひとりの感情や行動が、次世代の希望ある社会へと続くよう祈りを込めて、新たな気持ちでこの本を捧《ささ》げます。

２０１１年６月29日

◇注釈

【プロローグ】

1 **モンゴメリ** Lucy Maud Montgomery（1874〜1942）カナダのプリンス・エドワード島出身の小説家。代表作『アン・オブ・グリン・ゲイブルス Anne of Green Gables』（1908）。

2 **国民学校** 戦時体制に即応するため、昭和16年（1941）公布の国民学校令により従来の小学校を改めて設置した初等教育機関。昭和22年（1947）に廃止。

3 **数え歳** 生まれた年の年齢を1歳とし、以後は正月に年齢を加えていく数え方。年末に生まれた子は年が明けると2歳になる。明治時代は「数え」で年齢を考えるのが普通であった。

【第1章】

4 **華族** 明治2年（1869）に発布された身分制度の族称で、皇族の下、士族の上に置かれた。初めは旧公家《くげ》・大名の家系の身分呼称だったが、明治17年（1884）華族令により維新の功臣に、のちには実業家にも適用され、公・侯・伯・子・男の爵位《しゃくい》を授けられて、財産保全などの特権を伴う社会的身分となった。これらの身分制度は第二次大戦後の昭和22年（1947）、新憲法施行により完全に廃止された。

5 **大鳥圭介**（1833〜1911）江戸末期・明治初期の政治家。緒方洪庵《こうあん》・江川英龍らに蘭《らん》学《がく》・兵学を学ぶ。戊辰《ぼしん》戦争では榎本武揚《えのもとたけあき》とともに五稜郭《ごりょうかく》にたてこもったが降伏。のち政府に迎えられ、清《しん》国・朝鮮公使として日清戦争前後の外交工作にあたった。枢密《すうみつ》顧問官を務める。

6 **巖谷小波**（1870〜1933）児童文学者・俳人。本名・季雄《すえお》。別号・漣山人《さざなみさんじん》。尾崎紅葉

らと硯友社《けんゆうしゃ》を結成。のち『こがね丸』など創作童話を発表。また、『日本昔噺《むかしばなし》』など伝承文学の再話やおとぎ話の口演にも力を注いだ。

7　**カナダ・メソジスト派**　メソジスト派 Methodist はキリスト教のプロテスタントの一派。1728年、英国の神学者であり伝道者であるジョン・ウェスレー John Wesley（1703〜1791）らがオックスフォードで組織したホーリークラブによる信仰覚醒《かくせい》運動に始まる。1795年、正式に英国国教会から分立。米国を中心として全世界に広まった。カナダ・ウェスレーアン・メソジスト教会は、明治6年（1873）、最初の外国伝道地として日本を選び、2名の宣教師を派遣した。

8　**平民社**　明治末期の社会主義結社。明治36年（1903）日露戦争開戦反対を唱えて『万朝《よろずちょう》報《ほう》』を退社した幸徳秋水・堺利彦《さかいとしひこ》らが結成し、『平民新聞』を発行。官憲の弾圧で同38年（1905）に解散後、同40年（1907）に再興したが3ヶ月で再解散。

9　**日本社会党**　明治39年（1906）堺利彦、西川光次郎を中心として結成された日本最初の合法的社会主義政党。翌年、治安警察法の適用によって解散。

10　**ミルトン**　John Milton（1608〜74）英国の詩人。ピューリタン革命に参加、言論の自由を主張し、共和政府に関与。王政復古後は失明と孤独のうちに詩作に没頭した。長編叙事詩『失楽園 Paradise Lost』は1667年刊。旧約聖書の創世記を素材に、アダムとイヴの楽園追放を神と悪魔との争闘のうちに描き、人間の原罪と神の恩寵《おんちょう》の問題を追求。他に叙事詩『復楽園 Paradise Regained』、劇詩『闘士サムソン Samson Agonistes』など。

【第2章】

11　**教育勅語**　明治天皇の名のもとに、明治23年（1890）10月30日に発布された「教育ニ関スル勅語」。教育の根本を天皇制の国体に置き、忠孝の徳を国民教育の中心に据えた。昭和23年（1948）に失効。

12　**私立学校令**　文部省が明治32年（1899）8月3日公布、同4日施行。条約改正による外国人の内地雑居実施後の外国人による学校経営を禁ずることが、この法令の基本発想。

13　**文部省訓令十二号**　私立学校令と同時に公布。官公立学校だけでなく私立学校でも宗教教育および宗教的儀式は禁止。ただし、神道は「宗教にあらず」とされる。キリスト教教育を続ける場合は、各種学校扱いとなり、上級学校への進学や徴兵猶予《ゆうよ》の特権を失うことになった。

14　**『アンクル・トムの小屋** Uncle Tom's Cabin**』**　1852年刊。ハリエット・B・ストウ Harriet Beecher Stowe（1811〜96）作の小説。敬虔《けいけん》なキリスト教徒の黒人奴隷トムが転々と売られ、白人に虐待《ぎゃくたい》されて死ぬ悲惨な生涯を描く。出版後たちまち米国内で40数万部売りつくし、奴隷解放の気運を大きく促した。

15　**『天路歴程** Pilgrim's Progress**』**　ジョン・バニヤン John Bunyan（1628〜88）の寓意《ぐうい》物語。第1部1678年、第2部84年刊。クリスチャンとその妻クリスチアーナが「滅亡の市」を旅立ち、「落胆の沼」「虚栄の市」などを経て、試練の末に「天の都」に至るまでを描く。

16　**『ロビンソン・クルーソー** The Life and Strange Surprising Adventures of Robinson Crusoe**』**　ダニエル・デフォー Daniel Defoe（1660頃〜1731）の長編小説。1719年刊。難破して無人島に漂着したクルーソーが、信仰心と合理的な創意工夫で自給自足の生活を築いていく物語。イギリス写実小説の先駆的作品。

17 『水の子 The Water Babies』 チャールズ・キングズレー Charles Kingsley（１８１９〜75）作の童話。１８６３年刊。煙突掃除の少年トムが乱暴な親方から逃げて川に落ち、water-baby となって水中の様々な生き物と知り合う。

18 『若草物語 Little Women』 １８６８年刊。ルイーザ・メイ・オルコット Louisa May Alcott（１８３２〜88）の少女小説。19世紀半ばのアメリカの小さな町を舞台に、マーチ家の四人姉妹の成長を描く。

19 エルシー・ブックス Elsie Books マーサ・ファカーソン・フィンリー Martha Farquharson Finley（１８２８〜１９０９）作の『エルシー・ディンズモア Elsie Dinsmore』に始まる、エルシーを主人公とする小説シリーズ。全28巻。当初は批評家や雑誌の書評からは無視されたが、読者の圧倒的な人気を集め、少女文学の古典として知られるようになった。

【第3章】

20 ショー George Bernard Shaw（１８５６〜１９５０）アイルランド出身の劇作家・批評家。風刺と機知に富んだ辛辣《しんらつ》な作品により、英国近代劇を確立した。戯曲『人と超人 Man and Superman』『ピグマリオン Pygmalion』『聖女ジョーン St. Joan』などのほか、社会主義や芸術についての評論が多い。１９２５年、ノーベル文学賞受賞。

21 ワイルド Oscar Wilde（１８５４〜１９００）アイルランド出身の詩人・劇作家・小説家。世紀末耽美《たんび》主義文学の代表的作家で、芸術至上主義を唱えた。小説『ドリアン・グレイの肖像 The Picture of Dorian Gray』戯曲『サロメ Salomé』童話集『幸福な王子 The Happy Prince and Other Stories』回想録『獄中記 De Profundis』など。

22　イプセン　Henrik Ibsen（１８２８〜１９０６）ノルウェーの劇作家。社会のありかたを問う作品で観客の意識に訴えかけ、近代演劇の祖とされる。１８７９年に発表した戯曲『人形の家 Et Dukkehjem』は、弁護士の夫から人形のように愛されていただけ、と気づいたノラが、人間として生きるために夫と子供を離れ家を出るという、女性の目覚めを描き、女性解放の問題を提起した近代劇の代表作。

23　メーテルリンク　Maurice Maeterlinck（１８６２〜１９４９）ベルギーの詩人・劇作家。象徴主義演劇に新生面を開いた。１９１１年、ノーベル文学賞受賞。戯曲『ペレアスとメリザンド Pelléas et Mélisande』『青い鳥 L'Oiseau Bleu』など。

24　スコット　Sir Walter Scott（１７７１〜１８３２）英国の詩人・小説家。スコットランドの民謡・伝説に基づく物語詩や歴史小説を書いた。物語詩『マーミオン Marmion』『湖上の美人 The Lady of the Lake』小説『アイバンホー Ivanhoe』など。

25　ディケンズ　Charles Dickens（１８１２〜70）英国のヴィクトリア朝を代表する小説家。ユーモアとペーソスのある文体で下層市民の哀歓を描く。『オリバー・ツイスト Oliver Twist』『クリスマス・カロル A Christmas Carol』『二都物語 A Tale of Two Cities』など。

26　サッカレー　William Makepeace Thackeray（１８１１〜63）英国の小説家。写実的作風により、上流・中流社会の生活を風刺をこめて描いた。『虚栄の市 Vanity Fair』『ペンデニス Pendennis』など。

27　シャーロット・ブロンテ　Charlotte Brontë（１８１６〜55）英国の小説家。１８４７年刊行の小説『ジェーン・エア Jane Eyre』で、不幸な孤児ながら強い意志で人生を切り開くヒロインを創作し、大きな反響を呼ぶ。同年に『嵐《あらし》が丘 Wuthering Heights』を発表したエミリー・ブロンテ Emily Brontë（1818〜48）は実妹。

28 **徳冨蘆花**（1868〜1927）小説家。ジャーナリスト徳冨蘇峰《そほう》の弟。民友社の記者を経て、小説『不如帰《ほととぎす》』、随筆集『自然と人生』を発表、作家としての地位を確立。のちに文豪トルストイに心酔。他に『思出の記』『みみずのたはこと』『富士』『黒潮』など。

29 **トルストイ** Lev Nikolaevich Tolstoy（1828〜1910）ドストエフスキー Fyodor Mikhaylovich Dostoevsky とともに19世紀ロシア文学を代表する作家。人間の良心とキリスト教的愛を背景に人道主義文学を樹立。小説『戦争と平和 Во йнаи мир』『アンナ・カレーニナ Анна Каренина』。長編小説『復活 Воскресение』は日本で大正3年（1914）に島村抱月（1871〜1918）が舞台化、松井須磨子《すまこ》（注53）主演で上演され、劇中歌『カチューシャの唄《うた》』が大ヒットした。

30 **柳原伯爵令嬢燁子**（1885〜1967）歌人。号は白蓮《びゃくれん》。歌集に『踏絵』『幻の華』、詩集『几帳《きちょう》のかげ』。社会主義者、宮崎龍介《りゅうすけ》（注78）と出会い、財産も身分も捨てて生涯を共にする。夫が結核に倒れた時期は、文筆で生計を支えた。昭和10年（1935）以後、歌誌『ことたま』主宰。

31 **テニスン** Alfred Tennyson（1809〜92）英国の詩人。美しい韻律と叙情性に富んだ作風により、ヴィクトリア朝の代表的詩人となる。友の死を悼《いた》む『イン・メモリアム In Memoriam』で名声を得、ワーズワース William Wordsworth を継いで桂冠《けいかん》詩人となった。『イノック・アーデン Enoch Arden』、アーサー王伝説による『王の牧歌集 Idylls of the King』なども人気を博した。Ｒ・ブラウニング（注56）と共に英国史上もっとも民衆に愛された詩人。

32　**佐佐木信綱**　（１８７２〜１９６３）歌人・国文学者。短歌結社「竹柏《ちくはく》会」を主宰、機関誌『心の花』を刊行。「広く、深く、おのがじしに」をモットーとして、詠み人の個性を尊重。穏健な歌風で多数の会員を集め、石榑《いしくれ》千亦《ちまた》、川田順、木下利玄、片山廣子《ひろこ》（注38）、九条武子《たけこ》（注36）、柳原白蓮らを世に送った。万葉集の研究や和歌の史的研究などにも業績を残した。１９３７年、文化勲章受章。歌集『思草《おもいぐさ》』、論文集『歌学論叢《ろんそう》』。

33　**樋口《ひぐち》一葉**　（１８７２〜96）小説家。中島歌子の萩《はぎ》の舎《や》塾で和歌、古典を学び、小説は半井桃水《なからいとうすい》の教えを受けた。庶民の哀歓を描き、独自の境地を示した。森鷗外《おうがい》、幸田露伴《こうだろはん》、「文学界」の同人などに激賞されたが、生活苦の中、肺結核で24歳にして他界。小説『たけくらべ』『にごりえ』『十三夜』など。

34　**長谷川時雨《はせがわしぐれ》**　（１８７９〜１９４１）劇作家・小説家。明治末から日本美人伝を書き続ける。昭和３〜７年（１９２８〜32）に刊行した文学雑誌『女人藝術《げいじゅつ》』で女性作家の地位向上と育成に努めたが、政府の圧力で廃刊。戦時は昭和14年（１９３９）に結成した「輝ク部隊」で、慰問などの活動を展開。戯曲に『覇王丸』『さくら吹雪』など。

35　**五島美代子**　（１８９８〜１９７８）早世した長女を悼む作品で「母の歌人」と呼ばれる。昭和32年（１９５７）刊『新輯《しんしゅう》母の歌集』で読売文学賞受賞。

36　**九条武子**　（１８８７〜１９２８）西本願寺の門主の娘で、才色兼備で知られる。男爵家に嫁ぎ、渡英などで幅広い見識を養う。仏教系の婦人団体による社会事業に貢献し、京都女子高等専門学校（現・京都女子大）を創設。歌集に『金鈴』など。

37 『即興詩人 Improvisatoren』 アンデルセン Hans Christian Andersen の長編小説、1835年刊。イタリアを舞台に、詩人アントニオの遍歴の旅と友情、恋を描く。森鷗外（1862〜1922）翻訳の見事な文章自体が、明治浪漫主義の代表作とされる。

38 片山廣子 （1878〜1957）アイルランド文学の翻訳家としては松村みね子の筆名をもつ。室生犀星《むろうさいせい》、芥川龍之介《あくたがわりゅうのすけ》、堀辰雄《たつお》らと親交があり、堀の小説『聖家族』『楡《にれ》の家』のモデルとされる。歌集に『翡翠《かわせみ》』『野に住みて』、随筆集に『燈火節《とうかせつ》』、翻訳に『愛蘭《アイルランド》戯曲集第一巻』『シング戯曲全集』など。

39 シング John Millington Synge（1871〜1909）アイルランドの劇作家。詩的写実劇を発表、アイルランドの国民演劇運動を推進し、文芸復興に貢献。悲劇『海へ騎《の》りゆく人々 Riders to the Sea』、喜劇『西の人気男 The Playboy of the Western World』。

40 ダンセニイ Edward John Moreton Drax Plunkett, 18th Baron Dunsany（1878〜1957）アイルランドの劇作家・小説家。幻想的、風刺的な作風で、短編小説も残した。戯曲『アラビア人の天幕 The Tent of The Arabs』『山の神々 The Gods of the Mountain』など。

41 グレゴリー夫人 Isabella Augusta Gregory（1852〜1932）アイルランドの女流劇作家。イエーツ William Butler Yeats らとアイルランド文芸劇場を創立、国民演劇の成立に貢献。アイルランド伝説の収集にも尽力。『噂《うわさ》のひろまり Spreading the News』『月の出 The Rising of the Moon』など。

42 杉田定一 （1851〜1929）民権運動の政治家。のちに衆議院議長などを務めた。

43 大逆事件 明治43年（1910）社会主義者・無政府主義者が明治天皇の暗殺計画容疑で検挙

された事件。大逆罪の名のもとに24名に死刑が宣告され、翌年1月、幸徳秋水ら12名が処刑された。以後社会主義運動はきびしく弾圧された。事件の大半はでっちあげと考えられている。

44　**日本基督教婦人矯風会**　１８７０年代に米国で禁酒運動を行っていたキリスト教婦人団体ＷＣＴＵ（Women's Christian Temperance Union）に感化されて、矢島楫子《やじまかじこ》らが明治19年（１８８６）に東京婦人矯風会を組織。同26年（１８９３）に、日本基督教婦人矯風会に発展。世界の平和、男女の性と人権、未成年者の禁煙・禁酒を活動目標とする。現在では日本キリスト教婦人矯風会として性差別・性暴力・性搾取《さくしゅ》の問題に取り組み、各方面への要請行動や福祉事業（女性の家ＨＥＬＰ、矯風会ステップハウスなど）を続け、慰安婦問題にも取り組む。

45　**矢島楫子**　（１８３３〜１９２５）明治大正期の教育者。徳富蘇峰・蘆花《ろか》兄弟の叔母。40歳を過ぎて教員となり、新栄女学校（後の女子学院）の舎監を経て、明治22年（１８８９）女子学院の初代院長となった。舎監時代から矯風会を組織。廃娼《はいしょう》運動を積極的に展開した。

46　**久布白落実**　（１８８２〜１９７２）婦人運動家。徳富蘇峰・蘆花兄弟の姪《めい》。女子学院卒業後、久布白直勝牧師と結婚。大叔母・矢島楫子の感化を受け、大正5年（１９１６）矯風会の総幹事に就任、廃娼運動に取り組む。大正13年（１９２４）市川房枝《ふさえ》らとともに婦人参政権獲得期成同盟会を結成。第二次大戦後は売春禁止法制定促進委員会の委員長となり、法制定に尽力。

47　**ガントレット恒子**　（１８７３〜１９５３）婦人運動家。救ライ事業に生涯を捧《ささ》げた牧師・医師であった叔父夫妻の感化で早くから信仰と社会事業に目覚めた。女子学院において矢島楫子に学び、明治31年（１８９８）エドワード・ガントレット Edward Gauntlett と結婚。法的手続きをして英国籍を取得した日本最初の事例となる。東京女子大学や自由学園で教鞭《きょうべん》をとりながら、矯風会の活動に携わり、婦人更生、廃娼運動を推進。1920年ロンドンで開催された矯風会万国大会やジュネーブの婦人参政権協会の大会にも出席、帰国後婦人参政権協会の設立に尽力。昭和21年（1946）矯風会会頭に就任。婦選獲得運動、平和運動に貢献。弟は音楽家の山田耕筰《こうさく》。

48 **守屋東**　（1884〜1975）教育者・女性活動家・社会事業家。恵まれない子供を対象に下谷に新設された万年尋常小学校での代用教員を経て、日本基督教婦人矯風会に参加し禁酒活動に従事。大正11年（1922）の未成年者禁酒法の制定、また廃娼運動などに尽力する。また、昭和14年（1939）日本最初の肢体不自由児のための福祉施設「クリュッペルハイム東星学園」を創設。障害児教育、学校看護師や養護教員の養成に努める。

49 **公娼制度廃止**　廃娼運動ともいう。1886年、J・バトラーJ. E. Butler の活躍によって英国で初めて公娼制度が廃止され、その後も世界各国の女性運動の中心課題の一つとされた。日本では明治5年（1872）に娼妓《しょうぎ》解放令が出され、一旦《いったん》は公娼制は廃止されたが、すぐに復活。その後婦人矯風会や救世軍をはじめ多くの団体がこの運動を推進した。が、昭和6年（1931）以降、軍によって従軍慰安婦が動員されてから廃娼運動は停滞し、敗戦後も買春の徹底規制は行われなかった。女性団体による抗議運動や世論の高まりにより、昭和31年（1956）ようやく売春防止法が制定された（施行は1958年）。

50 **禁酒運動**　酒害から発生する様々な社会問題を除去していこうとする運動。19世紀半ばから20世紀初頭に米国、英国で特に盛んで、ピューリタニズムの道徳思想を背景に法的規制を目指す運動が展開された。日本では明治20年代から運動が起こり、大正11年（1922）には未成年者禁酒法が成立。

51 **婦人参政権**　選挙権・被選挙権などの女性が国政に参加する権利は、19世紀末以降英国をはじめ世界各国で認められるようになった。日本でも明治末期から婦人参政権獲得運動が始まった。大正13年（1924）婦人参政権獲得期成同盟会（翌年婦選獲得同盟と改称）が成立し、市川房枝らが活躍。第二次大戦後の昭和20年（1945）、GHQの指示に基づき衆議院議員選挙法改正によってようやく女性にも参政権が認められ、翌年（1946）には女性が選挙に初参加、39人の女性議員が誕生。

52 **平塚らいてう**　（1886〜1971）婦人運動家・評論家。日本女子大学校卒。明治44年（1911）、女性文芸誌『青鞜《せいとう》』を創刊。大正7年（1918）に与謝野晶子《よさのあきこ》と母性保護論争を行い注目される。のち市川房枝、奥むめおらと、女性の地位向上を目指す新婦人協会を結成して婦人参政権運動を展開。第二次大戦後は恒久平和実現に向けて活動した。

53 **松井須磨子**　（1886〜1919）女優。文芸協会演劇研究所に入り、『人形の家』のノラ役で脚光を浴びた。のち演出家・島村抱月と芸術座を組織し、『サロメ』『カルメン』などに主演し人気を博した。抱月の死後、あとを追って自殺。

54 **「新しい女」**　明治44年（1911）から大正5年（1916）にかけて刊行された雑誌『青鞜』に関わった平塚らいてう、伊藤野枝《いとうのえ》らに代表される、自我に目覚めた進歩的女性。封建的な因習を打破し、新しい価値観を打ち立てようとする彼女たちは、同時代人の憧《あこが》れを集める半面、批判にもさらされた。

55 **『イン・メモリアム In Memoriam』**　テニスン（注31）の長詩。1850年刊。妹の婚約者でもあった、ケンブリッジ時代からの親友を悼みつつ、17年間にわたって生と死の問題をめぐる作者の心の遍歴をうたったもの。

56 **ブラウニング** Robert Browning（1812～89）英国の詩人。ヴィクトリア朝時代の代表的詩人で、「劇的独白」とよばれる手法で人間と美に対する楽天的心情を力強く歌った。『男と女 Men and Women』『指輪と本 The Ring and the Book』など。

【第4章】

57 **福音新報** プロテスタント牧師・植村正久（注71）が創刊した週刊伝道誌。日本基督教会と日本基督教団の機関誌としての役割を果たした。

58 **澤田廉三**（1888～1970）外交官。大正3年（1914）に外務省に入省、各国大使を歴任し、第二次世界大戦後は日本初の国連大使となった。退任後には外務省顧問に就任し、昭和31年（1956）の日本の国際連合加盟実現に貢献した。

59 **第一次世界大戦**（1914～18）三国同盟（ドイツ・オーストリア・イタリア）と三国協商（イギリス・フランス・ロシア）との対立を背景として起こった世界的規模の戦争。1914年6月のサラエボでのオーストリア皇太子暗殺事件に端を発し、同盟側にはトルコ・ブルガリアなどが、協商側にはベルギー・日本・三国同盟を脱退したイタリア・アメリカ・中国などが参戦。4年余りにわたりヨーロッパ戦場を中心に激戦が続いたが、18年11月、ドイツの降伏によって終結。翌年パリ講和会議でベルサイユ条約が締結された。

60 **吉屋《よしや》信子《のぶこ》**（1896～1973）大正5年（1916）、少女小説作家としてデビュー、その後、『女の友情』『良人《おっと》の貞操』などの小説で女性読者を獲得。昭和27年（1952）には『鬼火』で女流文学者賞を受賞し、力量を広く認められた。昭和40年（1965）には、日本における廃娼運動史『ときの声』を刊行。女性史に光を当てた長編歴史小説『徳川の夫人たち』は昭和41年（1966）に刊行されベストセラーとなり、江戸城大奥ブームに火を付けた。

61 **小橋三四子**（1883〜1922）ジャーナリスト。日本女子大学校第1回卒業生。大正4年（1915）『婦人週報』の発行・編集人となり、女性に対する職業的訓練の必要を説き、さらに女性の地位向上のために男性の覚醒を促した。婦人記者倶楽部《くらぶ》づくりに奔走し、矯風会の公娼全廃運動にも参加した。

62 **日本女子大学校**　明治34年（1901）、成瀬仁蔵により女子高等教育機関の先駆として創立された。現・日本女子大学。

63 **市川房枝**（1893〜1981）婦人運動家・政治家。愛知女子師範卒。小学校教員、新聞記者を経て、大正8年（1919）平塚らいてうと新婦人協会を設立、以後婦人参政権獲得や女性解放のため活動する。理想選挙を唱え、1953年以後参議院議員当選5回。売春防止法制定・政界浄化などに大きな足跡を残す。

64 **『ア・ガール・オブ・ザ・リンバロスト A Girl of Limberlost』**（1909）ジーン・S・ポーター Gene Stratton Porter（1863〜1924）作。『リンバロストの乙女』として村岡花子が翻訳。同作者の『そばかすの少年 Freckles』（1904）も村岡訳。

65 **『母様キャレーの雛鳥《ひなどり》 Mother Carey's Chickens』**（1911）『少女レベッカ Rebecca of Sunnybrook Farm』（1903）で人気を博した、米国の作家ケイト・ダグラス・ウィギン Kate Douglas Wiggin（1856〜1923）の作品。村岡はのちに『ケレー家の人びと』

と題して翻訳出版。

【第5章】

66 **『天道遡源 Martin's Evidences Christianity』**　1854年、ウィリアム・マーティン William Martin 著。清国で出版されたキリスト教入門書。明治初期のキリスト教布教に大きな役割を果たした。

67 **賀川ハル**（1888〜1982）社会運動家。明治44年（1911）、賀川豊彦（注68）のスラム救済事業を知り、奉仕活動に従事。大正2年（1913）、賀川と結婚。スラムに住み巡回看護婦の仕事を毎日続けるうち、悪性のトラホームに感染、右目を失明したが、後の神戸の川崎・三菱《みつびし》両造船所の労働争議では覚醒婦人協会会長として労働者の救援活動にあたり、関東大震災では被災者援護のため救済事業に従事した。夫と死別後は事業を引き継いだ。

68 **賀川豊彦**（1888〜1960）社会運動家。日本近代の代表的キリスト者の一人。明治学院、神戸神学校、米国のプリンストン大学を卒業。神戸神学校在学中から貧しい人々の伝道に努めた。大正10年（1921）の神戸川崎・三菱両造船所の労働争議の指導、東京本所のセツルメント（貧困や環境などの問題を抱える地域の社会福祉施設）などで活動。終生清貧に甘んじて、労働運動、農民運動、生活協同組合運動、平和運動に先駆的な役割を果たした。自伝的小説『死線を越えて』はベストセラーとなった。

69 **教文館**　メソジスト教会のアメリカ人宣教師で、青山学院の創設メンバーであるR・S・マクレイ Robert S. Maclay やI・H・コレル Irving H. Correl らによって明治18年（1885）に創業された出版社と書店。当時メソジスト派は出版活動を伝道の有力な手段とみなしていた。

現在も銀座で、キリスト教関連の書籍を刊行しながらカフェやホールも備えた多面的な書店を経営。児童書専門フロアでは良質な児童書を取り揃《そろ》えた「ナルニア国」を設け、講演会や展覧会も定期的に企画している。

70 **救世軍**　１８６５年、英国のメソジスト派の牧師W・ブース William Booth が始め、78年に救世軍 Salvation Army と名乗ったプロテスタントの一派。明治28年（１８９５）日本にも伝わり、山室軍平を指導者として多彩な慈善事業に取り組み今日に至る。

71 **植村正久**　（１８５８〜１９２５）プロテスタント牧師・神学者。J・H・バラの感化で明治６年（１８７３）に受洗、その後横浜のブラウン塾に学んだ。富士見町教会・東京神学社を創立し、伝道者の養成と神学研究を続ける。『福音新報』（注57）を創刊。福音主義の中心的指導者。著書に『真理一斑《いっぱん》』。

72 **山室軍平**　（１８７２〜１９４０）日本救世軍の創立者。路傍伝道に感化を受け入信、同志社に学んだ。明治28年（１８９５）、英国救世軍の来日を機に救世軍に入り、廃娼運動、職業紹介、医療など社会福祉の向上に尽力した。社会鍋《なべ》による街頭募金を創始。機関誌『ときのこえ』編集。著書に『平民之《の》福音』など。

73 **望月《もちづき》百合子**　（１９００〜２００１）読売新聞記者を経て、フランスに留学。大正14年（１９２５）に帰国後、アナーキストとして評論を書き翻訳も手がける一方、女性解放運動に力を注いだ。昭和13年（１９３８）、夫と中国東北部へ渡り満州新聞記者となる。戦後も著述、翻訳を続けた。

74 **山高しげり**　（１８９９〜１９７７）婦人運動家。雑誌記者などを経て大正13年（１９２４）

市川房枝らと婦人参政権獲得期成同盟会を結成、1940年の解散まで有力なメンバーとして運動を支えた。一方、母性保護運動にも活躍し、昭和12年(1937)の母子保護法成立に尽力。戦後は「草の根」の女性の社会参加を促す全国地域婦人団体連絡協議会(地婦連)を組織して、会長を務める。昭和37年(1962)から参議院議員に当選2回、晩年は原水爆禁止運動の統一を訴えた。

75 **吉原《よしわら》の遊郭** 東京都台東区北部にあった江戸時代以来の遊郭地。最盛期には数千人の遊女をかかえ、江戸の一大享楽地《きょうらくち》、社交場として繁盛《はんじょう》した。昭和33年(1958)の売春防止法施行によって一斉廃業。

76 **蘭学塾** 江戸時代にオランダ語を通じて西洋の文化や学術を研究した学問所。鎖国下の日本では、オランダ語を通じてのみヨーロッパの近代科学と接することができた。

77 **野辺地天馬** (1885〜1965) 児童文学者、キリスト教牧師、伝道師。

78 **宮崎龍介** (1892〜1971) 弁護士・社会運動家。白蓮(注30)の戯曲『指鬘外道《しまんげどう》』の上演依頼のために、大分県別府にある伊藤家の別荘「銅御殿《あかがねごてん》」を訪れた。のちに反政府組織として政府によって弾圧される東大新人会の創立メンバーで、雑誌『解放』の編集者でもあった。晩年は護憲運動や日中友好に尽力。

【第7章】

79 **林芙美子** (1903〜51) 小説家。女工、カフェの女給などを転々としながら童話や詩を書き、自伝的小説『放浪記』を『女人藝術』に発表、文壇に出た。一貫して庶民の生活を共感を込めて描いた。他に小説『清貧の書』『浮雲』『めし』、詩集『蒼馬《あおうま》を見たり』など。

80　**渡辺とめ子**（1882〜1973）佐佐木信綱門下の歌人・詩人。陸軍大将、大山巖《いわお》の四女。徳冨蘆花『不如帰』のヒロイン、浪子のモデルとなった人の妹。

81　**三上於菟吉**（1891〜1944）小説家。時代物の大衆小説を多く書き、人気を博す。『敵打日月双紙』『雪之丞変化《ゆきのじょうへんげ》』『鴛鴦呪文《じゆもん》』など。

82　**菊池寛**（1888〜1948）小説家・劇作家。小説『恩讐《おんしゅう》の彼方《かなた》に』『真珠夫人』などで流行作家に。文芸家協会設立に尽力し、雑誌『文藝春秋』を創刊。のち芥川賞、直木賞を創設するなど、作家の社会的地位の向上にも貢献した。

83　**与謝野晶子**（1878〜1942）歌人。明治33年（1900）与謝野鉄幹の新詩社の社友となり『明星』に短歌を発表。翌年、歌集『みだれ髪』を出して注目を集めた。同年、鉄幹と結婚。日露戦争中の反戦的な詩「君死にたまふことなかれ」も大反響を呼ぶ。古典の現代語訳も試み『新訳源氏物語』を刊行。大正期には女性解放運動や、社会問題の評論に活躍。自由な教育をめざす、文化学院の創立にも関わる。

84　**今井邦子**（1890〜1948）歌人。「アララギ」に加入し、島木赤彦門下の歌人として活躍。『青鞜』にも作品を発表。歌誌『明日香』を創刊。歌集『片々』『紫草』など。

85　**宇野千代**（1897〜1996）小説家。結婚後、新聞の懸賞小説に続けざまに当選。大正10年（1921）単身上京。作家活動に入る。戦前では『色ざんげ』が代表作。昭和32年（1957）『おはん』で野間文芸賞を受賞。尾崎士郎、東郷青児、北原武夫《たけお》らとのロマンスでも知られる。

86　**平林たい子**（1905〜72）小説家。社会主義運動を志して上京。昭和2年（1927）『施《せ》療室《りょう》にて』でプロレタリア作家として認められた。戦後『からいふ女』『地底の歌』『砂漠の花』など。

87 『スウ姉さん Sister Sue』（1920）『少女パレアナ』の作者・エレナ・ホグマン・ポーター Eleanor Hodgman Porter（1868〜1920）作。青蘭社発行の『家庭』（後に『青蘭』）に花子訳で『長姉物語』として連載、昭和7年（1932）に『姉は闘ふ』として教文館より出版。戦後、『スウ姉さん』（角川文庫）と改題し親しまれた。

88 満州国　満州事変により中国東北地方を占領した日本が、昭和7年（1932）、清朝《しんちょう》最後の皇帝溥儀《ふぎ》を執政として建国した傀儡《かいらい》国家。首都は新京（現・長春）。昭和9年（1934）に溥儀の皇帝即位によって帝国となり、昭和20年（1945）、日本の敗戦とともに消滅。

89 ふんふん乞食　当時大森に住んでいた俳優・池部良が、随筆集『そよ風ときにはつむじ風』に収録した「葛餅《くずもち》」に、この夫婦の思い出を書いている。

90 大日本帝国憲法　戦前の日本の憲法。明治22年（1889）2月11日発布、同23年（1890）11月29日施行。三権分離、臣民の権利・自由の保障を一応取り入れたが、万世一系・神聖不可侵の天皇が統治権を掌握するという天皇主権を原則とした。昭和22年（1947）5月3日、日本国憲法の施行により廃止。

91 愛国婦人会　明治34年（1901）に設立された婦人団体。戦死者の遺族や傷痍《しょうい》軍人の救護を主な目的とした。昭和17年（1942）大政翼賛会下部の大日本婦人会に統合され、戦後解体。

92 大日本国防婦人会　昭和7年（1932）設立の婦人団体。「国防は台所から」をスローガンに掲げ、出征者の送迎、傷痍軍人、遺族の扶助などのほか、防空演習も行った。昭和17年（1

９４２）大日本婦人会に統合。

【第８章】

93 **ヴォーリズ** William Merrell Vories（１８８０〜１９６４）米国の建築家、教育家。キリスト教伝道のため明治38年（１９０５）に来日。全国で教会や学校、ホテルなど１６００棟にものぼる建物を設計した。その活動分野は幅広く、建築から医療、教育、社会事業まで及ぶ。滋賀県近江八幡《おうみはちまん》の財団法人近江兄弟社に、ヴォーリズ記念館が残る。

94 **敬神** 聖書の教えに基づいた東洋英和の建学の精神、キリスト教教育の理念を象徴する言葉。「心を尽くし、精神を尽くし、思いを尽くし、力を尽くして、主なるあなたの神を愛せよ」（新約聖書マルコによる福音書第12章30節）に通じる。この教えの意味するところは「礼拝、授業、行事、奉仕活動等を通して、神から愛されている、かけがえのない自分に気づき、神を愛し敬いなさい」。

95 **奉仕** 東洋英和の建学の精神を表す言葉。「自分を愛するようにあなたの隣人を愛せよ」（新約聖書マルコによる福音書第12章31節）、この一文は、「自分のことだけではなく、神から愛されている隣人（他者）をも愛し、優しく接しなさい」と解釈される。

【第９章】

96 **仙花紙** くず紙をすき返して作った粗悪な洋紙。第二次大戦後の物資不足の時代に使われた。

97 **エリザベス・サンダース・ホーム** 澤田美喜（１９０１〜80）が、連合軍に接収された大磯の岩崎家旧宅を、私財と募金で買い戻し、混血孤児のための孤児院を昭和23年（１９４８）に開設。最初に寄付をしてくれた英国人女性の名前に因《ちな》んで命名された。現在は親と一緒に生活できない事情のある子供を育成する、児童養護施設として存続。

98 **ゲートル**　脚絆《きゃはん》に似た脚をおおう服装品。細長い布を足首からすねへ巻き上げ膝下で結び留める。日本では日露戦争時に使用され、第二次大戦中も軍装だけでなく、一般男性にも用いられた。生地は厚手の木綿、毛織物、皮革など。

【第10章】

99 **一万田尚登**《いちまだひさと》（１８９３〜１９８４）昭和期の日本の政治家、実業家。第18代日本銀行総裁、鳩山《はとやま》一郎内閣と岸信介《のぶすけ》内閣の大蔵大臣を歴任。日銀総裁在任期間の３１１５日は歴代1位。ＧＨＱと渡り合える唯一《ゆいいつ》の経済人と言われた。鋭い眼光と彫りの深い容貌《ようぼう》もあいまって「法王」の異名を持ち、戦後の金融界、経済界に多大な影響力を持った。

100 **藤山愛一郎**（１８９７〜１９８５）財界出身の政治家。大日本精糖社長、日本航空会長、日本商工会議所会頭など財界の要職を歴任。昭和32年（１９５７）岸内閣の外相となり、翌年総選挙で当選し政界入り。日米安全保障条約改定交渉、日中国交回復に尽力した。

101 **前田久吉**（１８９３〜１９８６）実業家、政治家。産経新聞、東京タワーの創業者。

102 **産児制限**　人為的に受胎、妊娠、出産を制限すること。産児制限の手段としては、不妊手術ないしは断種、避妊、人工妊娠中絶がある。社会の生産性の限界（食料不足等）、家庭の貧困、母体や胎児における医学的な理由などによる。

103 **加藤シヅエ**（１８９７〜２００１）日本の女性解放運動家・政治家。大正8年（１９１９）渡米、マーガレット・サンガー Margaret Higgins Sanger と出会い、帰国後日本での産児調節運動をスタートさせた。昭和6年（１９３１）日本産児調節婦人連盟を設立、同9年（１９

34）産児制限相談所を開設。戦後、女性が参政権を得た初の選挙で衆議院議員に選ばれた日本初の女性議員のひとり。同29年（1954）日本家族計画連盟を結成、同63年（1988）国連人口賞受賞。

104 **波間に浮かぶゆりかご**　約2千年前から島で漁業や狩猟生活を営んでいた先住民、ミクマク人はこの島を「アベグウェイト（Abegweit）」と呼んでいた。「アベグウェイト」とは彼らの言語で「波間に浮かぶゆりかご（Cradle in the Waves）」を意味する。その形と豊かな自然を育《はぐく》む土壌から「ゆりかご」と名づけられた島は、16世紀に入ってイギリスとフランスの植民地争いに巻き込まれ、ミクマク人は恵まれない立場に追いやられていった。1763年に英領となり、1799年に英国王ジョージ3世の子息、後にヴィクトリア女王の父となるエドワード王子への敬意を表してプリンス・エドワード島と命名される。その後、1873年、モンゴメリ誕生の前年にプリンス・エドワード島はカナダ連邦政府に加盟して、ひとつの州となる。

※　この本には、現在では不適当とされる表現がありますが、過去の時代に書かれた引用などにつき、そのまま収録しました。また、引用した書簡などには、原文を損なわない範囲で新漢字に替え、句読点を加えた箇所があります。ご了承ください。

写真に写っている方には一部、掲載の許諾をとれなかった方もあります。もし、掲載された写真の人物に覚えがある場合は、小社編集部まで御一報くださるようお願いいたします。

なお、撮影者を特定できない写真も掲載しているので、お心当たりのある場合は編集部までお知らせいただければ幸いに存じます。

村岡花子関連年表

※翻訳作品は２００８年５月現在で購入できるもののみを掲載した。モンゴメリ作『赤毛のアン』シリーズ10冊は現在、新潮文庫より刊行されている。ほかにもポプラ社から抄訳版シリーズ、および講談社・青い鳥文庫の『赤毛のアン』が出ている。年齢は満年齢表記とした。

１８９３　明治26（０歳）　６月21日、山梨県甲府市で葉茶屋を営む安中逸平《あんなかいっぺい》、てつの間に８人きょうだいの長女として生まれる。本名はな。２歳で洗礼を受け、クリスチャンとなる。

１８９８　明治31（５歳）　一家で上京。翌年、品川の城南尋常小学校に入学。

１９０３　明治36（10歳）　カナダ系メソジスト派の東洋英和女学校に編入学し、その後10年間を寄宿舎で暮らす。

１９０４　明治37（11歳）　婦人宣教師ミス・ブラックモアが校長として着任。勉強と生活の両面で厳しい指導を受ける。

１９０９　明治42（16歳）　前年に編入学してきた伯爵《はくしゃく》令嬢、柳原燁子《あきこ》（後に歌人、白蓮《びゃくれん》）に導かれ、歌人、佐佐木信綱《のぶつな》に師事。短歌結社竹柏《ちくはく》会に入り、万葉集や源氏物語などの古典や、短歌の創作を学ぶ。信綱の紹介で歌人の片山廣子《ひろこ》と出会い、生涯にわたる友情を結ぶ。英米文学を原書で読みふける日々のなか、森鷗外《おうがい》が訳したアンデルセン作『即興詩人』に感動し、翻訳家への夢を抱く。

１９１０　明治43（17歳）　婦人矯風会を通じて、公娼《こうしょう》問題などの社会問題に触れる。矯風会の会

1913　報誌『婦人新報』に短歌、エッセイ、短編小説、翻訳小説を掲載し、編集も担《にな》う（昭和10年まで）。

1913　大正2（20歳）　東洋英和女学校高等科卒業。

1914　大正3（21歳）　山梨英和女学校に教師として赴任。英語を教えながら、植村正久牧師主宰の『福音新報』に寄稿。第一次世界大戦勃発。

1916　大正5（23歳）　このころから童話や少女小説を『少女画報』に執筆。3歳下の吉屋《よしや》信子《のぶこ》は花形作家として、同誌で活躍していた。夏、実業家の広岡浅子を通じ、市川房枝を知る。

1917　大正6（24歳）　『爐邉《ろへん》』を処女出版、「子供も大人も楽しめる家庭文学」の道を志す。

1919　大正8（26歳）　教師を辞して、東京の日本基督《キリスト》教興文協会（関東大震災後、教文館と合併）で、婦人、子供向けの本の翻訳と編集に携わる。10月24日福音印刷株式会社の文社長でクリスチャンの村岡儆三《けいぞう》と築地教会で結婚。大森に新居を構える。

1920　大正9（27歳）　長男・道雄誕生。

1923　大正12（30歳）　関東大震災の影響で、夫の印刷会社が倒産し、多額の負債を抱える。

1926　大正15（33歳）　教文館で翻訳と編集を手がける。清新な家庭文学を提唱する出版社兼印刷所、青蘭《せいらん》社を夫と共に自宅に設立。5歳の長男、道雄が疫痢《えきり》により死亡。

1927　昭和2（34歳）　マーク・トウェイン作『王子と乞食《こじき》』（平凡社）刊行。

1928　昭和3（35歳）　歌人、渡辺とめ子主宰の女性文学者による同人文芸誌『火の鳥』の創刊メンバーとなる。

1930　昭和5（37歳）　婦選獲得同盟主催の全日本婦選大会に参加。婦人参政権獲得運動に力を入れる。青蘭社より『家庭』創刊。E・ポーター作『パレアナの成長』（平凡社）刊行（後に『喜びの本』、さらに『パレアナの青春』と改題され角川書店より刊行）。

1932　昭和7（39歳）　JOAK（NHKの前身）の嘱託となり、子供向けニュースの解説にあたる。「子供の新聞」というコーナーを担当して、「ラジオのおばさん」として全国で親しまれる。番組最後の「ごきげんよう、さようなら」の挨拶《あいさつ》が人気を博す（昭和16年12月の太平洋戦争開戦まで）。妹・梅子に長女みどり誕生。のちに養女とする。

1938　昭和13（45歳）　日本初のカルチャー・センターである、東京婦人会館（戦後、産経学園と改名）の理事長に就任。

1939　昭和14（46歳）　教文館の同僚、カナダ人婦人宣教師のミス・ショーが、国際間の紛争による世界情勢の悪化のため帰国。友情の記念にモンゴメリ作『アン・オブ・グリン・ゲイブルス（Anne of Green Gables）』を贈られ、翻訳を始める。

1941　昭和16（48歳）　日本、太平洋戦争に突入。

1945　昭和20（52歳）　第二次世界大戦終結。『アン・オブ・グリン・ゲイブルス』を訳了。臨時内閣法制調査委員会委員、司法法制審議委員会委員をつとめ、民法改正要綱審議会に参加し、公的な発言をする機会が増える。吉岡弥生、山高しげりらと共に厚生省の婦人団体、日本婦人協力会を結成。進駐軍と女性の問題、戦災者への救援などを課題にした。日本進歩党婦人部長に就任。

1946　昭和21（53歳）　文部省嘱託となって、アメリカ教育使節団と日本政府の間に立ち、教育の機会均等を推進する教育改革に尽力。

1952 昭和27（59歳） 5月10日、『アン・オブ・グリン・ゲイブルス』を『赤毛のアン』の題で三笠書房より刊行。以後、昭和34年まで7年にわたり、10冊のアン・シリーズを翻訳出版する。夏、日本初の家庭図書館「道雄文庫ライブラリー」を大森の自宅に開設。近所の子供に本を貸し出すなどの文化活動が、やがて全国に広がる。11月、産児制限運動家のマーガレット・サンガーの来日時に通訳を務める。

1953 昭和28（60歳） 売春問題対策特別委員会副会頭に就任。

1954 昭和29（61歳） ウィーダ作『フランダースの犬』（新潮文庫）刊行。

1955 昭和30（62歳） 産経学園理事長、日本児童文芸家協会理事に就任。5月、ヘレン・ケラー来日時に通訳。『ストウ夫人』（講談社）刊行（後に『ハリエット・B・ストウ』の題で童話屋より刊行）。

1957 昭和32（64歳） 家庭文庫研究会会長、日本翻訳家協会副会長に就任。

1958 昭和33（65歳） E・ポーター作『くり毛のパレアナ』（講談社）刊行（後に『少女パレアナ』の題で角川文庫より刊行）。

1959 昭和34（66歳） 娘みどりが物理学者・佐野光男と結婚。モンゴメリ作『風の中のエミリー』（秋元書房）刊行（後に『可愛《かわい》いエミリー』と改題）。以後昭和44年の『エミリーの求めるもの』まで、10年にわたり3部作を翻訳（後に新潮文庫から刊行）。マーク・トウェイン作『ハックルベリイ・フィンの冒険』（新潮文庫）刊行。

1960 昭和35（67歳） 児童文学への貢献により藍綬褒章《らんじゅほうしょう》を受章する。孫、美枝誕生。

1961 昭和36（68歳） バートン作・絵『いたずらきかんしゃちゅうちゅう』、ドーハーティ作・絵『アンディとらいおん』（ともに福音館書店）刊行。
1963 昭和38（70歳） 2月6日、夫、儆三死亡。
1964 昭和39（71歳） ファティオ作・デュボアザン絵『ごきげんならいおん』（福音館書店）刊行。
1966 昭和41（73歳） ディケンズ作『クリスマス・カロル』（河出書房、後に新潮社より刊行）。
1967 昭和42（74歳） 娘のみどり一家を訪ねて、渡米。初めての海外旅行。孫、恵理誕生。
1968 昭和43（75歳） 10月25日、脳血栓により死去。グリム作、中谷千代子絵『ブレーメンのおんがくたい』（偕成社）刊行。

主要参考文献

『近代日本社会運動史人物大事典』 日外アソシエーツ （1997）
『明治社会主義資料叢書１ 社会主義協会史』 新泉社 （1973）
『日本におけるキリスト教と社会運動』 森戸辰男 潮書房 （1950）
『明治キリスト教の流域―静岡バンドと幕臣たち』 太田愛人 中公文庫 （1992）
『日本基督教會史』 日本基督教会事務所 （1929）
『近代日本思想案内』 鹿野政直 岩波書店 （1999）
『静岡英和女学院百年史』 学校法人静岡英和女学院 （1990）
『東洋英和女学院百年史』 学校法人東洋英和女学院 （1984）
『東洋英和女学校五十年史』 東洋英和女学校 （1934）
『目で見る東洋英和女学院の110年』 学校法人東洋英和女学院 （1995）
『山梨英和 礎のときを生きて』 山梨英和同窓会発行 （2006）
『明治学院五十年史』 明治学院 （1927）
『写真でみるプール学院の110年』 プール学院 （1990）
『日本の婦人問題』 村上信彦 岩波書店 （1978）
『築地外国人居留地』 川崎晴朗 雄松堂出版 （2002）
『銀座物語 煉瓦街を探訪する』 野口孝一 中公新書 （1997）
『神奈川県印刷業史』 神奈川県印刷工業組合 （1991）
『横浜成功名誉鑑』（復刻版） 有隣堂 （1980）
『横浜の本と文化 別冊』 横浜市中央図書館 （1994）
『信仰三十年基督者列傳』 警醒社書店 （1921）
『大正モダンから戦後まで』 世界文化社 （2006）
『日本放送史』 日本放送協会 （1951）

『放送夜話―座談会による放送史』　日本放送協会　(1968)
『産経学園　五十年史』　産経学園本部　(2005)
『昭和史　1926〜1945』　半藤一利　平凡社　(2004)
『昭和史　戦後篇1945〜1989』　半藤一利　平凡社　(2006)
『国防婦人会―日の丸とカッポウ着』　藤井忠俊　岩波新書　(1985)
『東京大空襲・戦災誌』第4巻　東京空襲を記録する会　(1973)
『戦後における民法改正の経過』　日本評論社　(1956)
『女流文学者会・記録』　日本女流文学者会編　中央公論新社　(2007)
『物語の娘　宗瑛を探して』　川村湊　講談社　(2005)
『昭和文学盛衰史』　高見順　文春文庫　(1987)
『先駆者たちの肖像　明日を拓いた女性たち』　東京女性財団　(1994)
『現代婦人傳（私の歩んだ道）』　神崎清編　中央公論社　(1940)
『新編　近代美人伝（下）』　長谷川時雨　岩波文庫　(1985)
『荊棘の實』　柳原燁子　新潮社　(1928)
『白蓮　娘が語る母燁子』　宮嶋玲子　旧伊藤伝右衛門邸の保存を願う会　(2007)
『小説土佐堀川―女性実業家・広岡浅子の生涯』　古川智映子　潮出版社　(1988)
『わが妻恋し　賀川豊彦の妻ハルの生涯』　加藤重　晩聲社　(1999)
『私の婦人運動』　市川房枝　秋元書房　(1972)
『日本の「創造力」―近代・現代を開花させた四七〇人（２）』　ＮＨＫ出版　(1993)
『ゆめはるか吉屋信子』上・下　田辺聖子　朝日新聞社　(1999)
『林芙美子』　平林たい子　新潮社　(1969)

『林芙美子　宇野千代　幸田文　集』現代日本文学大系69　筑摩書房　(1969)
『お母さん童話の世界へ　徳永寿美子の足跡』　渡辺玲子　文芸社　(2003)
『燈火節』　片山廣子／松村みね子　月曜社　(2004)
『新編燈火節』　片山廣子　月曜社　(2007)
『随感随筆』　澤田廉三　澤田廉三先生遺稿刊行会　(1990)
『明治快女伝　わたしはわたしよ』　森まゆみ　文春文庫　(2000)
『改訂版 生きるということ』　村岡花子　赤毛のアン記念館・村岡花子文庫　(2004)
『をみななれば』　村岡花子　赤毛のアン記念館・村岡花子文庫　(2004)
『野村胡堂　あらえびすとその時代』　太田愛人　教文館　(2003)
『七つの蕾』　松田瓊子　ひまわり社　(1949)
『北海道の夜明け―常紋トンネルを掘る』　小池喜孝　国土社　(1982)

『「赤毛のアン」の島　プリンス・エドワード島の歴史』　ダグラス・ボールドウィン、木村和男訳　河出書房新社　(1995)
『日本の子どもの文学展』　神奈川文学振興会　(1985)
『築地居留地』1～3　築地居留地研究会　(2000～2004)
『横浜のあゆみ』　横浜開港資料普及協会　(1986)
『生誕110年　吉屋信子展』　県立神奈川近代文学館　(2006)
『別冊歴史読本　明治・大正を生きた15人の女たち』　新人物往来社　(1985)
『満州の記録・満映フィルムに映された満州』　集英社　(1995)

『別冊太陽・近代恋愛物語50』　平凡社　(1979)
『The History of the Church Missionary Society』 Church Missionary Society　(1916)

雑誌

『小光子』　教文館出版部
『教文館月報』　教文館出版部
『婦人新報』　日本基督教婦人矯風会
『産経学園』　大手町産経学園
『家庭文庫研究会会報』　家庭文庫研究会
『ＮＨＫ放送文化』　日本放送協会　(1961)
『横浜歩道』78号　いずみ通信社　(1968)
『婦選』昭和８年４月号　婦選獲得同盟　復刻版　第８巻　不二出版　(1992〜94)
『女性展望』昭和15年１月号　婦選獲得同盟　復刻版　第19巻　不二出版　(1992〜94)
『ヌプンケシ62号』　北見市企画部市史編さん担当　(2003)

論文

『村岡花子論・太平洋戦争前を中心に』　鈴木宏枝　(1995)

Special Thanks

末益和枝　宮崎蕗苳　吉屋幸子　一万田栄子　小池かよ

有澤結　生方晴子　北林マリ子　村岡道子　小野容照

東洋英和女学院／山梨英和女学院／静岡英和女学院
日本女子大学成瀬記念館／明治学院大学図書館
プール学院資料室／山梨県立文学館／神奈川近代文学館
日本キリスト教婦人矯風会／日本婦人有権者同盟
市川房枝記念会
教文館／新潮社／世論時報社

カナダ大使館／カナダ観光局

Atlantic Canada Tourism Partnership
Tourism Prince Edward Island

Kate MacDonald Butler/Heirs of L.M.Montgomery Inc.

「曲り角のさきにあるもの」を信じる

梨木香歩

筆者がこの文章を綴《つづ》っている現在、東日本大震災からほぼ四ヵ月が経過しているのだが、被災者の悲嘆は未だ尽きることなく、頼みの政治はだらしなく混迷を極め、福島第一原子力発電所は地球規模の犯罪とも言える放射能漏れで陸海空を汚染し続けている状況である。相次ぐ被災地での自殺のニュース。胸が痛い。先が見えない。

そういうとき、久しぶりに『赤毛のアン』の、この有名な言葉に本書『アンのゆりかご』の中で再会した。

「いま曲り角にきたのよ。曲り角をまがったさきになにがあるのかは、わからないの。でも、きっといちばんよいものにちがいないと思うの」

懐《なつ》かしい泉の水を飲んだように感じた。

今までのどの時代にもまして、「いちばんよい」時代は、これから来る。そう強く思いたい。これまでの人生で幾度となく「再会してきた」はずのこの言葉が、こんなに力強く、光に満ちたものであったことを、改めて知らされた思いだった。同じく先の見えない思いであったろう戦時中、『赤毛のアン』を訳し続けた村岡花子の心境を思った。本書で知った、彼女が東洋英和女学校を卒業するときの校長、ミス・ブラックモアの言葉、「……最上のものは過去にあるのではなく、将来にあります。旅路の最後まで希望と理想を持ち続けて、進んでいく者でありますように」にも、その同じエッセンスが窺《うかが》える。村岡花子が受けてきた、そういう教育はまた、数十年ほど前まで欧米の児童文学が醸成してきた世界とも重なるものがある。どんな状況でも、光に向かって歩んでいく、という。

モンゴメリから、そして村岡花子からもらったものは大きい。

村岡花子の翻訳家としてのバックボーンは、十歳の頃からカナダ人宣教師たちと寝食を共にする形で過ごした、明治時代のミッションスクール、東洋英和女学校の寄宿舎生活にあった。彼女や彼女の先輩に当たる片山廣子《ひろこ》のように、生涯一度も（村岡は晩年一度だけアメリカに渡ったが）外国の土を踏んだ経験がないにもかかわらず、自在に英語を使いこなせる女性を輩出した、というだけでも、その学校生活が特色あるものであっただろうことが窺われる。

本書では、その生活の様子が細部に渡って実に生き生きと描かれている。村岡花子の翻訳文に特有の、「……くださらないこと？」等の言い回しが飛び交う、正真正銘の女学校生活だ。キリスト教を、英語並びに西欧文化ごと、この国の子女に教え込むのだ、という女性宣教師たちの意気込みたるや、以降の日本の学校教育の中にも、同じような例は容易に見いだせないのではないだろうか（ちょっとした規則違反に与えられる罰が、ずいぶん厳しい。そして上流階級のお姫様たちが、けなげにそれに耐えしのび、品よく悪態をつくかわいらしさ）。

専門領域における知識の伝達のみならず、日常の立ち居振る舞い、文化習慣に至るまでの「カナダ風」は、今なら「自国の文化を他国に押し付ける」植民地的、とためらわれてもおかしくないような徹底ぶりである。が、善きにつけ悪《あ》しきにつけ、何かが自分の骨身に沁《し》みるようにインストールされる道は、いつもそういうものであるのだろう。花子が生涯に渡って持っていた、社会福祉への意識の高さ、社会的弱者であった女性や子供の生活向上への献身（東洋英和女学校は、当時孤児院も経営しており、花子もそこへ通っていた）もまた、この時代に彼女が叩《たた》き込まれた生きる姿勢のようなものであったのかもしれない。

戦時色が次第に色濃くなっていく時代にも、彼女には、そういう社会の空気から、精一杯子供を守ろうとする意志が見える。子供に向けてのラジオ番組を担当する中、軍の検閲を受けざるを得なくなったときの心境をこう述べている。

「現在の時局下にあっては、そんな悠長なものではなくもっと軍事に関係ある話材を脚色して見せるべきだといふ人々も、勿論《もちろん》、多くあることでありませう。

しかしながら、子供はいつの時代にも美しい夢を持っているものです。生まれ合わせた時代がきりきりと緊張してをり、大人たちが切迫した気分で生活してゐればゐるほど、子供の無限的気分へのいたわりを、忘れないやうに心すべきであると、私は考えているのです。」（P.257-258）

そしてまた、そういう時代を何とかしのいで、婦人参政権獲得のために行動した──それがたとえ時局に迎合するような形になったにしても──花子以外の女性運動家たちの闘いのことも、本書は冷静な筆致で伝える。「理想とはかけ離れた選択だったが、参政権を勝ちとらなければ、平和を求めようにも女性の意見は政治決定に生かされない」。生まれたときから、女性にも選挙権があることが当然の社会に育ってきたものにとっては、この、選挙権がない、つまり二級市民である、ということの抑圧と反発は本当には分からないのかもしれない、としみじみ感じた。

花子もまた、自分にとって何より大事な家族を守らなければならない。仕事ができなくなれば社会のためにも働けない。だから今は表立って戦争に異を唱えることはできない。国の命令に従って国策のための講演へすら行かなければならない。そういう葛藤《かっとう》を抱えながらも、ひそかに『アン・オブ・グリン・ゲイブルス』の翻訳を続ける。いつか、日本がこの本を必要とするときが来る、という使命感もあったろう。カナダの友人知人たちとの友情の絆《きずな》をこのまま風化させるまい、という思いもあったろう。けれど、何よりも花子自身が、軍事色一色の世界の中、心の深いところで、アンの物語を必要としていたのではないか。自分の魂のために、それは必要であったのではないか。本書を読んでいると、そのことがひしひしと伝わってくる。狂奔する世界の中で、正気を保つよう彼女を守り続けたのは、ほかならぬ、疎開《そかい》もせずに彼女が守り続けた蔵書や翻訳作業そのものだったのだ、ということが。「命に代えても」という言葉は、こういう関係性の中で生まれてくるものなのだろう。

クリスチャンであることと、花子の生き方は切り離せないものだった。だが、花子は同じクリスチャンであるはずの自身の母の死に際しては、仏式で送った。生存中は、熱心なクリスチャンだった夫に従い、自分の意見を言わずにいた母であったが、実は仏教に深く傾倒していたことを、花子は知っていたからだ。花子が旧弊な家制度に疑問を持ち続け、女性の社会的地位の確立のために働いた原動力の一つには、そういう母の姿もあったのだろう。花子は、母の最後を、家や夫に従属しない個人の姿で送りたかったのだろう。

柳原燁子《あきこ》との終生尽きることのなかった、あるときは忠実な恋人のような、支え合う姉妹のような篤《あつ》い友情、夫・儆三《けいぞう》との、文字通り「死が二人を分かつまで」四十四年間貫き通した夫婦愛。出張中の花子との間に交わされた書簡には、結婚後も相変わらず熱烈としか言いようのない愛情の吐露が見て取れる。読む者は、他人の恋文を読んでいるという後ろめたさを不思議に感じることなく、ただただ圧倒され、感動すら覚える。中世の時代の熱烈な恋愛に憧《あこが》れていた花子の、絵に描いたようなロマンティック・ラブだが、こういう人間関係が可能だった時代があったのだ（いや、私が知らないだけで今もどこかにこういうカップルがいるのかも知れないが）、と思うとなんだかほのぼのと嬉《うれ》しい。

娯楽の少なかった時代、花子は、家族皆で楽しめる家庭文学の確立を目指す。それを希望する社会の層があり、その必要を確信できたからこそである。家庭にテレビが入り込み、携帯電話やインターネットが新しい文化を牽引《けんいん》しようとしている今、村岡花子の築いていた濃密な人間関係の世界は遠いものになってしまった観がある。当時とは違う苦悩の中で生きる子供たちを前にして、村岡花子なら、どう行動しようとしただろう。新しい人間関係の絆を、模索していただろうか。つい、問うてみたくなる。

本書には、ただ村岡花子一人の女性史のみならず、彼女の生きた時代の女性たちの意識、彼女たちの置かれた社会的地位、葛藤までもが丹念に描かれている。中でも市川房枝に対する言及は、簡潔ではあるが各時代の要所要所に的確に入っていて、婦人参政権獲得運動の歴史が実に端的に浮かび上がる仕組みになっている。

本文の最後にある通り、著者・村岡恵理氏は、村岡花子の孫に当たる。身内のことを記録する、という作業は、決して易しいものではない。書こうとしている対象に対して、記録者は客観性を失いがちになり、無意識のうちに自分と同一視し、まるで過去の人物本人による自画自賛、自己弁明と他者糾弾に満ちた回顧録のようなものにさえなり得る危険性がある。本書はそういうものからまったく無縁である。無縁でありながら、激動の時代に、葛藤を抱えながら自分の運命を引き受け、切り開いてきた一人の女性への、同じ女性としての親密な共感が感じられる。花子が、結果的に薄倖《はっこう》の妻子から儆三を奪うような形で成就《じょうじゅ》させた恋についても、著者は庇《かば》うでもなく非難するでもなく、ましてや弁明でもなく、彼女の歩んできた道程では「そうとしかありようがなかった」出来事として、丁寧に叙述している。同じように最愛の息子・道雄を失ったときの悲嘆にも、著者は付かず離れず寄り添っている。だからこそ、花子の喪失の穴の深さが、後悔や罪意識でえぐられるようであるのを、読者も共に体感できる。
　村岡花子を敬愛する人は多い。けれど、その生涯について知り得る人は少なかったのではないか。これは、強風の中を疾走するように生き抜いた、村岡花子という個人を、繊細で強靭《きょうじん》な精神が、これもまた個人として彼女と相対しながら、時代の空気ごと見事に彫り上げた、まぎれもない村岡花子像である。ものをつくり出すという仕事は、いつも孤独という祭壇の上でなされる。自身の身をも削るような大変な力仕事だったに違いないと推察する。よくぞ今のこの時代《とき》にと、深い感慨に満たされて読了した。

（二〇一一年七月十四日、作家）

この作品は二〇〇八年六月マガジンハウスより刊行された。

アンのゆりかご
村岡花子の生涯

新潮文庫　む－16－1

平成二十三年九月一日発行
平成二十六年七月十日十三刷

著者　村《むら》岡《おか》恵《え》理《り》

発行者　佐藤隆信
発行所　株式会社新潮社
郵便番号　一六二―八七一一
東京都新宿区矢来町七一
電話　編集部(〇三)三二六六―五四四〇
読者係(〇三)三二六六―五一一一
http://www.shinchosha.co.jp

価格はカバーに表示してあります。

乱丁・落丁本は、ご面倒ですが小社読者係宛ご送付ください。送料小社負担にてお取替えいたします。

印刷・大日本印刷株式会社　製本・株式会社大進堂

ISBN978-4-10-135721-8 C0195